A ANATOMIA DO CRIME

Outras publicações da autora:

Sombras de um crime
Rastros de sangue
O canto das sereias
O eco distante
Um corpo para o crime
Domínio sombrio
Prelúdio para a morte

Val McDermid

A ANATOMIA DO CRIME

Tradução
Marcelo Hauck

1ª edição

BERTRAND BRASIL

Rio de Janeiro | 2023

CIP-BRASIL. CATALOGAÇÃO NA PUBLICAÇÃO
SINDICATO NACIONAL DOS EDITORES DE LIVROS, RJ

M118a   McDermid, Val
         A anatomia do crime / Val McDermid ; tradução Marcelo Hauck. - 1. ed. Rio de Janeiro : Bertrand Brasil, 2023.

         Tradução de: Forensics
         ISBN 978-65-5838-167-9

         1. Medicina legal - Brasil. 2. Perícia médica - Brasil. I. Hauck, Marcelo. II. Título.

23-82160

CDD: 614.10981
CDU: 340.6(81)

Meri Gleice Rodrigues de Souza - Bibliotecária - CRB-7/6439

Copyright © Val McDermid, 2014, 2015

Título original: *Forensics: The Anatomy of Crime*

Texto revisado segundo o Acordo Ortográfico da Língua Portuguesa de 1990.

Todos os direitos reservados.
Não é permitida a reprodução total ou parcial desta obra, por quaisquer meios, sem a prévia autorização por escrito da Editora.

Direitos exclusivos de publicação em língua portuguesa somente para o Brasil adquiridos pela:
EDITORA BERTRAND BRASIL LTDA.
Rua Argentina, 171 — 3º andar — São Cristóvão
20921-380 — Rio de Janeiro — RJ
Tel.: (21) 2585-2000,
que se reserva a propriedade literária desta tradução.

Seja um leitor preferencial. Cadastre-se no site www.record.com.br
e receba informações sobre nossos lançamentos e nossas promoções.

Atendimento e venda direta ao leitor:
sac@record.com.br

SUMÁRIO

Prefácio ◆ 9

1. A cena do crime ◆ 13
2. Investigação de locais de incêndio ◆ 30
3. Entomologia ◆ 57
4. Patologia ◆ 77
5. Toxicologia ◆ 102
6. Impressões digitais ◆ 130
7. Manchas de sangue e DNA ◆ 152
8. Antropologia ◆ 180
9. Reconstrução facial ◆ 205
10. Computação forense ◆ 225
11. Psicologia forense ◆ 250
12. O tribunal ◆ 281

Conclusão ◆ 309
Agradecimentos ◆ 313
Bibliografia selecionada ◆ 315
Índice ◆ 321

Para Cameron, com amor

Sem a ciência, você não existiria;
sem você, a perspectiva do futuro seria bem mais estreita.
Muito legal essa ciência.

PREFÁCIO

A face da justiça que conhecemos hoje nem sempre foi judiciosa. A noção de que o direito penal deve se basear em provas é relativamente nova. Durante séculos, pessoas foram acusadas e condenadas porque não detinham um determinado status; porque eram de um lugar diferente; porque elas, ou suas esposas, ou suas mães, eram habilidosas no uso de plantas; porque tinham determinado tom de pele; porque haviam feito sexo com um parceiro inapropriado; porque estavam no lugar errado na hora errada; ou por qualquer outro motivo.

Isso mudou quando a ideia de que todo tipo de informação necessária estaria contida na cena de um crime foi ganhando força, e ramos da ciência que podiam esmiuçar essas informações e apresentá-las em um tribunal foram surgindo.

As escassas descobertas científicas do século XVIII, que se intensificaram significativamente no século XIX e nos seguintes, não demoraram a ter aplicações práticas para além da bancada do laboratório. A ideia de uma investigação criminal propriamente dita estava apenas começando a se consolidar, e alguns dos primeiros detetives estavam esperançosos para encontrar provas que respaldassem as teorias sobre os crimes que investigavam.

Nascia a ciência forense, "forense" no sentido de "um tipo de prova legal". E logo ficou evidente que muitos ramos da pesquisa científica teriam algo com que contribuir para essa nova metodologia.

Um dos primeiros exemplos dessa contribuição foi a junção da patologia e o que atualmente chamamos de análise documental.

10 A ANATOMIA DO CRIME

Em 1794, Edward Culshaw foi assassinado com um tiro de pistola na cabeça. Naquela época, as pistolas eram carregadas pelo cano e enfiava-se um chumaço de papel para fixar as balas e a pólvora na arma. Quando o cirurgião examinou o corpo, encontrou o chumaço dentro da ferida. Ele o abriu e este se revelou um canto rasgado da partitura de uma balada.

O suspeito pelo assassinato, John Toms, foi revistado, e em seu bolso foi encontrada uma partitura com o canto rasgado, ao qual se encaixava perfeitamente o chumaço da pistola. No julgamento em Lancaster, Toms foi condenado por homicídio.

Fico pensando como deve ter sido emocionante ver esses desenvolvimentos transformando a lei em um instrumento de justiça mais preciso. Os cientistas estavam ajudando os tribunais a transformar suspeita em certeza.

Consideremos o veneno, por exemplo. Por muitos anos, o veneno foi o método favorito de assassinato. Mas, sem exames toxicológicos fidedignos, era quase impossível provar sua presença. Isso estava para mudar.

Porém, mesmo nos estágios iniciais, a prova científica estava sujeita a questionamentos. No fim do século XIX, foi desenvolvido um teste para detectar a presença de arsênico, mas somente em grandes quantidades. Com o tempo, tal teste foi aprimorado para que ficasse mais eficaz graças ao químico britânico James Marsh.

Em 1832, a promotoria o convocou como perito em química para o julgamento de um homem acusado de envenenar o avô colocando arsênico em uma xícara de café. Marsh testou a amostra do café supostamente contaminado e confirmou a presença de arsênico. Contudo, quando apresentou os resultados ao júri, a amostra havia deteriorado e o resultado já não estava evidente. O acusado foi posto em liberdade com base na dúvida razoável.

Mas isso não foi um empecilho para os jovens peritos. James Marsh era um cientista determinado. Ele considerou esse fracasso um estímulo para alcançar o sucesso. Sua resposta para o constrangimento gerado por sua participação no julgamento foi a criação de um novo teste. O teste definitivo era tão eficaz que conseguia detectar até

PREFÁCIO 11

um vestígio mínimo de arsênico; acabou sendo o responsável pelo enforcamento de muitos envenenadores vitorianos que teriam saído impunes não fosse pela ciência forense, e é usado até hoje.

A história da ciência forense, desde a cena do crime até o tribunal, é o que aparece em milhares de romances policiais. A aplicação da ciência na solução de crimes é a razão pela qual eu tenho uma profissão que paga bem. Não pelo motivo óbvio — de que cientistas forenses são generosos com seu tempo e conhecimento —, mas porque o trabalho deles revolucionou o que acontece nos tribunais ao redor do mundo.

Nós, autores de ficção policial, às vezes gostamos de dizer que o gênero tem suas raízes nos mais profundos recônditos da história da literatura. Alegamos haver antecedentes na Bíblia: a fraude no Jardim do Éden, o fratricídio de Abel cometido por Caim, a morte de Urias tramada pelo rei David. Tentamos nos convencer de que Shakespeare era um de nós.

Mas a verdade é que a ficção policial propriamente dita só começou com um sistema jurídico que se baseia em provas. E essa é a herança que esses cientistas e detetives pioneiros nos deixaram.

Mesmo nos primórdios, estava evidente que, se a ciência podia ajudar o judiciário, o judiciário também podia estimular os cientistas para que atingissem patamares mais elevados. Ambos os lados têm um papel fundamental no cumprimento da justiça. Para este livro, conversei com cientistas forenses de ponta sobre a história, a prática e o futuro das disciplinas nas quais atuam. Subi no pináculo da torre mais alta do Museu de História Natural em busca de larvas, fui transportada de volta aos meus próprios enfrentamentos com a morte violenta e repentina, segurei o coração de uma pessoa morta. Foi uma jornada que me encheu de admiração e respeito. As histórias que esses cientistas têm para contar sobre o caminho quase sempre tortuoso da cena do crime até o tribunal estão entre as mais fascinantes que você lerá na vida.

E são uma forma de lembrar que a verdade é mais estranha que a ficção.

Val McDermid

UM

A CENA DO CRIME

"A cena é a testemunha silenciosa."
Peter Arnold, perito criminal

"Emergência. Policial ferido" é a chamada que todo policial teme. Em uma tarde cinzenta de novembro em Bradford, no ano de 2005, as palavras vacilantes da policial Teresa Millburn no rádio fizeram todos na sala de controle da Polícia de West Yorkshire estremecer. A mensagem anunciou um caso que comoveu a comunidade policial inteira. Naquela tarde, o medo com o qual os policiais convivem diariamente se tornou uma realidade cruel para duas mulheres.

Teresa e sua parceira, a policial Sharon Beshenivsky, com apenas nove meses de serviço, estavam quase no fim do turno de trabalho, fazendo ronda em sua viatura, vigiando uma região. Estavam ali caso fosse necessário intervir em pequenos incidentes, mais como uma presença física nas ruas. Sharon não via a hora de voltar para casa para a festa de aniversário da filha mais nova e, a menos de trinta minutos para o fim do expediente, parecia que chegaria a tempo de partir o bolo e participar da festa.

Mas então, logo depois das 15h30, elas receberam um chamado. Um alarme de emergência silencioso, ligado diretamente à central

14   A ANATOMIA DO CRIME

da polícia, havia disparado na Universal Express, uma agência de viagens da região. Como as duas passariam pelo local no caminho de volta para a delegacia, resolveram atender ao chamado. Estacionaram do outro lado da rua do estabelecimento e atravessaram em direção ao comprido prédio de tijolos de um andar, que tinha as vitrines escurecidas por persianas verticais.

Quando chegaram à agência, deram de cara com três ladrões armados. Sharon levou um tiro no peito à queima-roupa. Depois, já no julgamento dos assassinos de Sharon, Teresa disse: "A distância entre nós era de um passo. Sharon estava na minha frente. De repente, ela parou. Ela parou do nada — foi tão rápido que eu acabei passando a frente dela. Ouvi um tiro e a Sharon caiu no chão."

Logo em seguida, Teresa também foi baleada no peito. "Eu estava caída no chão. Engasgando em meu próprio sangue. Sentia o sangue escorrendo pelo meu nariz, sangue no meu rosto, e puxava o ar, tentando respirar." Mesmo assim, ela conseguiu pressionar o botão de pânico e avisar a sala de controle com aquela fatídica palavra: "Emergência."

Peter Arnold, um perito criminal do Serviço de Apoio Científico de Yorkshire e Humberside, ouviu o chamado pelo rádio. "Eu nunca vou me esquecer. Dava para ver a cena da delegacia; era literalmente no fim da rua. E, do nada, uma multidão de policiais correndo. Nunca vi tantos policiais correndo ao mesmo tempo; parecia uma evacuação de incêndio. A princípio, eu não sabia o que estava acontecendo. Daí eu ouvi no rádio que alguém tinha sido baleado, possivelmente um policial. Então eu também saí correndo. Fui o primeiro perito a chegar à cena. Eu queria ajudar os policiais a colocar a fita de isolamento, garantir que preservaríamos a cena, porque naquele momento estava todo mundo emotivo, como você pode imaginar, e a gente precisava colocar alguma ordem naquilo. Passei praticamente duas semanas processando aquela cena. Foram muitas horas. Eu ia trabalhar às sete da manhã e só chegava em casa depois da meia- -noite. Me lembro de ter ficado completamente exausto depois, mas, na época, eu não me importava. Aquilo vai ficar para sempre comigo. Nunca vou me esquecer daquela cena. Não porque ela se tornou muito famosa, mas porque foi muito pessoal, porque a pessoa morta era uma colega. Por ser policial, era como se Sharon fizesse parte da minha família. Outras pessoas que a conheciam ficaram ainda mais abaladas, mas todos engoliram a tristeza e continuaram a trabalhar. E a gente até conseguiu resultados muito bons com a perícia, e eles contribuíram com o caso, não só na cena onde o crime de fato aconteceu, mas nas cenas periféricas também: nos veículos de fuga e nos locais para os quais foram depois." (*Ver imagem 1 no encarte de fotos.*)

Os responsáveis pelo roubo à mão armada que deixou o marido de Sharon Beshenivsky viúvo, e os três filhos sem mãe, foram levados a julgamento e sentenciados à prisão perpétua. A condenação aconteceu principalmente devido ao trabalho de peritos e outros especialistas da ciência forense: pessoas que encontram provas, as interpretam e, por fim, as apresentam no tribunal. O que faremos neste livro será justamente acompanhar a jornada dessas provas.

Toda morte repentina e violenta tem sua própria história. Para destrinchá-la, os investigadores começam com dois recursos principais: a cena do crime e o cadáver. Em circunstâncias ideais, o corpo está na cena; observar a relação entre os dois ajuda os investigadores a reconstituir a sequência dos eventos. Mas nem sempre isso acontece. Sharon Beshenivsky foi levada às pressas para o hospital na esperança de que pudesse ser reanimada. Há casos de pessoas com ferimentos fatais que às vezes conseguem se afastar do local onde foram atacadas. Alguns assassinos movem o corpo de lugar com a intenção de escondê-lo ou simplesmente de confundir os detetives. (*Ver imagem 2 no encarte de fotos.*)

Independentemente das circunstâncias, os cientistas desenvolveram métodos que fornecem aos detetives uma série de informações que os auxilia na interpretação da história de uma morte. Para que essa história seja crível em um julgamento, a promotoria precisa mostrar que as provas são robustas e não foram contaminadas. Por esse

16 A ANATOMIA DO CRIME

motivo, a gestão da cena do crime se tornou a linha de frente na investigação de assassinato. Como Peter Arnold diz: "A cena é a testemunha silenciosa. A vítima não pode nos contar o que aconteceu, o suspeito provavelmente não vai nos contar o que aconteceu, então precisamos de uma hipótese que explique o que aconteceu."

A precisão de tais hipóteses se desenvolveu paralelamente à nossa compreensão sobre o que é possível descobrir na cena do crime. No século XIX, enquanto os processos judiciais com base em provas passaram a ser a norma, a preservação dessas provas ainda era rudimentar. A noção de contaminação não fazia parte do processamento. E levando em consideração os estritos limites do que a análise científica era capaz de atingir, esse não era um problema tão grande assim. Porém os limites se expandiram à medida que os cientistas aplicaram seu constante conhecimento na prática.

Uma das pessoas mais importantes para o estudo dos vestígios na cena de um crime foi o francês Edmond Locard. Depois de ter feito medicina e direito em Lyons, ele abriu o primeiro laboratório de investigação criminal do mundo, em 1910. O departamento de polícia de Lyon deu a ele duas salas no sótão e dois assistentes, e, depois desse início modesto, ele transformou o lugar em um centro internacional. Desde pequeno, Locard era um ávido leitor de Arthur Conan Doyle e foi particularmente influenciado por *Um estudo em vermelho* (1887), livro no qual Sherlock Holmes aparece pela primeira vez. Nesse romance, Holmes diz: "Fiz um estudo especial sobre cinzas de charuto — na verdade, escrevi uma monografia sobre o tema. Gabo-me de poder distinguir à primeira vista a cinza de qualquer marca conhecida de charuto ou tabaco." Em 1929, Locard publicou um artigo sobre a identificação do tabaco a partir do estudo das cinzas encontradas na cena de um crime, "The Analysis of Dust Traces".

Ele escreveu um compêndio histórico de sete volumes sobre o que chamava de "criminalística", mas provavelmente sua maior contribuição à ciência forense foi a frase simples que cunhou, conhecida como o Princípio de Locard: "Todo contato deixa marcas." Ele escreveu: "É impossível um criminoso agir, especialmente levando

A CENA DO CRIME   17

em consideração a intensidade de um crime, sem deixar vestígios de sua presença." Podem ser impressões digitais, pegadas, fibras identificáveis de suas roupas ou de seu ambiente, cabelo, pele, uma arma ou itens que deixou cair ou largou para trás. E o contrário também é verdade — o crime deixa marcas no criminoso. Sujeira, fibras da vítima ou da própria cena, DNA, sangue ou outras manchas. Locard demonstrou o poder desse princípio em suas investigações. Em um caso, ele desmascarou um assassino que parecia ter um álibi sólido para o assassinato da namorada. Locard analisou vestígios de um pó rosa encontrado em meio à sujeira debaixo das unhas do suspeito e provou que eram de uma maquiagem feita especialmente para a vítima. Confrontado com a prova, o assassino confessou.

A influência de cientistas de laboratório dedicados segue a passos largos. Porém, sem o meticuloso trabalho inicial na cena do crime, a ciência não tem com o que trabalhar. Uma pioneira improvável na análise da cena de um crime para construir uma narrativa foi Frances Glessner Lee, uma herdeira de Chicago que fundou a Faculdade de Medicina Legal de Harvard, em 1931, a primeira dos EUA. Lee construiu uma série de réplicas intricadas e completas de cenas de crimes verdadeiros, com portas, janelas, armários e luzes, tudo funcionando. Ela batizou essas macabras casinhas de boneca de "Estudos em miniatura de mortes inexplicadas" e as usou em diversas conferências sobre a compreensão da cena de um crime. Investigadores passavam até 90 minutos analisando os dioramas e, em seguida, eram convidados a escrever um relatório com suas conclusões. Erle Stanley Gardner, o escritor que usou os mistérios de Perry Mason como base para uma série de TV que ficou muito tempo no ar, escreveu: "Uma pessoa que estuda esses modelos pode aprender mais sobre prova circunstancial em uma hora do que com meses de estudo abstrato." Mais de cinquenta anos depois, os dezoito dioramas ainda são usados para treinamento no Instituto Médico Legal de Maryland.

Frances Glessner Lee reconheceria os princípios da gestão da cena do crime moderna, mas a maior parte dos detalhes seria alheia a ela.

18 A ANATOMIA DO CRIME

Roupas especiais, luvas nitrílicas, máscaras de proteção — toda a parafernália que os peritos modernos usam para trabalhar deu a esse ramo da ciência um rigor com o qual os criminalistas antigos nem sonhavam. O rigor era tamanho que foi aplicado na investigação do assassinato de Sharon Beshenivsky, um exemplo perfeito de investigadores seguindo todas as pistas promissoras até solucionarem o caso. Como sempre, os detetives contaram muito com as informações fornecidas pela equipe de peritos.

Na linha de frente do processo ficam os peritos. Eles começam a carreira em programas de residência para desenvolvimento profissional que lhes dão noções básicas de habilidades e técnicas necessárias para identificar, coletar e preservar provas. Quando retornam para a base, são orientados de perto enquanto desenvolvem experiência prática. Começam com crimes de nível mais baixo e vão passando para casos mais difíceis à medida que adquirem conhecimento e habilidades. Eles têm de apresentar um portfólio de provas após determinado período para atestar sua competência.

Vimos muitas cenas de crime processadas na TV. Todos nós achamos que sabemos como as coisas são feitas: os profissionais de roupas brancas fotografam meticulosamente, ensacam e preservam provas cruciais. Mas como funciona na vida real? O que os peritos realmente fazem? O que acontece depois que um corpo é encontrado?

No Reino Unido, geralmente, o primeiro policial que chega à cena é um guarda. A decisão em relação à morte ser ou não suspeita é de um policial com patente de detetive-inspetor ou mais alta. Uma vez que o detetive estabelece que possa ter sido um homicídio, a cena é preservada para os peritos. A polícia se retira, cerca a cena com fita de isolamento e dá-se início ao registro de pessoas que entram e saem de lá. Assim, qualquer possível fonte de contaminação de prova fica listada.

Um investigador sênior é designado para comandar a investigação. Todos os peritos são subordinados a ele, e a responsabilidade por tudo que acontece também é dele. O investigador no comando é auxiliado por um coordenador de equipe de perícia,

A CENA DO CRIME   19

que sistematiza os recursos científicos que o investigador decide serem necessários.

Peter Arnold, um coordenador de equipe de perícia, exala energia, tem olhos para detalhes como os de um melro-preto e um entusiasmo nítido pelo trabalho. Sua unidade atende a quatro forças policiais distintas. Ela é o maior serviço de apoio científico externo à Polícia Metropolitana, com aproximadamente quinhentos funcionários. Eles trabalham em turnos de 24 horas, para que a prestação de serviço a detetives investigando todo tipo de crime imaginável seja ininterrupta. A unidade fica bem ao lado da M1, perto de Wakefield, em um imóvel feito sob medida para as atividades ali desenvolvidas, que recebeu o nome de Sir Alec Jeffreys, o pai do teste de DNA. Ele tem vista para um lago artificial, e a tranquilidade rural do local contrasta violentamente com a ciência de ponta usada dentro do prédio.

"Assim que recebo a primeira ligação, começo a coordenar recursos", conta Peter. "Se é uma cena em um ambiente interno, não precisamos ter muita pressa, porque nada vai ser afetado pela chuva nem pela neve; é uma cena estéril e preservada e vamos trabalhar nela com mais atenção. Mas se a cena fica em um local externo; se estamos no meio do inverno e existe a possibilidade de cair uma chuva, imediatamente mando uma equipe recolher vestígios antes que eles sejam destruídos."

Como o local do assassinato de Sharon Beshenivsky era uma área externa, em uma rua movimentada, preservar os vestígios era uma prioridade. Contudo, essa não era a única preocupação de Peter e seus colegas. "As pessoas pensam na cena de um crime como uma coisa só. Mas, quase sempre, no fim temos cinco ou seis cenas relevantes para um homicídio — o local em que a pessoa foi morta, para onde os suspeitos foram depois, o veículo que os suspeitos usaram, o local onde os suspeitos são presos e, se o corpo foi removido do lugar, o local para onde ele foi levado. Cada uma dessas cenas tem que ser processada separadamente."

A primeira questão para os peritos que trabalham nessas cenas é a segurança. Existe a possibilidade de alguém ser baleado e o suspeito

20 A ANATOMIA DO CRIME

ainda estar à solta. Os peritos não usam colete à prova de balas e também não têm armas, armas de choque, nem algemas. Eles não são treinados para prender pessoas violentas, ainda que frequentemente lidem com cenas deixadas por elas. Portanto, se necessário, policiais armados são escalados para proteger os peritos.

Depois da segurança, vem a preservação. Peter explica: "Pode ser que a gente chegue a uma cena em que uma casa foi isolada, mas os suspeitos correram na rua e entraram em um carro de fuga. Deixar outros veículos continuarem a transitar pela rua significa que eles podem estar passando por cima de balas, ou manchas de sangue, ou marcas de pneus. Então faria sentido isolar a rua inteira até terminarmos de coletar os vestígios."

Assim que a fita de isolamento é colocada, um coordenador de equipe de perícia coloca o equipamento de proteção completo: roupa branca específica para a cena de um crime, rede de cabelo ou gorro, dois pares de luvas (porque alguns líquidos podem vazar no primeiro par) e proteção para os sapatos. Ele também põe uma máscara cirúrgica para não contaminar a cena com seu DNA e para se proteger de riscos biológicos: sangue, vômito, fezes e coisas do tipo.

Em seguida, dá uma volta na cena, colocando plaquinhas no chão conforme vai andando, para proteger a superfície. Na primeira vez, procura provas que possam ajudar a identificar os criminosos depressa. Ele vai acelerar a identificação dessas provas "incipientes". Por exemplo, uma impressão digital com sangue na janela que o criminoso usou para fugir, ou as gotas de sangue que deixam um rastro fora da casa e seguem pela rua. É possível conseguir o perfil com o DNA em apenas nove horas a partir de uma simples mancha de sangue, e o custo diminui dependendo do prazo de resposta requerido.

Peter tem de estar ciente desse tipo de coisa. O Banco de Dados Nacional de DNA só fica aberto durante parte do fim de semana, portanto, não faz sentido pagar por um prazo de resposta urgente se o perfil ficará parado, aguardando o banco de dados abrir. Talvez seja melhor optar por um prazo de resposta de 24 horas, pois o perfil ficará pronto na segunda-feira de manhã quando o banco de dados es-

A CENA DO CRIME   21

tiver aberto. "Temos que pensar no que é necessário para conseguir os resultados de que precisamos. Algumas das coisas que passam rotineiramente na TV acontecem uma vez na vida e outra na morte. Geralmente é o último recurso. Mas o tempo em que as coisas são feitas é importante em termos jurídicos. Equipes forenses precisam dormir para terem um desempenho adequado. Porém, uma vez que a polícia prende um suspeito, o relógio da custódia começa a contar as horas, e é nosso trabalho fornecer resultados a partir das provas incipientes que respaldam as decisões dela em relação a indiciar alguém. Estamos o tempo todo fazendo malabarismo."

Enquanto essas decisões gerenciais estão sendo tomadas, o trabalho na cena do crime continua. Peritos se posicionam em todos os cantos de um cômodo e fotografam o canto oposto. Eles abrangem todos os aspectos de todos os cômodos, inclusive do chão e do teto, de modo que, se mudarem uma prova de lugar, conseguem saber onde estava antes. Às vezes nada parece relevante, contudo, dez anos depois do crime, uma equipe revisando um caso arquivado poderá flagrar algo crucial.

Os peritos também podem colocar uma câmera rotativa no meio do cômodo. Ela tira uma série de fotos que depois são reunidas por um software, permitindo, assim, que o júri se imagine andando pelo cômodo e olhando para os objetos em questão. Eles podem inclusive clicar numa porta e atravessar para o próximo cômodo. "Por exemplo", comenta Peter, "se várias balas foram disparadas através de uma janela, atravessaram paredes e acertaram alguém dentro de uma casa, é possível digitalizar o cômodo e, mais tarde, caminhar virtualmente para fora da casa e mostrar a trajetória das balas com muita, muita precisão — a ponto de conseguir revelar o local onde a pessoa que atirou estava." Dessa forma, duas cenas-chave da ação — a rua do lado de fora e o local do impacto no lado de dentro — podem ser conectadas para benefício do júri.

De maneira similar, desde o início da tarde em Bradford, peritos estavam trabalhando na rua em que o atirador agiu, e no interior da agência de viagens, onde funcionários haviam sido ameaçados,

22 A ANATOMIA DO CRIME

agredidos com pistolas e amarrados. Na rua, havia manchas de sangue que tinham de ser fotografadas e examinadas por analistas, para corroborar os relatos de testemunhas sobre o que aconteceu e em que ordem. Uma busca minuciosa revelou três estojos de bala de pistola 9 mm — uma das armas de fogo mais usadas por criminosos de carreira e fáceis de serem adquiridas ilegalmente.

Dentro da agência de viagens, uma busca detalhada resultou em um punhado de provas importantes: uma bolsa de laptop usada para esconder as armas; uma faca empunhada por um dos homens; e uma bala incrustada na parede. Peritos em balística identificaram o tipo de arma que disparou a bala. Hoje em dia, os canos das armas têm sulcos espiralados — "alma raiada" — ao longo de seu interior, o que promove o giro da bala fazendo ela voar com mais precisão. Cada modelo de arma é raiado de forma diferente. De volta a Bradford: depois de terem examinado os entalhes e arranhões da bala na parede da agência de viagens, os peritos em balística conseguiram determinar que ela tinha sido disparada por uma MAC-10. Depois, explicaram que a MAC-10 provavelmente tinha emperrado, o que podia muito bem ter salvado vidas naquela noite.

Apesar de os peritos em Bradford terem usado microscópios potentes e grandes bancos de dados digitais na identificação, como um ramo da criminalística a balística tem suas raízes no trabalho investigativo do século XIX. Naquela época, as balas eram feitas em moldes individuais, geralmente pelo dono da arma, em vez de serem produzidas por fábricas em larga escala. Em 1835, chamaram Henry Goddard, um integrante da Bow Street Runners (o primeiro grupo de detetives do Reino Unido), para ir à casa de uma sra. Maxwell, em Southampton. Joseph Randall, seu mordomo, alegou que havia se envolvido em um tiroteio com um ladrão. Disse que tinha lutado contra ele e posto a própria vida em risco. Goddard percebeu que a porta dos fundos havia sido forçada e que a casa estava bagunçada, mas, ao mesmo tempo, ficou muito desconfiado. Ele pegou a arma de Randall, a munição, o molde e a bala que havia sido disparada contra ele e viu que eram todos compatíveis: a bala tinha um cocu-

A CENA DO CRIME 23

ruto redondo minúsculo que correspondia a uma falha de tamanho similar no molde de Randall. Confrontado com essa prova, Randall confessou que tinha encenado tudo na esperança de ganhar uma recompensa da sra. Maxwell por sua bravura. Essa foi a primeira vez que uma bala foi identificada por um processo forense e ligada a uma arma específica.

A cena pode ser a testemunha silenciosa de um crime, mas geralmente há testemunhas humanas cujos depoimentos podem fornecer pistas. No caso de Sharon Beshenivsky, testemunhas disseram que os ladrões tinham fugido em uma SUV 4x4 prata. No mesmo instante, a polícia começou a investigar filmagens de câmeras de segurança. Não demoraram a localizar o veículo e viram que o modelo era um Toyota RAV4. Alguns meses antes, esse poderia ter sido o fim da história. Porém, no início de 2005, Bradford havia se tornado uma das primeiras cidades no Reino Unido a instalar um sistema de câmeras que gravava todos os veículos que entravam e saíam da cidade. Mais de 100 mil imagens por dia eram feitas e armazenadas pelo programa Big Fish.

A polícia perdeu o veículo de vista quando ele deixou o centro da cidade de Bradford. Mas, quando o número da placa foi inserido no sistema nacional de Reconhecimento Automático de Número de Placa, os analistas conseguiram informar aos detetives que a 4x4 prata tinha sido alugada no aeroporto de Heathrow. Dentro de algumas horas, a Polícia Metropolitana conseguiu identificar o veículo e prender seis suspeitos.

No entanto, a sorte dos detetives de Bradford parecia ter chegado ao fim. Os seis homens detidos conseguiram provar rapidamente que não faziam parte do assalto fatal em Bradford. Foram soltos sem acusações. Parecia que a polícia tinha chegado a um beco sem saída.

De novo, os peritos acudiram. A análise que fizeram na RAV4 revelou ricas fontes de provas: uma caixa de suco da marca Ribena, uma garrafa de água, uma embalagem de sanduíche e a nota fiscal. A nota era da Woolley Edge da rodovia M1 ao sul de Leeds. O horário registrado nela era seis da tarde, praticamente duas horas após o encontro fatal entre os atiradores e Sharon Beshenivsky. Todos esses

24 A ANATOMIA DO CRIME

itens eram exemplos clássicos de provas incipientes que podem ser tratadas com urgência para acelerar a identificação.

Quando a polícia examinou as imagens das câmeras de segurança da loja à beira da rodovia, viu um homem comprando os itens encontrados na RAV4. Nesse meio-tempo, peritos procuravam digitais e DNA nessas provas e, quando os resultados foram inseridos nos bancos de dados nacionais, foram identificados o nome de seis suspeitos, todos ligados a um violento grupo criminoso de Londres.

Localizar os culpados tornou-se apenas uma questão de tempo. Três deles, responsáveis pela direção do carro de fuga e vigia do assalto, foram condenados por roubo e homicídio culposo. Dois foram condenados por assassinato e pegaram prisão perpétua. Um deles tinha conseguido fugir e voltar para o seu país de origem, a Somália, usando uma burca e se passando por mulher. Contudo, a Polícia de West Yorkshire não desistiu e, após uma operação secreta de extradição feita pelo Ministério do Interior, ele finalmente foi a julgamento e sentenciado à prisão perpétua. A família policial à qual Sharon Beshenivsky pertencia nunca pensou em abandonar o caso. Eles certificaram-se de que todos os recursos disponíveis fossem usados na busca pela justiça.

◆

As equipes de peritos não dão tudo de si somente nos casos que viram manchete de jornal. Nos crimes mais frequentes, como arrombamento, por exemplo, se há uma chance real de recuperar provas legais e identificar um criminoso, elas levam em consideração a possibilidade de se colher material para fazer análise de DNA, de impressões digitais e de pegadas. Certas vezes conseguem uma resposta com um teste, o que significa que não precisam fazer nenhum outro exame complicado naquele item. Se encontram impressões digitais em uma faca usada num esfaqueamento, não precisam procurar DNA nela. Peter explica: "Não ficamos usando coisas futurísticas quando conseguimos o resultado de que precisamos por meios mais

A CENA DO CRIME   25

simples e baratos." Às vezes, alguns policiais que assistem entusiasmados a séries policiais na TV tentam passar por cima desse princípio. A cientista forense Val Tomlinson diz: "Isso pode acontecer com o detetive no comando de uma investigação sem muita experiência de campo. Eu me lembro de ir a uma cena onde havia um homem morto com uma faca enfiada nele e o detetive comentou: 'Ah, então você vai fazer a análise na beirada dos cortes para mostrar que foi essa faca?' E eu respondi: 'Talvez essa não seja a prioridade, já que a faca está cravada nele.'"

Mas quando há necessidade do aparato futurístico, ele é usado, como será visto em muitos casos neste livro. Peter gosta particularmente do Banco de Dados de Calçados do Reino Unido, que consegue fazer a conexão de cenas de crimes por meio de pegadas. Ele o usou após encontrar uma pegada rara na cena de um abuso sexual. A pegada havia sido encontrada em algumas outras cenas de crime em diferentes locais de West Yorkshire, e a coincidência fez a polícia direcionar sua atenção ao homem que posteriormente foi condenado.

Para Peter, são os casos bem-sucedidos que ficam na memória por mais tempo. "Eu me lembro de certa vez que tivemos um resultado muito bom, algo que não se consegue todo dia. Um dos nossos peritos foi fotografar uma mulher que havia sido espancada e estava na unidade de tratamento intensivo. Ela acabou morrendo devido aos ferimentos, mas, quando o perito a viu, percebeu algumas marcas em seu rosto com formato esquisito. Então mandamos um perito em imagens até lá, e ele tirou mais fotos, usando ultravioleta e infravermelho. Quando examinamos as fotos, identificamos que eram marcas nítidas feitas com um tênis de corrida. Algum tempo depois, quando recolhemos o tênis do suspeito, além de encontrar sangue nele, o nosso perito especializado em calçados conseguiu confirmar que ele havia pisoteado a vítima pelo menos oito vezes, ao mostrar o mesmo desenho em pelo menos oito posições diferentes. Essa prova deixou claro que ela havia sofrido uma agressão prolongada. O suspeito alegou que devia ter 'pisado no rosto dela acidentalmente'. Mas eu acho que ele pegou uma pena maior no julgamento por causa da prova irrefutável."

No fim do longo processo de investigação de cena do crime, tem-se o tribunal, onde as provas que Peter e seus colegas coletaram são testadas ao limite por advogados, e postas na balança por juízes e jurados. É o mais distante que se pode imaginar do impassível mundo do cientista. E lá todos recebem o mesmo tratamento, como lembra Peter.

"Eu me lembro de uma vez em que fui interrogado no banco das testemunhas por cerca de três horas. Havia uma prova de DNA contra um suspeito de cometer um assalto violento contra uma mulher. Eu teria que dizer que fui além do que se espera para localizar e recolher essa prova. Talvez muito além do que normalmente se espera. Não havia o que questionar quanto ao DNA propriamente dito, então a defesa adotou a abordagem de que eu tinha plantado a prova. Era a minha integridade que teria de passar no teste, e foi aí que a documentação se tornou muito importante. Eu tinha as fotografias originais tiradas antes que eu tivesse encostado em alguma coisa ou tirado algo do lugar, então o júri pôde ver a cena imaculada. As fotos foram tiradas em sequência enquanto eu recolhia os itens, e, no fim, chegamos àquele que produziu o perfil de DNA. O júri pôde ver exatamente o que fiz, na ordem em que o fiz, e os identificadores exclusivos do item. Em seguida, questionaram-me se alguém o havia adulterado depois. Mas eu tinha documentado todo o processo pelo qual ele tinha passado. Havia uma nítida cadeia de continuidade. Ainda assim, o ataque continuou. Acabei vestindo uma roupa das que se usam em cenas de crime, uma máscara, luvas e rede de cabelo. E expus um pedaço de papel esterilizado para o tribunal. Abri a prova. Mostrei-a ao júri e depois mostrei as fotografias para assim confirmar que aquela era exatamente a mesma prova, com exatamente os mesmos identificadores exclusivos. A prova resistiu ao teste, mas aquilo me mostrou até onde a defesa vai para tentar livrar o cliente. Eu, particularmente, achei tudo muito irritante, mas entendo a necessidade de um sistema acusatório. Fui questionado, mas no fim aquilo fortaleceu o caso, porque só reforçou que não havia problema algum com a prova. Não teremos uma apelação naquele caso daqui a dez anos, alegando que a prova pode ter sido adulterada. Prefiro deixar tudo às claras na hora. Vamos questionar as provas na hora, vamos encarar o escrutínio."

A tecnologia progrediu bastante. Mas ainda há muito a se fazer. E nós, criadores de assassinatos fictícios, nem sempre ajudamos, como confirma Peter. "A expectativa da população está sempre elevada em função do que veem na TV. Quando aparecemos e dizemos que não conseguimos examinar alguma coisa, as pessoas às vezes simplesmente não acreditam na gente. Acabamos nos sentindo os vilões porque não conseguimos fornecer aquilo que eles estão esperando."

Peter refere-se ao "efeito CSI", que ganhou esse nome por causa da famosa série de TV norte-americana *CSI: Investigação Criminal*, que algumas pessoas dizem ter distorcido a percepção do público em relação àquilo que a ciência forense é capaz de fazer. A prova de DNA, principalmente, passou a ser vista por alguns jurados como indispensável. Entretanto, o efeito CSI é contestado por muita gente, que, ao contrário, o vê como um sinal de que pessoas comuns estão tendo uma noção básica de como a ciência forense atua, ainda que de maneira imperfeita. Quando peritos e juízes fazem o seu trabalho direito, podem ajudar o júri a entender a importância dos diferentes tipos de prova.

Em 2011, num caso impressionante em Wiltshire, a vítima de um crime fez algo que tinha visto em um episódio de *CSI*, na intenção de ajudar a equipe de peritos que ela esperava que investigasse o seu caso. Durante meses, um homem ficou perambulando por Chippenham de carro. Ele escolhia uma mulher, punha uma balaclava preta, luvas e a colocava dentro de seu carro. Em seguida, saía do local, às vezes para instalações militares abandonadas, onde a estuprava e depois a forçava a se limpar com toalhas para destruir provas periciais. O criminoso foi pego quando sua última vítima arrancou fios do próprio cabelo e os deixou no carro, antes de ele libertá-la. A vítima contou à polícia que, sobrevivendo ou não, sabia que haveria

28　A ANATOMIA DO CRIME

uma investigação e que aquilo forneceria prova de DNA. "Sempre fui fã de programas como *CSI*. Eu assisti a tantos episódios que sei o que fazer e como as coisas funcionam." Com a ajuda do cabelo e com a saliva que ela também deixou no banco do carro quando cuspiu, o soldado Jonathan Haynes foi condenado por seis estupros.

Em determinados aspectos, Peter Arnold acha que os peritos deveriam ser mais como suas versões da TV. "Nós precisamos muito de uma solução para que os peritos possam acessar todos os dados remotamente, assim eles terão acesso à tecnologia da informação na cena do crime para processar dados e registrar provas, de modo que não precisem ficar voltando para a base, perdendo tempo. Isso parece muito simples, não é? Afinal de contas, posso andar por aí com o meu iPhone, e, assim, tenho todo tipo de coisa disponível na ponta dos dedos. Mas há o custo de se desenvolver e manter o software. Não temos milhões de libras para desenvolver um aplicativo para os peritos. Além disso, há o problema de segurança da informação. Mas, se conseguirmos desenvolver uma ciência forense que possa ser usada em tempo real, faria uma grande diferença. Se alguém arromba a casa de uma pessoa e nós encontramos algo que possa gerar uma prova de DNA, temos que levar essa prova da cena do crime para o laboratório por intermédio de um transportador. Ela tem que ser registrada, e só então é processada. Atualmente, rastreamos com rapidez certas provas em cenas de arrombamento e temos o resultado do DNA em aproximadamente nove horas, porque esse tipo de crime é uma prioridade. Por que esperar dois ou três dias para ter a identidade de um ladrão se é possível consegui-la em nove horas, prendê-lo e impedi-lo de roubar mais alguém hoje à noite? Ou seja, usamos princípios aplicados a crimes grandes para solucionar delitos que acontecem com mais frequência. Agimos de maneira similar com as impressões digitais. Aumentamos muito a velocidade desse tipo de análise, mas, se pudéssemos digitalizar a impressão na cena do crime, isso seria ainda mais rápido. Imagine só: se chegamos ao local do roubo em uma hora e o examinamos dentro de trinta minutos, há chances de termos o nome do ladrão uma hora e meia depois da descoberta do crime. A polícia então vai até a casa dele e bate à porta, e vê que ele ainda está em posse dos pertences roubados. As vítimas conseguem recuperar suas coisas. E os ladrões começam a entender que não vale a pena fazer aquilo." (*Ver imagem 3 do encarte de fotos.*)

Assim como as vantagens, o serviço é cheio de pressão e estresse. Exigimos muito das pessoas das quais esperamos o cumprimento da justiça, e nem sempre reconhecemos o quanto isso as corrói. Peter Arnold diz: "Vemos algumas das piores coisas que seres humanos podem fazer uns com os outros e eu ainda fico chocado com algumas das coisas que acontecem. A maior parte das pessoas pode ir para casa e conversar com a família sobre seu dia no trabalho. Nós, não. Mas, ainda que eu pudesse, não quero que minha família saiba de algumas das coisas que vi."

DOIS

INVESTIGAÇÃO DE LOCAIS DE INCÊNDIO

"Na maioria das vezes é bem escuro, fedorento, desconfortável e exige bastante esforço físico. Os dias são longos e você chega em casa imundo, fedendo a plástico queimado. Não tem nada de glamoroso. Mas é fascinante."

Niamh Nic Daéid, perita em incêndios

Domingo, 2 de setembro de 1666. O empregado de uma família acorda com um violento acesso de tosse, na Pudding Lane, em Londres. Dando-se conta de que há um incêndio na loja no andar de baixo, ele esmurra a porta do quarto de seu patrão, o padeiro Thomas Farriner. Todos da família rastejam pelo telhado em segurança, com exceção da criada, Rose, que, paralisada de medo, perece em meio ao fogo.

Logo as chamas começam a lamber as paredes das casas vizinhas, e o prefeito, Sir Thomas Bloodworth, é chamado para autorizar que os bombeiros derrubem os imóveis, impedindo que o fogo se espalhe. Bloodworth fica bravo por terem perturbado seu sono e ignora a reinvindicação dos bombeiros por uma ação urgente e drástica. "Pff!", resmunga ele, "Uma mulher apaga isso aí com uma mijada." E vai embora do local.

INVESTIGAÇÃO DE LOCAIS DE INCÊNDIO   31

No meio da manhã, o diarista Samuel Pepys escreve: "O vento poderoso carrega [o fogo] para a cidade, e tudo, depois de tão longa seca, serve de combustível, até mesmo as pedras das igrejas." À tarde, Londres está nas garras de um incêndio devastador, que ruge pelos "depósitos de azeite, vinho e conhaque", casas de madeira, telhados de palha, piche, tecido, gordura, carvão, pólvora — todo material inflamável existente no século XVII. O imenso calor do fogo fazia os gases liberados expandirem e subirem rapidamente, sugando o ar puro com a força de uma ventania, alimentando o inferno com ainda mais oxigênio. O Grande Incêndio de Londres tinha criado o seu próprio sistema climático.

Quando o fogo amainou, quatro dias depois, tinha destruído a maior parte da Londres medieval, incluindo mais de 13 mil casas, 87 igrejas e a Catedral de St Paul. Aproximadamente 70 mil pessoas de uma população de 80 mil de repente ficaram desabrigadas.

As cinzas ainda estavam quentes quando as teorias da conspiração começaram. A maioria dos londrinos não estava acreditando que o incêndio tinha sido um acidente. Havia coincidências demais: ele começou em meio a construções de madeira muito próximas umas das outras enquanto todo mundo estava dormindo, no único dia da semana em que não havia ninguém na rua para ajudar, quando soprava uma ventania e o Tâmisa estava com a maré baixa.

Os rumores de que havia sido crime eram abundantes. Um cirurgião, Thomas Middleton, tinha ficado no campanário de uma igreja observando o fogo começar em vários locais diferentes ao mesmo tempo. "Essas e outras observações similares engendram em mim a convicção de que o incêndio foi provocado intencionalmente", escreveu ele.

Os estrangeiros, particularmente, eram suspeitos, e um francês foi quase espancado até a morte em Moorfields por estar carregando "bolas de fogo" em uma caixa, mas constatou-se, por fim, que eram bolas de tênis. Poemas e músicas expressavam a incompreensão em relação à origem e causa do incêndio:

32 A ANATOMIA DO CRIME

"It's still unknown from whence all wine come;
Whether from Hell, France, Rome, or Amsterdam".

Anônimo, "A Poem on the Burning of London" (1667)*

O desejo de saber a verdade começou no topo do poder. Carlos II acabou perdendo mais propriedades no incêndio do que qualquer outra pessoa. O rei autorizou o parlamento a montar um comitê de investigação para tratar do caso. Uma quantidade enorme de testemunhas se apresentou. Várias falaram que tinham visto pessoas atirando bolas de fogo ou confessaram que elas mesmas as tinham atirado. Um certo Edward Taylor disse que, no sábado à noite, tinha ido com seu tio holandês à Pudding Lane, viu a janela da padaria de Thomas Farriner aberta e jogou lá dentro "duas bolas de fogo feitas com pólvora e enxofre". Porém, como Edward Taylor só tinha 10 anos, seu relato foi desconsiderado. Robert Hubert, o filho simplório de um relojoeiro francês, confessou ter dado início ao incêndio. Ninguém acreditou, mas, como insistiu para que o júri o considerasse culpado, foi condenado à forca em Tyburn.

Um dos integrantes do comitê do parlamento, Sir Thomas Osborne, escreveu que "todas as alegações são muito frívolas, e as pessoas no geral estão convencidas de que o incêndio foi acidental". No fim, o comitê decidiu que a pavorosa conflagração foi causada "pela mão de Deus, uma ventania forte e uma estação muito seca".

Não é de surpreender que o comitê tenha chegado a uma conclusão tão insatisfatória. Para investigadores examinarem cenas de incêndios complexas, eles precisam entender como o fogo funciona. No século XVII, o conhecimento científico era de uma insuficiência lastimável. Somente em 1861, quando Michael Faraday transformou suas palestras sobre fogo em livro, tal conhecimento tornou-se prontamente disponível para um público mais abrangente. *A história*

---

* *Ainda não se sabe de onde todo o vinho veio;*
Se do Inferno, da França, de Roma ou Amsterdã.
Anônimo, "Um poema sobre o Incêndio de Londres" [*N. do T.*]

INVESTIGAÇÃO DE LOCAIS DE INCÊNDIO 33

química de uma vela foi a versão publicada de seis palestras que ele deu para uma audiência jovem, mas ainda é considerada o texto principal sobre o assunto. Faraday usou a vela como símbolo para iluminar a natureza geral da combustão. Em uma importante aula, ele apagou uma vela colocando uma jarra sobre ela. "O ar é extremamente necessário para a combustão acontecer", explicou ele. "E, mais do que isso, vocês devem entender que é necessário ar puro." Ao falar "ar puro", ele queria dizer "oxigênio".

Faraday foi um dos primeiros peritos a servir como testemunha e levava para o tribunal as descobertas que fazia em laboratório — às vezes, literalmente. Em 1819, os donos de uma usina de açúcar destruída por um incêndio em Whitechapel, em Londres, processaram a seguradora que havia se recusado a pagar quinze mil libras de indenização. O caso ficou preso em uma questão: um processo recém-desenvolvido envolvendo óleo de baleia aquecido — que os donos haviam começado a usar na usina sem o conhecimento da seguradora — aumentou ou diminuiu a probabilidade de o incêndio acontecer? Antes de testemunhar, Faraday fez experiências com óleo de baleia, aquecendo-o a 200°C para demonstrar que "todos os vapores do óleo, com exceção da água, são mais inflamáveis do que o próprio óleo". No tribunal, um membro do júri não acreditou nele, então Faraday ateou fogo a um dos vapores destilados do óleo (nafta), que ele tinha levado em um frasco, e "um cheiro repugnante foi percebido ao mesmo tempo por todo o tribunal". (*Ver imagem 4 no encarte de fotos.*)

A investigação forense mais importante de Faraday foi a de uma explosão na mina de carvão Haswell, no condado de Durham, que matou 95 homens e meninos em 1844. A explosão ocorreu em um período de agitação industrial na região carbonífera de Durham. O advogado que defendia os parentes das vítimas em luto enviou uma petição ao primeiro-ministro Robert Peel, solicitando o envio de representantes do governo para o inquérito. Faraday estava entre os enviados.

A equipe passou um dia na mina, investigando principalmente os fluxos de ar. À determinada altura, Faraday percebeu que estava sentado em um pequeno barril de pólvora perto da chama de uma vela.

34 A ANATOMIA DO CRIME

Ele levantou num pulo e "os advertiu pelo descuido". O júri chegou ao veredito de morte acidental, com o qual Faraday concordou. Mas a equipe apresentou um relatório no retorno a Londres, apontando que o pó de carvão teve um papel importante na explosão e recomendou melhorias na ventilação. O risco foi ignorado por sessenta anos, até que uma explosão similar em 1913 levou à morte 440 mineiros na mina de carvão Senghenydd, no País de Gales — o desastre da mineração mais grave na história do Reino Unido.

No século XX, o Corpo de Bombeiros e a comunidade científica promoveram o desenvolvimento da investigação de locais de crime em conjunto, com o incentivo de governos que queriam saber quantos incêndios ocorriam, suas origens e causas. Nas décadas de 1960 e 1970, as investigações obtiveram um rigor científico maior: adotou-se o uso de protocolos; instrumentos novos permitiram que misturas químicas complexas como gasolina fossem identificadas em locais de incêndio; e começaram a surgir especialistas no assunto. Em parte, devido ao resultado desse conhecimento cada vez maior, hoje é raro um incêndio ou uma explosão — que em essência é o fogo expandido — causar horrendas perdas de vidas em tempos de paz. Mas, quando acontecem, deixam uma indelével marca naqueles que as investigam.

Entre aqueles que se tornaram especialistas na investigação de cenas de incêndio estava um casal irlandês. Sua filha, a química forense Niamh Nic Daéid, da Universidade de Dundee, continuou com o legado dos pais, buscando a verdade em meio a terríveis cenas de destruição. Niamh explica: "Tenho um legado na ciência forense, por assim dizer, porque o meu pai e a minha mãe eram peritos em incêndio, então eu cresci com isso. O meu irmão e eu costumávamos ganhar a nossa mesada colando fotos de incêndios nos relatórios da mamãe e do papai — cinco centavos por foto. Como você pode imaginar, a conversa à mesa de jantar era sempre sobre incêndio."

Não importa se um incêndio destrói a propriedade de alguém ou mata um ente querido, o investigador trabalha no ponto de colisão

INVESTIGAÇÃO DE LOCAIS DE INCÊNDIO 35

entre a força mais violenta da natureza e o mundo humano que ela destroça. Niamh me lembrou disso à força quando perguntei sobre os incêndios que a afetaram de modo especial. As primeiras palavras que saíram de sua boca foram: "O incêndio na discoteca Stardust."

◆

Eu estava dormindo na minha cama em Derbyshire na madrugada do Dia dos Namorados de 1981. Era apenas uma jovem jornalista trabalhando na redação de um jornal da região norte que circulava aos domingos. Nunca tinha feito cobertura de um grande desastre, mas soube que isso estava prestes a mudar quando o telefone me acordou de madrugada. A familiar voz rude do meu editor disse: "Houve um incêndio enorme em uma discoteca de Dublin com fatalidades. Parece que há dezenas de mortos. Você vai no voo das sete."

Assim que cheguei ao aeroporto de Manchester, a rádio confirmou aquilo que eu já sabia. Um incêndio gigantesco. Um número assustador de jovens tinha saído para se divertir à noite e não voltaria para casa. No aeroporto, jornalistas e fotógrafos andavam de um lado para o outro em busca dos colegas, para que pudessem reunir seus pequenos grupos e dividir as tarefas quando chegassem ao destino.

A minha equipe — eu, três outros repórteres e dois fotógrafos — foi para o canto do bar. Colocaram uma dose dupla de uísque na minha frente. Ainda que eu bebesse muito naquela época do jornal, não estava acostumada a começar o dia daquele jeito. "Bebe", um dos meus colegas insistiu. "Vai por mim, você vai precisar disso antes que o dia acabe."

Ele estava certo. Quando pousamos em Dublin, o repórter irlandês da nossa equipe nos deu a notícia sinistra. Mais de quarenta mortos. Por eu ser mulher, por me considerarem uma pessoa que lidaria bem com o luto, mas também porque era cabeça-dura o bastante para conseguir aquilo que queria, me deram a tarefa de bater nas portas

36   A ANATOMIA DO CRIME

das famílias desoladas, para que pudéssemos ilustrar nosso artigo com citações comoventes e fotos dos mortos.

Passei o restante do dia no bairro em que ficavam os conjuntos habitacionais de Coolock, de onde eram muitos dos adolescentes que morreram na Stardust. As famílias estavam em choque, mas estranhamente agradecidas por alguém querer dar relevância ao falecimento de seus filhos. Foi o dia de trabalho mais angustiante para mim até então. E eu era apenas uma espectadora. Senti um aperto no peito quando imaginei aquilo pelo que as famílias das vítimas estavam passando.

Depois que o prazo da primeira edição acabou, encontrei-me com um dos integrantes da minha equipe no local do incêndio. Na fachada do imóvel não havia muito a se ver, com exceção de janelas quebradas e manchas de fumaça no alto. Com exceção do fedor de fumaça e queimado que ficava agarrado na garganta, era difícil acreditar que quarenta e oito pessoas haviam morrido ali e mais de duzentas e quarenta ficado feridas. Era o interior do imóvel que o incêndio tinha devastado. Do lado de fora, só o que revelava o ocorrido era o número de carros de bombeiros e viaturas policiais aglomerados na rua.

A mãe de Niamh Nic Daéid foi uma das encarregadas de descobrir o que havia acontecido dentro da Stardust naquela noite.

A noite do baile do Dia dos Namorados na Stardust era para ser inesquecível por razões muito diferentes. Oitocentos e quarenta e um jovens, a maioria no fim da adolescência, tinham pagado o ingresso de três libras que lhes dava o direito de comer salsichas e batata frita e de dançar até às duas da manhã, graças a uma licença especial para que a boate pudesse funcionar até mais tarde.

Vinte minutos antes do encerramento, o DJ anunciou os vencedores do prêmio de melhores dançarinos. Um minuto depois, algumas pessoas que participavam da festa viram fumaça saindo de trás de uma persiana à esquerda da pista de dança. A maior parte delas achou que era um efeito especial da boate e continuou dançando.

INVESTIGAÇÃO DE LOCAIS DE INCÊNDIO   37

Atrás da persiana ficavam cinco fileiras de cadeiras de cinema e, quando algumas pessoas dançando foram olhar, as de trás estavam em chamas. O estofamento de poliuretano já soltava nuvens pretas com cianeto de hidrogênio extremamente tóxico. No começo, o incêndio estava pequeno e controlável, mas sua intensidade aumentou rapidamente. Funcionários do local tentaram apagar as chamas com extintores de incêndio, em vão. Em cinco minutos, plástico derretido começou a pingar nas pessoas na pista de dança, parte do teto despencou sobre elas e uma fumaça densa e tóxica preencheu o local. Os sobreviventes falaram sobre o quanto ficaram chocados com a velocidade com que tudo aconteceu. (*Ver imagem 5 no encarte de fotos.*)

Quando as pessoas entram em pânico, instintivamente tentam sair de um local usando o mesmo lugar pelo qual entraram, então o estreito corredor que levava à entrada principal da Stardust virou um gargalo em questão de segundos. Quem corria para as portas principais as encontrava fechadas, e foram necessários alguns minutos cruciais para que um funcionário conseguisse atravessar, com a chave, a aglomeração de pessoas desesperadas.

Ainda assim, era para o desastre ter sido evitado. Havia seis saídas de emergência na Stardust. Mas o dono, Eamon Butterly, preocupado com a possibilidade de as pessoas abrirem as portas pelo lado de fora e entrarem sem pagar, trancou uma delas e colocou correntes nas outras para que desse a impressão de estarem trancadas. Assoladas pelo pânico, as pessoas tentaram, e por fim conseguiram, abrir as portas aos chutes. Uma saída de emergência tinha mesas e cadeiras empilhadas nos dois lados e, para piorar, outra tinha caçambas de plástico bloqueando a passagem.

À 1h45 da manhã, quando o teto da discoteca desabou e a energia acabou, aproximadamente quinhentas pessoas ainda estavam lá dentro. As chamas furiosas eram a única fonte de luz. O disco do Adam and the Ants foi substituído por gritos de terror. Nove minutos depois de avistarem o fogo, tudo na Stardust estava em chamas — cadeiras, paredes, teto, chão, mesas, até mesmo os cinzeiros de metal.

38 A ANATOMIA DO CRIME

Em meio ao caos, algumas pessoas fugiram para os banheiros. Seis semanas antes do evento, Butterly tinha ficado sabendo que clientes estavam tentando passar bebidas alcoólicas para dentro pelas janelas do banheiro, por isso mandara soldar placas de aço no interior delas, para complementar as barras de metal que já havia do lado de fora. Quando os bombeiros chegaram ao local, onze minutos depois que o incêndio começou, prenderam cabos às barras e as puxaram com os veículos em alta velocidade, mas só conseguiram entortá-las. As pessoas nos banheiros estavam presas em um inferno de fogo e fumaça.

Todo mundo naquela região, nas comunidades da classe operária de Artane, Kilmore e Coolock, conhecia alguém afetado pela tragédia. A Irlanda inteira ficou de luto pelos quarenta e oito mortos. Cinco cadáveres ficaram tão queimados que não tiveram como ser identificados. (Em 2007, os corpos foram exumados de uma cova coletiva, para que fossem identificados por exames de DNA.)

Às 8h35 na manhã do Dia dos Namorados, o detetive da Guarda Siochána, Seamus Quinn, inspecionou o interior devastado da Stardust. Ele passou cinco horas examinando o lugar e não encontrou vestígio algum de catalisadores nem de problemas elétricos na área em que o fogo foi visto pela primeira vez. Também descobriu, ao jogar um cigarro aceso em uma cadeira, que a capa de PVC não pegava fogo. Será que alguém havia cortado uma cadeira e incendiado propositalmente o enchimento de poliuretano?

Na cidade de Cardington, em Bedfordshire, a Unidade Britânica de Estudo de Incêndios reconstruiu no seu galpão, em tamanho real, a área onde o fogo foi visto primeiro. O investigador Bill Malhotra conseguiu fazer as cadeiras pegarem fogo tanto as rasgando quanto colocando várias folhas de jornal debaixo delas. As chamas atingiram o teto muito baixo e começaram a derreter o carpete, fazendo pingos derretidos caírem nas outras cadeiras. Dentro daquele espaço apertado, todas as cadeiras esquentaram, e os pingos foram o suficiente para perfurar as capas de PVC. Assim que as cinco cadeiras na

INVESTIGAÇÃO DE LOCAIS DE INCÊNDIO 39

fileira de trás pegaram fogo, as da frente seguiram. Os experimentos tanto de Quinn quanto de Malhotra apontavam para incêndio criminoso.

Em junho de 1982, dezoito meses após o incêndio, o governo irlandês publicou o resultado de um inquérito público sobre sua origem e causa. Em relação ao motivo o relatório foi ambíguo: "O incêndio provavelmente foi proposital", afirmava ele em determinada parte. Em outra, "não se sabe a causa do incêndio e provavelmente jamais se saberá. Não há indícios de origem acidental nem de que tenham dado início a ele deliberadamente". Os peritos responsáveis pela análise dos indícios estavam divididos. Enquanto Quinn, Malhotra e outra pessoa achavam que o incêndio tinha sido criminoso, outros dois não descartavam a possibilidade de pane elétrica.

O relatório condenou Eamon Butterly por muitas coisas, inclusive por não seguir os padrões de segurança elétrica e por usar trancas, em vez de seguranças, nas portas. O custo de se contratar mais porteiros teria sido de 50 libras — pouco mais de 1 libra por cada vida perdida. Em relação às janelas blindadas dos banheiros, o relatório dizia: "Embora o propósito primordial delas fosse a ventilação, uma pessoa poderia ter passado por ela em uma emergência." Apesar de todos esses pontos, o relatório isentou Butterly de responsabilidade pelo incêndio porque "[o incêndio] provavelmente foi criminoso". Então, em 1983, o Estado pagou a Butterly uma indenização por danos culposos no valor de 500 mil libras. Em 1985, as famílias das vítimas receberam uma média de apenas 12 mil libras cada.

As famílias estavam muito menos interessadas no dinheiro do que na razão pela qual seus parentes haviam morrido. Tantas provas em potencial foram destruídas que parecia improvável que algum dia conseguissem uma resposta. Mas isso não os impediu de continuar tentando. Em 2006, o Comitê das Vítimas da Stardust recrutou a ajuda de um grupo novo de peritos para tentar abrir outro inquérito público para o caso. Esses peritos chamaram atenção para o fato de que, na reconstrução no hangar em Cardington, o fogo tinha levado

40 A ANATOMIA DO CRIME

13 minutos para queimar todas as cadeiras e não rompeu o teto, ao passo que, no episódio real, as chamas dispararam da primeira cadeira em que foram vistas — a 1h41 da manhã — até o céu noturno em 5 minutos. Algo não estava batendo na história.

Os peritos também chamaram atenção para o relato de várias testemunhas que respaldavam essa visão. Testemunhas oculares em frente ao imóvel disseram ter visto chamas saindo do teto vários minutos antes da 1h41 da manhã. Nas semanas anteriores ao Dia dos Namorados, os empregados da Stardust tinham visto algo parecido com fumaça e "faíscas" saindo de um depósito acima do bar principal, que ficava ao lado das fileiras de cadeiras incendiadas. No Dia dos Namorados propriamente dito, Linda Bishop e uma amiga estavam sentadas debaixo de uma grade no teto, ouvindo "Born to be Alive", quando sentiram a temperatura aumentar muito. Linda olhou o relógio digital novo que ganhara no Natal. Ele marcava "1h33". Um barman que tentara ajudar a apagar o fogo no Dia dos Namorados disse: "Senti um calor monstruoso vindo do teto. Eu tinha certeza de que o incêndio começou no teto."

Os peritos do Comitê das Vítimas da Stardust chegaram à conclusão de que o teto em chamas tinha ateado fogo nos bancos, e não o contrário. Eles acreditavam que uma pane elétrica no depósito — que ficava em um espaço entre o teto e o telhado e onde havia lâmpadas e cadeiras de plástico — incendiara o teto. Bem ao lado desse depósito havia um almoxarifado e os peritos acharam que a primeira investigação se equivocou em algumas conclusões. O advogado de Eamon Butterly providenciara uma lista do "conteúdo aproximado" no almoxarifado, e nele havia "alvejante, cera líquida, aerossol, e ceras e polidores à base de petróleo", mas não mencionava os "tonéis de óleo de cozinha" altamente inflamáveis, que também se encontravam no local.

Michael Delichatsios, professor de dinâmica do fogo, argumentou que, se o depósito emitiu calor suficiente, os conteúdos altamente inflamáveis do almoxarifado teriam entrado em combustão espontânea. Isso explicaria a extrema velocidade com que o fogo se espa-

INVESTIGAÇÃO DE LOCAIS DE INCÊNDIO   41

lhou, criando uma chuva de plástico derretido que acertava a cabeça das pessoas na pista de dança e por fim fez desabar o teto inteiro. Em 2009, o governo contratou a assessoria jurídica de Paul Coffey para examinar a solicitação de um novo inquérito público feita pelo Comitê das Vítimas da Stardust. Ele achou que o "provavelmente de propósito" contido no relatório da primeira investigação "foi uma expressão que pode ter dado a impressão errada [...] e ter sido considerada prova de que o incêndio começou de propósito e não de que se tratava de uma mera explicação hipotética para a provável causa do incêndio". Seu parecer foi contra a abertura de um novo inquérito, mas sugeriu que o governo alterasse o documento público para deixar claro que a causa do incêndio era desconhecida. Portanto, vinte e sete anos depois do incêndio mais letal da história da Irlanda, o governo oficialmente esclareceu que a causa do incêndio era incerta. Como o depósito foi "totalmente destruído", oitocentas testemunhas oculares e um grande número de cientistas forenses imparciais jamais conseguiram saber se ele foi a verdadeira origem das chamas. Os segredos do incêndio foram destruídos com ele. E essa é provavelmente uma das frustrações da investigação de incêndios.

◆

Cenas de incêndio variam de complexidade, mas mesmo as mais simples desafiam o perito responsável pela investigação, que deve tentar reconstruir uma série de acontecimentos devastadora. Vamos pegar um cenário típico. Um transeunte vê uma casa pegando fogo e liga para o Corpo de Bombeiros, que o apaga. Um engenheiro especialista em estruturas declara que as pessoas podem entrar no local, pois ele é seguro, e um perito, como Niamh Nic Daéid, chega para determinar a origem do incêndio, os motivos de ele ter acontecido e como se espalhou.

Em primeiro lugar — o que não é muito comum para um perito criminal —, Niamh às vezes entrevista testemunhas oculares. Onde

42   A ANATOMIA DO CRIME

exatamente elas viram o fogo? Havia chamas amarelas e fumaça branca, como na queima de gasolina, ou era uma fumaça preta densa, da queima de borracha? Conseguir informações de uma testemunha ocular demanda habilidade. Niamh sempre conversa com pessoas que estão no limite, às vezes depois que o mundo delas foi destruído pelo fogo. De vez em quando, os peritos em incêndios têm de "parar um interrogatório e avisar à polícia que a pessoa pode ser considerada suspeita". É um axioma bem conhecido que incêndios industriais aumentam quando as condições de um mercado pioram e que algumas firmas acham mais vantajoso receber a indenização do seguro, em vez de permanecer com uma fábrica que está dando prejuízo. Deixando de lado os incêndios criminosos, as pessoas podem ficar cautelosas quando acontecem acidentes. Se Niamh pergunta aos empregados onde eles estavam fumando antes do início de um incêndio no escritório em que trabalhavam, eles geralmente respondem que foi na área designada para isso. Contudo, a experiência a ensinou que "quando chove, as pessoas tendem a fumar ao lado da porta dos fundos, perto do lixo". (*Ver imagem 6 no encarte de fotos.*)

Terminada a conversa, Niamh dá uma volta ao redor do prédio, processando tudo o que escutou. Há marcas de fumaça nas paredes? Quais janelas estão quebradas? Há alguma coisa significativa no terreno, como um galão de gasolina ou guimbas de cigarro espalhadas? Em seguida, ela entra no imóvel "com as mãos nos bolsos, sem pegar nada", à procura de algo incomum. Nesse momento, ela está pronta para ir a fundo. Do lado de fora, ocupa-se com galões de gasolina e guimbas de cigarro que viu anteriormente, "fotografando-os *in situ*, em escala, se possível, registrando-os em um formulário, embalando-os e etiquetando apropriadamente". Do lado de dentro, ela vai até os fundos do local — onde é mais provável que o fogo tenha começado, e se move de forma sistemática das áreas menos destruídas até as mais danificadas, documentando e fotografando o local à medida que avança.

INVESTIGAÇÃO DE LOCAIS DE INCÊNDIO   43

Quando o fogo se espalha de seu local de origem, ele gera mais calor, o que incendeia uma quantidade maior de material, em uma cadeia de reação autossuficiente que depende da disponibilidade de combustível e oxigênio. No momento em que a combustão termina, o incêndio geralmente já trouxe abaixo tetos e paredes que, ao caírem, acabam servindo de proteção para as coisas. O local fica ainda mais difícil de interpretar, tendo em vista que os bombeiros já jogaram milhares de litros de água nele. "Ou seja, o que se tem é a casca queimada de uma casa coberta de substâncias. Para se chegar ao lugar exato onde ele começou, é preciso retirar camada por camada, como em uma escavação arqueológica." Feito um patologista que serra uma caixa torácica e a abre para realizar uma autópsia, Niamh tem de causar mais destruição para chegar às respostas que deseja. Ela começa pela área menos destruída porque "se o buraco preto enorme num canto é o local em que a gasolina foi jogada e nós caminhamos até lá e andamos ao redor dele, contaminamos o local". Em casos extremos, o perito pega uma fita e divide o local em quadrados, numera cada um deles e coloca tudo dentro de baldes na procura de qualquer prova que possa ter sobrevivido.

Tendo em vista que os incêndios tendem a subir e se propagar lateralmente, eles às vezes deixam um traçado chamuscado em forma de "V" apontando para a origem. Quando uma pessoa joga gasolina pela casa, as coisas ficam menos nítidas. Queimaduras fortes em linhas finas no chão, rodeadas por queimaduras mais brandas, podem indicar um rastro de gasolina, mas as chamas seguem o caminho da gasolina com tamanha velocidade que um único ponto de origem é quase impossível de ser identificado. Se Niamh encontra várias ocorrências de queimaduras igualmente muito fortes mas bem distantes umas das outras, isso também pode indicar incêndio criminoso; dois incêndios acidentais separados ao mesmo tempo em uma casa é uma ocorrência raríssima.

Após encontrar a(s) origem(ns) mais provável(is) do incêndio, Niamh procura fontes de ignição em potencial — fósforos, isquei-

44 A ANATOMIA DO CRIME

ros, velas e combustível, TVs, jornais, latas de lixo. Os incendiários costumam deixar fósforos para trás, pois acham que vão queimar até virarem pó. Mas a substância na cabeça de um palito de fósforo contém os restos fossilizados de uma alga unicelular chamada "diatomácea". A parede celular da diatomácea é feita de sílica, que, ao mesmo tempo que é abrasiva o suficiente para ajudar a acender o fósforo, também é capaz de resistir a altas temperaturas. Cada uma das oito mil espécies conhecidas de diatomácea possui uma parede com estrutura única, identificável com microscópio. Marcas diferentes produzem seus fósforos usando substâncias de fontes diferentes. Se os cientistas forenses conseguem achar as diatomáceas, conseguem determinar a marca do fósforo. Em seguida, uma revista nos bolsos de algum suspeito ou os vídeos de câmeras de segurança de lojas da região podem fornecer provas incriminadoras.

Niamh tenta imaginar como o local estava organizado quando o fogo se alastrou. Em seguida, dentro do possível, ela o reconstrói. Peritos em incêndio responsáveis pela investigação nem sempre conseguem fazer isso direito, algo que Niamh vivenciou no incêndio de uma casa que havia começado em uma mesa. A polícia pediu aos peritos em incêndio que colocassem os itens com fuligem de volta à mesa, no local em que estavam originalmente. Quando chamaram Niamh para avaliar criticamente o local, ela achou melhor fazer a própria reconstrução e compará-la à deles.

"Os outros peritos tinham feito uma reconstrução inconsistente com as provas materiais, pois não prestaram atenção a coisas como um círculo onde uma caneca havia protegido a mesa da fumaça. Eles colocaram os itens no lugar errado e tiraram fotos que contavam uma versão errônea da história. Com os itens recolocados em suas devidas posições, o conjunto de circunstâncias que criou o incêndio ganhou vida." Em 2012, Niamh deu uma série de workshops sobre investigação de cenas de crime de incêndio na Escócia e chegou à conclusão de que, embora vários peritos sejam muito bem preparados para o serviço, "97% dos incêndios na Escócia são investigados por funcionários que têm menos de uma semana de treinamento em investigação de

INVESTIGAÇÃO DE LOCAIS DE INCÊNDIO 45

incêndio". Apesar de vários desses incêndios serem relativamente simples de se investigar, um treinamento adequado continua sendo necessário. Peritos são importantes para se determinar corretamente a origem e a causa de um incêndio, principalmente "em incêndios fatais, ocasiões em que os peritos têm a enorme obrigação, tanto com as vítimas quanto com seus parentes, de dizer como os indivíduos morreram no incêndio".

Equívocos no manuseio de provas levam a confusões e a versões conflituosas dos acontecimentos quando apresentadas no tribunal. É crucial que o serviço seja feito da forma correta na primeira vez, sobretudo porque as pistas geralmente são muito frágeis. É possível conseguir impressões digitais? É possível conseguir DNA? É possível recuperar informação de um disco rígido em um computador derretido? "A resposta a todas essas perguntas é 'sim' se você tiver o cuidado de não ficar pisoteando pra lá e pra cá, prejudicando materiais."

Dar passos leves não é algo fácil para Niamh, com suas botinas com bico de aço, capacete e macacão. Os locais onde ela entra podem conter riscos elétricos à vida, cacos de vidro, paredes parcialmente desmoronadas. "Na maioria das vezes, é muito escuro, fedorento, desconfortável, e exige bastante esforço físico. Os dias são longos e você chega em casa imunda, fedendo a plástico queimado. Não tem nada de glamoroso. Mas é fascinante."

No local que suspeita ser o ponto de origem, Niamh coleta os detritos e os peneira à mão. "Você ficaria impressionada com o que sobrevive. Os incêndios são um negócio destruidor, mas eles geralmente deixam bastante material para trás. Coisas como botões, isqueiros, garrafas, latas de cerveja, coisas de metal, tudo isso sobrevive relativamente bem. Materiais de plástico podem derreter de um lado, mas ficar intactos do outro. Então talvez seja possível conseguir uma impressão digital na parte de baixo de um controle remoto."

A eletricidade pode ser uma aliada no local onde ocorreu um incêndio e fornecer provas materiais relativas à causa, origem ou dispersão do fogo. Peritos em incêndios como Niamh engatinham

46 A ANATOMIA DO CRIME

na sujeira, munidos de alicates, para seguirem cabos, como se eles fossem o fio que orientava Ariadne pelo labirinto. "Muitos peritos não enxergam o valor do circuito elétrico. É um trabalho laborioso demais e consome muito tempo, mas é de uma utilidade enorme, porque fornece provas materiais genuínas em comparação aos padrões de queima, que podem ser interpretados subjetivamente."

Na parede de sua sala, Niamh tem duas fotos de um prédio de doze andares ao lado da estação Piccadilly do metrô em Londres. Os sete últimos andares foram destruídos por um incêndio que gerou um prejuízo de nada mais, nada menos que 12 milhões de libras. Quando os peritos chegaram ao local, conversaram com um funcionário da limpeza que relatou ter visto o fogo quando ele ainda estava pequeno, no sistema de iluminação de um andar específico. Isso deu aos peritos um indicador, mas encontrar a origem exata de um incêndio tão severo era, ainda assim, difícil. Niamh passou dois dias no prédio com seus colegas até finalmente conseguirem rastreá-la: uma pane elétrica dentro de um bebedouro. "Foi um incêndio muito interessante porque envolveu muito uso do sistema elétrico para corroborar a área de origem. Por isso ele tem uma importância especial para mim, e é por isso que tenho um quadro dele na parede."

◆

Alguns incêndios começam com panes elétricas. Outros têm origens menos acidentais. De vez em quando, peritos levam cães farejadores, cujo olfato é duzentas vezes melhor do que o dos humanos, para que detectem líquidos inflamáveis como gasolina, querosene e aguarrás. No Reino Unido, há aproximadamente duzentas equipes de cães treinados para atuar em locais onde ocorreram incêndios, e muitos deles usam botinhas para proteger as patas (e evitar a contaminação da cena do crime). "Já os vi em ação e, cara, eles são bons. Eles se sentam e indicam quando farejam alguma coisa", conta Niamh.

Uma vez que o cachorro identifica a presença de hidrocarbonetos, o perito responsável pela investigação começa a ensacar as provas.

INVESTIGAÇÃO DE LOCAIS DE INCÊNDIO 47

Tendo em vista que as sacolas de plástico reagem com os hidrocarbonetos de substâncias como gasolina, eles colocam o material suspeito em sacos de nylon e o levam para análise no laboratório de ciência forense. Se o material for um pedaço de tapete, ou algo parecido, o perito tenta coletar no local um pedaço separado e que não esteja queimado, para fins de comparação. No laboratório, químicos forenses analisarão os detritos do incêndio. Eles usam várias técnicas para extrair os possíveis catalizadores químicos, inclusive "extração por *headspace*". A forma mais usada para se fazer isso envolve colocar o material em um recipiente fechado e aquecê-lo, permitindo que os vapores ali subam. Em seguida, estes são coletados com um material absorvente e extraídos com solvente químico. O químico forense tenta identificar, nesse vapor, componentes específicos, em geral usando cromatografia gasosa. Trata-se de um processo científico razoavelmente complexo que faz as moléculas químicas dentro da mistura de vapores se separarem de acordo com o tamanho. Niamh explica: "Imagine um cano de 3 metros. Você despeja melaço nele, de modo que o interior fique coberto com esse melaço, depois pega uma caixa de bolinhas de gude de tamanhos diferentes e a despeja dentro dele; as bolas pequenas ficarão grudadas por mais tempo do que as grandes. Resumindo, é isso que a cromatografia gasosa faz. Os jurados conseguem visualizar isso e dizem 'Ah, agora entendi'."

Quando os testes identificam gasolina, então, dependendo do caso, o próximo passo é descobrir a "marca da gasolina". A maior parte das moléculas da gasolina em um galão vai evaporar em temperatura ambiente (por isso é possível sentir o cheiro dela), mas os fabricantes põem aditivos que não evaporam. Essas substâncias fazem o motor dos carros funcionar com mais eficiência e conseguem suportar temperaturas muito altas. Além disso, elas são específicas de cada marca. Os aditivos são extremamente estáveis e podem ficar nas roupas até serem lavadas com detergente.

A marca da gasolina foi importante para conseguir as condenações em um dos incêndios residenciais contemporâneos mais perturbadores. Às 4 da manhã do dia 11 de maio de 2012, o fogo

48 A ANATOMIA DO CRIME

começou queimando a parte de dentro da porta do imóvel número 18 da Victory Road, em Allenton, Derby. Dois minutos depois, ele tinha se espalhado rapidamente pela escada carpetada e chegou à porta de um quarto cheio de crianças dormindo. O pai delas, Mick Philpott, ligou para a emergência: "Eu preciso de ajuda! Meus filhos estão presos dentro de casa!" Jade, John, Jack, Jesse e Jayden Philpott, com idades entre 5 e 10 anos, morreram no local, e Duwayne Philpott, de 13 anos, morreu no hospital, todos devido à inalação de fumaça.

Horas depois de o incêndio ter sido apagado, Mat Lee, do Corpo de Bombeiros de Derbyshire, chegou ao local. Um colega havia encontrado um galão de gasolina vazio e uma luva perto da Victory Road, o que fez Lee ficar particularmente alerta para a possibilidade de um incêndio criminoso. Ele removeu a primeira camada dos escombros debaixo da porta e um cão farejador começou a latir. Lee embalou o material e o enviou à química forense Rebecca Jewell, para análise.

Cinco dias depois do ocorrido, os pais das crianças mortas, Mick e Mairead Philpott, fizeram uma coletiva de imprensa para agradecer aos amigos e familiares pelo apoio. Contudo, o comportamento deles despertou suspeitas na polícia. O subchefe de polícia Steve Cotterill sentiu que Mick agiu feito uma "criança empolgada", em vez de como um pai devastado pelo luto. "Eu esperava que ele estivesse totalmente destruído", comentou Cotterill um tempo depois. "Aquilo, para mim, era uma encenação."

A polícia começou a vigiar secretamente os Philpott vinte e quatro horas por dia. Uma escuta no quarto de hotel do casal captou Mick dizendo à esposa: "Mantenha a sua versão da história", e depois, "Eles não vão achar nenhuma prova, sabe? Você está me entendendo?". Em 29 de maio, os Philpott foram presos sob a acusação de homicídio doloso (que mais tarde foi reduzida para homicídio culposo).

Ao longo de um período de seis meses, Rebecca Jewell recebeu várias amostras recolhidas na cena do incêndio e das roupas dos réus. No galão de plástico abandonado, ela encontrou uma mistura de aditivos, inclusive os usados no combustível da Shell. Ela achou

INVESTIGAÇÃO DE LOCAIS DE INCÊNDIO   49

traços de gasolina no tapetinho da porta de entrada de casa, mas não conseguiu distinguir sua marca porque estavam contaminados por uma substância química da parte de baixo do tapete. Ela encontrou aditivo da Shell na cueca de Mick e no tênis do pé direito. Identificou aditivo da Total em uma legging, calcinha e sandália de Mairead, e na roupa de Paul Mosley, que foi acusado de ajudar os Philpott a atear o fogo.

Quando o julgamento começou em fevereiro de 2013, disseram ao júri que os Philpott e Mosley atearam o fogo com o objetivo de incriminar Lisa Willis, a ex-amante de Mick Philpott. Lisa morou durante dez anos na mesma casa com Mick, os quatro filhos deles, um quinto filho que era de um relacionamento anterior dela, e Mairead e os filhos, mas, pouco tempo antes do incêndio, tinha ido embora da casa e levado os filhos para morar na casa da irmã. Havia uma audiência sobre a custódia marcada para a manhã seguinte ao incêndio, e a intenção de Mick Philpott era culpar Lisa pelo incêndio criminoso e assim impedir que ela ganhasse o direito de ficar com as crianças. Mick e Mairead haviam colocado todas para dormir em um quarto e deixado uma escada encostada do lado de fora da janela. O plano era Mick subir e resgatá-los, dando a impressão de que era tanto vítima quanto herói. Mas o fogo se alastrou rápido demais. Não houve tempo de entrar pela janela e salvar as crianças. Todos os três réus foram declarados culpados de homicídio culposo: Mairead e Mosley foram condenados a dezessete anos de prisão, e Mick, à prisão perpétua. O caso Philpott dominou a mídia por semanas; o *Daily Mail* publicou uma matéria com o título "Mick Philpott: produto vil da assistência social britânica". Enquanto alguns questionavam se os Philpott vinham usando as crianças para ganhar o auxílio semanal de treze libras por filho, Niamh Nic Daéid estava pensando em outra coisa: "Por que os detectores de fumaça não acordaram as crianças?"

Um dos alunos de mestrado de Niamh tinha feito parte da equipe que investigou o incêndio. Juntos, eles decidiram que a dissertação dele seria sobre a capacidade dos detectores de fumaça de acordar

50   A ANATOMIA DO CRIME

as crianças. Eles pediram aos pais de trinta crianças para disparar os alarmes dos detectores de fumaça em suas casas em horários aleatórios à noite. "Oitenta por cento das crianças não acordaram, ainda que alguns dos alarmes ficassem no quarto delas." As variadas frequências desenvolvidas para que os detectores passassem a resolver o problema das crianças com sono pesado quase nunca funcionavam. Chegaram à conclusão de que os alarmes mais eficazes eram os que permitiam à própria mãe gravar a mensagem: "Daí a mãe fala, 'Acorda!' e as crianças respondem ao tom e à frequência da voz." O desafio é colocar em prática aquilo que foi apontado na pesquisa feita pelo perito em incêndios — um desafio que a equipe de pesquisa de Niamh está levando a cabo com alguns fabricantes de detectores de fumaça.

◆

O desejo de se ter a custódia dos filhos talvez seja um motivo particular para que uma pessoa decida cometer um incêndio criminoso. Motivações muito mais comuns incluem vingança, fraude de seguro ou a vontade de eliminar vestígios depois de um roubo ou até mesmo assassinato. No entanto, as pessoas que tentam se desfazer de um corpo ateando fogo a uma casa ou, como no assassinato de Jane Longhurst, incendiando o corpo (*ver pág. 226*), não têm grandes chances de serem bem-sucedidas. Qualquer perito que lida com incêndios aprende rapidamente a distinguir entre os efeitos normais do fogo no corpo e os indícios que podem ter uma explicação mais sinistra. Não interessa se uma pessoa está viva ou morta quando o fogo começa: o calor enrijece os músculos do corpo, o que faz as pernas e os braços adquirirem a clássica posição de "pugilista". A perda de água encurta os membros e faz o corpo perder até 60% do peso. Os músculos faciais ficam distorcidos e a pele dos membros e do torso arrebenta, deixando rasgos que um perito inexperiente pode confundir com feridas feitas antes da morte. Os ossos, que ficam fracos devido à ex-

INVESTIGAÇÃO DE LOCAIS DE INCÊNDIO   51

posição ao calor, geralmente fraturam quando transportados do local do incêndio para o necrotério. Porém, mesmo um corpo muito carbonizado por fora costuma permanecer surpreendentemente bem-preservado por dentro. Em um crematório, os corpos são reduzidos a cinzas pela exposição a um calor de 815°C por aproximadamente duas horas. Embora incêndios estruturais possam chegar a 1.100°C, eles não costumam permanecer quentes por tempo suficiente para destruir as provas de um crime.

Algumas pessoas gostam tanto de incêndios que dão início a eles sem motivo algum. Os maníacos incendiários. Esse vício começa pequeno, mas sempre aumenta, e quase nunca é superado. Ele frequentemente contém um elemento sexual de altíssimo poder viciante.

Um incendiário em série começou a atear fogo em imóveis na Califórnia em 1984 e só parou quando foi preso em 1991. Durante esses sete anos, agentes federais estimam que ele foi o responsável por mais de dois mil incêndios. Joseph Wambaugh escreveu um livro sobre ele, *Fire Lover* [Amante do fogo] (2002), e a HBO fez um filme, *Ponto de origem* (2002).

A história começa em 1987 quando a presença do capitão Marvin Casey, do Corpo de Bombeiros de Bakersfield, foi solicitada em um incêndio numa loja de tecidos. Assim que ele chegou ao local, chamaram-no para atender a outro incêndio em Bakersfield, este em uma loja de produtos de artesanato. O segundo foi apagado antes que tomasse todo o prédio, e Casey conseguiu recuperar um dispositivo incendiário com temporizador — um cigarro aceso ao lado de três fósforos enrolados em uma folha amarela de bloco de anotações, tudo preso com um elástico. O incendiário tinha deixado o cigarro um pouco mais para cima, de modo que a base dele ficasse em contato com a cabeça dos fósforos, o que lhe dava quinze minutos de margem até o cigarro queimar e dar início ao incêndio.

Nas horas seguintes, Casey ficou sabendo de mais dois incêndios em Fresno, a 150 quilômetros de Bakersfield, pela Highway 99. Era coincidência demais, e o capitão suspeitou que tudo era ação de um

52   A ANATOMIA DO CRIME

incendiário em série. Curiosamente, Fresno estava sediando uma conferência de investigadores especializados em incêndios criminosos que tinha acabado pouco antes de os incidentes começarem.

Casey enviou o dispositivo incendiário da loja de artesanato para um perito digital, que conseguiu recolher uma boa impressão do dedo anular esquerdo da folha amarela. Ele fez a busca da impressão digital nos bancos de dados criminais estadual e nacional, mas não obteve resultado.

O capitão começou a pensar no impensável. Será que um dos investigadores na conferência poderia ter dado início aos incêndios no caminho de volta para casa? Ele descobriu que, dos 242 policiais presentes, 55 haviam ido embora da conferência sozinhos e seguido para o sul de carro pela Highway 99. Ele decidiu pedir ajuda ao FBI e ligou para o agente especial Chuck Galyan, em Fresno. "Cinquenta e cinco investigadores respeitados, especializados em incêndios criminosos? Eu achei que o Marv Casey estava completamente enganado", disse Galyan. O caso foi arquivado.

Dois anos depois, em 1989, houve outra conferência de investigadores especializados em incêndios criminosos em Pacific Grove, que foi seguida de outra eclosão de incêndios quase simultânea, desta vez ao longo da Highway 101, que percorre a costa de Los Angeles a São Francisco. Casey não podia acreditar. Ele investigou e descobriu que apenas dez investigadores que percorreriam o sentido sul voltando para casa tinham estado nas conferências tanto de Fresno quanto de Pacific Grove. Dessa vez, Chuck Galyan concordou em chamar um perito para checar as impressões digitais no banco de dados estadual dos funcionários da segurança. O experiente perito fez as comparações, mas não teve resultado.

Entre outubro de 1990 e março de 1991, um novo surto de incêndios eclodiu na região metropolitana de Los Angeles, em lojas de varejo como a rede de farmácias Thrifty e a de construção Builders' Emporium. Glen Lucero, do Corpo de Bombeiros da Cidade de Los Angeles, disse: "A maioria dos incêndios estava ocorrendo durante

INVESTIGAÇÃO DE LOCAIS DE INCÊNDIO   53

o horário comercial. Esse tipo de crime é cometido na escuridão da noite. Aquilo era muito incomum [e demonstrava] certa presunção e autoconfiança por parte do responsável."

No fim de março, os incêndios atingiram o seu apogeu. Cinco lojas foram atacadas no mesmo dia. Os empregados de uma loja de médio porte de produtos para artesanato apagaram o fogo antes que ele se intensificasse. Os investigadores acharam um dispositivo incendiário lá, ainda em boas condições e idêntico ao que Casey encontrara em Bakersfield quatro anos antes. Mais seis desses dispositivos foram encontrados depois, vários deles em travesseiros, o que deu origem ao apelido do incendiário: "Pillow Pyro" (Piromaníaco do travesseiro).

Os investigadores sabiam que estavam procurando um homem inteligente, experiente e incrivelmente perigoso. Ele tinha conhecimento suficiente para iniciar seus incêndios no lugar perfeito para que o fogo se alastrasse depressa. As pessoas naquelas lojas corriam o risco de terem o mesmo destino das que ficaram presas na loja de ferragens Ole, em South Pasadena, em 1984, quando um incêndio explosivo teve início em meio a produtos de poliuretano, resultando num inferno que ardia emitindo uma chama azul e um barulho chiado sinistro. Corpos muito queimados foram arremessados do prédio por uma explosão quando a temperatura chegou a 500°C e todo o material inflamável no espaço fechado incendiou. Quatro pessoas morreram, inclusive uma mulher de meia-idade e seu neto de dois anos.

Em abril de 1991, criaram uma força-tarefa dedicada ao "Pillow Pyro" para fazer a ligação entre os departamentos de polícia da Califórnia e localizar o criminoso. Os investigadores se encontraram com Marvin Casey em Bakersfield, e ele, entusiasmado, mostrou-lhes a foto da impressão digital que havia recolhido em 1987. Como a impressão digital já havia sido verificada por um perito, as expectativas dos investigadores eram baixas. Mas o Pillow Pyro podia ter cometido um crime nos últimos quatro anos, então eles a levaram para Ron George, que trabalhava no Departamento de Polícia de Los Angeles.

54 A ANATOMIA DO CRIME

O banco de dados do Departamento de Polícia possuía uma grande quantidade de impressões digitais de criminosos, de todos os policiais do condado e de qualquer pessoa que em algum momento tivesse se candidatado a um emprego na polícia. Dessa vez, o responsável pela análise ficou satisfeito por encontrar uma digital compatível — o capitão John Orr, um investigador especializado em incêndios criminosos com vinte anos de experiência no Corpo de Bombeiros de Glendale. Inicialmente, os investigadores não acreditaram que ele fosse culpado e apegaram-se à ideia de que a impressão digital devia ser resultado de algum tipo de contaminação cruzada. No dia 17 de abril, Ron George telefonou para a força-tarefa e disse a um agente: "É do John Orr. Ele devia saber como lidar com esse tipo de coisa. Diz para aquele vacilão não encostar nas provas."

A impressão digital de Orr estava no banco de dados do Departamento de Polícia de Los Angeles desde que fora reprovado em uma seleção para policial em 1971. Eles ficaram satisfeitos com as impressões digitais dele, mas não com uma referência do emprego anterior, que o havia descrito como um "sabichão irresponsável e imaturo". Testes psicológicos posteriores confirmaram a inadequação dele para a função e rejeitaram-no sem cerimônia. No entanto, a carreira subsequente de John Orr no Corpo de Bombeiros havia sido notável: pessoalmente, ele treinou mais de 1.200 bombeiros, organizou seminários sobre investigação de incêndios criminosos e escreveu vários artigos para o *American Fire Journal*. Mas como John Orr teve contato com uma prova encontrada no incêndio de Bakersfield, a 150 quilômetros de sua base em Glendale?

Havia somente uma resposta, e ela era intragável. A força-tarefa começou a vigiar Orr e a conversar discretamente com alguns de seus colegas. Um deles suspeitou durante um tempo. Ele notou que Orr tinha uma habilidade misteriosa de chegar ao local do incêndio antes de qualquer outra pessoa e de rapidamente identificar a origem do fogo — e, como Niamh explicou anteriormente neste capítulo, os peritos trabalham nos locais seguindo fases metódicas, antes de

INVESTIGAÇÃO DE LOCAIS DE INCÊNDIO   55

darem seu veredito. Mas a maioria dos colegas de Orr não conseguia acreditar naquilo. Era verdade, ele podia ser presunçoso quando falava de suas investigações, mas era um investigador bom demais, além de também fazer parte da família dos bombeiros.

Não demoraria muito a acontecer outra conferência em San Luis Obispo. A força-tarefa achou que Orr podia atacar e queria pegá-lo em flagrante. Os agentes o vigiaram a semana inteira, 24 horas por dia, mas ele não incendiou nada. A impressão era de que conseguia sentir os olhos dos agentes sobre si.

No fim das contas, foi a vaidade de Orr a responsável por sua derrocada. Ele escreveu uma obra de ficção e a enviou a um editor com uma carta de apresentação espantosa. "O meu romance, *Points of Origin* (Pontos de origem), é baseado em fatos reais e conta a história de um criminoso que incendeia lugares na Califórnia há oito anos. Ele não foi identificado nem preso, e isso provavelmente não acontecerá em um futuro próximo. Como no caso real, o incendiário do meu romance é bombeiro." Quando os investigadores puseram as mãos naquilo, não acreditaram no que estavam lendo.

Os ataques criminosos do incendiário eram correspondentes a muitos dos cometidos pelo Pillow Pyro nos mínimos detalhes, com exceção dos nomes. O herói é um investigador à caça de um incendiário em série, Aaron. Ele compara os horários de todos os incêndios com a escala de serviço do bombeiro na força e se dá conta de que somente Aaron poderia ter feito aquilo.

Na manhã do dia 4 de dezembro de 1991, agentes chegaram à casa de Orr. Debaixo do tapete atrás do banco do motorista de seu carro, encontraram um bloco de anotações. Em uma bolsa de lona preta, acharam um maço de Camel sem filtro, duas caixas de fósforos, alguns elásticos e um isqueiro.

No dia seguinte à prisão de Orr, Mike Matassa, da força-tarefa, fez várias ligações para pessoas com quem ele havia trabalhado ao longo do ano. Uma delas foi para Jim Allen, investigador especializado em incêndios criminosos e amigo pessoal, que lhe contou: "Você tem que dar uma olhada no incêndio de Ole. Sabe, né? Aquele lá da loja de ferragens, em South Pasadena, em outubro de 1984? O John é obcecado por ele. Ele ficou maluco quando disseram que foi acidental." Depois que desligou o telefone, uma lembrança lampejou em sua cabeça. Assim como todo o restante do pessoal da força-tarefa, ele estava lendo uma fotocópia de *Points of Origin* e se lembrou de que no capítulo 6 havia a descrição de um incêndio na loja de ferragens do Cal em que cinco pessoas haviam morrido, inclusive um menino pequeno. Como Aaron não levou o "crédito" por ter sido o responsável, incendiou isopor em uma loja de ferragens ali perto, para expor a ignorância dos investigadores. Os paralelos eram sinistros.

Sozinho, *Points of Origin* não teria sido suficiente para garantir a condenação. Porém, com outras provas — a impressão digital e um rastreador que havia sido instalado atrás do painel de seu carro —, John Orr foi declarado culpado por vinte e nove acusações de incêndio criminoso e quatro de homicídio. Foi condenado à prisão perpétua sem direito à liberdade condicional. Ele jamais admitiu nenhum de seus crimes, mas um investigador do *Points of Origin* faz um comentário marcante: "Essa coisa em série em geral começa muito depois que eles tiveram a primeira experiência com fogo quando jovens, e eles simplesmente continuam se não forem pegos cedo. Quando crescem, aquilo adquire uma atmosfera sexual. Eles são inseguros demais para se relacionarem com as pessoas diretamente, cara a cara, e o fogo se torna amigo deles, mentor, e, às vezes, amante. Na verdade, é uma coisa sexual."

TRÊS

ENTOMOLOGIA

*"Os áugures e as ocultas relações já conseguiram
pela voz das gralhas, pegas e corvos descobrir
os crimes de sangue mais ocultos."*

Macbeth, ato III, cena IV

O nosso desejo de entender como os mortos encontram seu destino não é um fenômeno recente. Mais de 750 anos atrás, em 1247, um manual para médicos-legistas chamado *A limpeza das injustiças* (Xǐ yuān jílù, mais conhecido como *The Washing Away of Wrongs*) foi produzido por um estudioso chinês chamado Song Ci. Ele continha o primeiro exemplo registrado de entomologia forense: o uso da biologia dos insetos na solução de um crime.

A vítima havia sido esfaqueada até a morte à margem de uma estrada. O médico-legista examinou os cortes no corpo do homem, depois usou uma variedade de lâminas na carcaça de uma vaca. Ele chegou à conclusão de que a arma do crime fora uma foice. Todavia, descobrir o que causou as feridas era algo que não chegava nem perto da identificação da mão que manuseou a arma. Então, o legista se voltou para as possíveis motivações. As posses da vítima ainda estavam intactas, o que excluía a possibilidade de roubo. De acordo

58 A ANATOMIA DO CRIME

com a viúva, ele não tinha inimigos. A melhor pista era a revelação de que a vítima não tinha conseguido pagar uma dívida.

O legista acusou o agiota, que negava ter algo a ver com o assassinato. Mas o legista era determinado como um detetive de TV. Ele pediu a todos os setenta adultos da vizinhança para se enfileirarem, com suas foices aos pés. Em questão de segundos uma mosca pousou entusiasmada na lâmina do agiota, uma segunda mosca a seguiu, depois outra. Quando confrontado novamente pelo legista, o agiota "bateu a cabeça no chão" e confessou. Ele havia tentado limpar sua lâmina, mas o esforço para ocultar o crime foi frustrado pelos insetos informantes zumbindo baixinho a seus pés. (*Ver imagem 7 no encarte de fotos.*)

A limpeza das injustiças, o livro mais antigo do mundo sobre medicina legal, foi atualizado e reimpresso ao longo de setecentos anos, e policiais chineses o levavam para os locais dos crimes até o século passado. Quando os primeiros comerciantes portugueses chegaram à China, no início do século XVI, ficaram impressionados com a postura dos tribunais, que relutavam em condenar uma pessoa à morte sem uma investigação exaustiva. O trabalho dos entomologistas forenses modernos pode estar fundamentado em um conhecimento mais amplo e profundo, mas ele ainda personifica aquela análise criteriosa que impressionou os comerciantes portugueses.

O papel habitual da entomologia forense nas investigações criminais é estimar o horário da morte — uma informação crucial para determinar o álibi de um suspeito e, portanto, sua culpa ou inocência. A disciplina é baseada em um fato horripilante: um cadáver é um almoço e tanto.

Quando patologistas forenses (*ver capítulo 4*) examinam um cadáver, primeiramente tentam estimar a hora da morte a partir de fenômenos como *rigor mortis,* mudanças na temperatura do corpo e decomposição de órgãos. A avaliação a partir desses critérios deixa de ser possível após um período que compreende entre 48 e 72 horas. Mas as sequências temporais fornecidas pelos insetos que chegam ao local seguem tiquetaqueando muito depois disso. Como insetos

ENTOMOLOGIA   59

diferentes não vão ao bufê ao mesmo tempo, a chegada deles segue uma ordem previsível. Quando os entomologistas são chamados, eles usam o conhecimento que possuem dessa sucessão para estimar a hora da morte. Ou seja, o reino dos insetos ajuda as vítimas mortas a fornecerem indícios involuntários, mas convincentes, contra seus assassinos.

◆

A maioria dos entomologistas forenses não começa apaixonada pela ciência do direito, mas pela própria vida dos insetos. E leva-se anos para desenvolver os poderes interpretativos e a expertise necessários para relacionar o mundo dos insetos a crimes de uma forma que se sustente no tribunal. Ainda assim, os objetivos de um entomologista apaixonado — coletar de modo seletivo e categorizar meticulosamente, para descobrir as causas de um comportamento estranho e encontrar provas que fundamentem teorias — estão em consonância com aqueles que compõem um sistema de justiça saudável.

Jean-Pierre Mégnin foi uma peça fundamental no desenvolvimento da entomologia forense moderna. Como Song Ci, ele escreveu um livro famosíssimo chamado *Les faune des cadavres* [A fauna dos cadáveres], publicado em 1893. Mégnin mostrou que centenas de espécies de insetos são atraídas pelas carcaças animais. Como veterinário que serviu no Exército francês, ele estava no lugar perfeito para registrar as previsíveis ondas de insetos que colonizam os mortos — que ele detalhou em um livro anterior, *Faune des tombeaux* [A fauna dos túmulos]. Ele esboçou muitas espécies distintas — em particular de ácaros e moscas — em diferentes estágios de desenvolvimento, da larva à fase adulta, e publicou suas ilustrações.

A observação atenta e a percepção da mudança ao longo do tempo que Mégnin expôs estabeleceram o tom para a disciplina que estava surgindo, a entomologia forense. Sua meticulosidade deu à relação entre insetos e mortos um status jurídico sem precedentes. Mégnin foi chamado para atuar como perito em dezenove processos na França.

60 A ANATOMIA DO CRIME

Mesmo assim, a entomologia ainda era considerada um ramo ampla-mente incidental e circunstancial da ciência forense. Os principais pro-blemas eram a quantidade de variáveis que os entomologistas tinham de levar em consideração — temperatura, posição do corpo, variações no solo, no clima e na vegetação — e a falta de ferramentas apropriadas à disposição deles no século XIX. Cientistas europeus e americanos, entretanto, foram inspirados por Mégnin, e trabalharam ao longo do século XX para conseguir maior precisão na identificação de espécies e compreensão dos estágios de seu crescimento.

Em 1986, Ken Smith, entomologista do Museu de História Natural de Londres, escreveu o *Manual of Forensic Entomology* [Manual de en-tomologia forense] e o dedicou a Jean-Pierre Mégnin. O livro foi um divisor de águas. Smith reuniu toda a informação disponível sobre insetos apreciadores de carniça, especialmente moscas, e mostrou com uma precisão inédita como usá-las para determinar o tempo que um corpo jazia morto. O manual era prático, algo para ser levado ao local em que se estava conduzindo uma investigação. Ele descreve as ondas de espécies que aparecem nos cadáveres que estão enterrados, ex-postos ou submersos em água. Smith também era um taxonomista extraordinário e produziu manuais de identificação que são usados até hoje. Ler o livro de Smith paralelamente aos manuais torna possível determinar onde as moscas primeiro encontraram um cadáver, ainda que ele tenha subsequentemente sido movido de lugar.

O sucessor de Ken Smith no Museu de História Natural é Martin Hall, um homem alto que anda com passos arrastados pelas galerias do museu fazendo comentários animados e entusiasmados. A paixão dele pelos 30 milhões de espécimes sob sua responsabilidade é óbvia e contagiante.

Ele faz malabarismo para conciliar seu trabalho diário no museu com o papel de entomologista forense. A qualquer momento pode receber uma ligação da polícia solicitando que vá ao local em que ocorreu um crime. "Coletar insetos em um cadáver não é uma expe-riência agradável", diz ele, "mas é impressionante a maneira como o interesse profissional assume o controle".

ENTOMOLOGIA   61

O fascínio de Martin por sua profissão despertou quando ele era um garoto crescendo em Zanzibar, ilha no leste africano. Lá, ele se deu conta de que o mosquiteiro dependurado em cima de sua cama podia manter os insetos dentro do mundo dele, o que era bem melhor do que mantê-los do lado de fora. À medida que ia pegando no sono toda noite, bichos-pau, louva-a-deus e, de vez em quando, até um morcego perpassavam rastejando, voando e zumbindo por sua semiconsciência.

Ele foi para a Inglaterra estudar antes de retornar para a África e passar sete anos pesquisando o comportamento da mosca tsé-tsé. Certo dia, viu o cadáver gigante de um elefante adulto na savana com a carne abarrotada de larvas rastejantes. Uma semana depois, retornou e não encontrou nada além de um enorme esqueleto, limpinho. Depois de mais uma semana, os enxames de moscas-varejeiras eram tão grandes que o lugar parecia tomado por nuvens de chuva. "Era algo simplesmente extraordinário de se observar. Embora houvesse outros saprófagos, como hienas e abutres, as larvas provavelmente foram responsáveis por entre 40% e 50% da perda de biomassa." Um elefante tinha se transformado em 1 milhão de moscas, e um entomologista embrionário foi fisgado para sempre.

Agora esse gosto pelo trabalho é transmitido a todo mundo com quem Martin se encontra. Quando o visitei, ele me levou aos bastidores do museu, que ficavam no alto de dezenas de degraus de pedra, em uma de suas torres góticas mais altas, com vista panorâmica de Londres. Mas eu não estava lá por causa da vista. Estava lá para ver o local em que Martin e sua equipe conduzem alguns dos experimentos que ampliam a abrangência do conhecimento deles. É um mundo em que objetos comuns possuem significados bem diferentes. Malas de viagem são lar de cabeças de porco, pois assim eles podem descobrir quais moscas conseguem pôs seus ovos através das frestas nos zíperes. Gaiolas de cães contêm leitões em putrefação. Embalagens de sanduíche da Tupperware estão cheias de larvas conservadas. Tudo isso é mais do que um pouco inquietante. Não foi à toa que recusei o sanduíche que ele me ofereceu...

62   A ANATOMIA DO CRIME

Em meio à coleção de insetos no museu, alguns têm importância histórica. Martin me mostrou um frasco com espécimes e depois falou baixinho: "Estas larvas são icônicas. São do caso Buck Ruxton."

◆

O caso Buck Ruxton é famoso na história criminal britânica. Foi um divisor de águas para a ciência forense em diversos aspectos, mas, para entomologistas forenses como Martin Hall, ele representa o primeiro caso no Reino Unido em que insetos foram usados com sucesso para ajudar na solução de um crime. O caso foi uma sensação e ocupou colunas e mais colunas dos jornais impressos publicados no outono de 1935.

Buck Ruxton foi um médico de origem persa e francesa que se formou em Mumbai e se estabeleceu no norte da Inglaterra. Ele vivia com uma mulher escocesa chamada Isabella, conhecida como "sra. Ruxton", e os três filhos pequenos. Buck Ruxton foi o primeiro médico não branco em Lancaster, e ficou muito conhecido, especialmente entre os pacientes mais pobres.

Certa manhã de domingo, o dr. Ruxton abriu a porta de casa e deparou-se com um menino de 9 anos esquelético. Atrás dele encontrava-se a esperançosa mãe do garoto, protegendo-o do frio de outono com os braços. "Sinto muito", desculpou-se o médico. "Não posso fazer a operação hoje, minha esposa foi para a Escócia. Estamos somente eu e minha criadinha aqui, e estamos ocupados aprontando os tapetes para os decoradores que virão de manhã. Olha como as minhas mãos estão sujas." A dupla se virou e foi embora caminhando desconsolada, a mãe se perguntando por que a única mão que o médico tinha mostrado estava tão limpa.

A família Ruxton tinha uma criada de 19 anos, Mary Rogerson. Alguns dias depois do incidente à porta da casa do médico, a família prestou queixa do desaparecimento dela. A polícia foi à casa do dr. Ruxton, e o médico alegou que sua esposa tinha ido para Blackpool com a criada e que suspeitava que Isabella tinha um amante.

ENTOMOLOGIA 63

Isso se encaixava com a informação sobre a última vez que Isabella foi vista: ela estava saindo de carro de Blackpool às 23h30, depois de passar a noite com amigos. O gosto dela pela diversão provocava brigas inflamadas entre o casal. O dr. Ruxton acusava constantemente a esposa de infidelidade e Mary sempre testemunhava o ciúme furioso dele.

Depois que a polícia o procurou pela segunda vez, Ruxton alegou que Isabella e Mary tinham ido para Edimburgo. Porém, ele não conseguia calar o falatório que se alastrava por Lancaster. Embora Ruxton fosse um membro respeitado da comunidade, não parava de se espalhar a fofoca de que as brigas dele com a esposa tinham ficado mais hostis e intensas ao longo do verão e de que algo mais sinistro poderia estar por trás dos desaparecimentos.

Então, no dia 29 de setembro, uma mulher atravessando uma ponte sobre uma ravina perto de Moffat, na estrada entre Carlisle e Edimburgo, se deu conta, horrorizada, de que estava vendo um braço humano na margem do riacho. Quando a polícia chegou ao local, encontrou trinta pacotes ensanguentados contendo partes de corpos embrulhadas em jornal. Nos dias seguintes, outras partes foram encontradas na área por policiais e moradores da região. Por fim, recolheram um total de setenta partes pertencentes a dois corpos. Não havia dúvida de que tinham sido esquartejados para evitar identificação — a ponta dos dedos haviam sido arrancadas — e o serviço, executado por alguém que conhecia a anatomia humana.

As larvas encontradas alimentando-se das partes em decomposição foram enviadas para a Universidade de Edimburgo. Lá, os entomologistas identificaram que se tratava de um tipo específico de mosca-varejeira. Eles determinaram que as partes dos corpos haviam sido desovadas entre dez e doze dias antes, aproximadamente. Com essa informação, a polícia fez a ligação entre as partes e o desaparecimento de Isabella e Mary.

Foi um começo contundente, mas as provas contra Buck Ruxton estenderam-se muito além de larvas. Um anatomista e um patolo-

64   A ANATOMIA DO CRIME

gista forense das universidades de Glasgow e Edimburgo reconstruíram os corpos das vítimas meticulosamente. Eles sobrepuseram fotografias de Isabella viva à fotografia de um dos crânios, e chegaram à conclusão de que eram compatíveis. Algumas partes do corpo estavam embrulhadas em um caderno do jornal *Sunday Graphic*, distribuído somente na área de Lancaster/Morecambe, no dia 15 de setembro. Outras, em roupas que pertenciam aos filhos de Ruxton. (*Ver imagem 8 no encarte de fotos.*)

Obviamente Ruxton havia sido menos cuidadoso do que queria. Na pressa de ir embora da ravina e voltar para Lancaster, ele atingiu e derrubou um homem de bicicleta com o carro. O sujeito anotou a placa. Ela levou diretamente ao carro de Ruxton. O dia do incidente afobado batia perfeitamente com o das outras provas: as larvas e o *Sunday Graphic*.

O conhecimento do local foi a última peça do quebra-cabeça. O riacho na ravina tinha enchido pela última vez no dia 19 de setembro. Os corpos já deviam estar lá nessa data, porque algumas partes, como o macabro braço levantado, estavam na margem em um nível a que o riacho cheio havia chegado.

Buck Ruxton foi preso e declarado culpado de homicídio. Nove meses depois de ter cometido os crimes, foi enforcado na Strangeways Prison, em Manchester. Jamais saberemos as exatas circunstâncias do que ficou conhecido como os "Jigsaw Murders" (Os homicídios em quebra-cabeça). Porém, com base nas provas geradas pela autópsia, é muito provável que Ruxton tenha estrangulado a esposa com as próprias mãos. A criada morreu com um corte na garganta, provavelmente para ser silenciada depois que descobriu o crime.

As provas adquiridas com insetos foram apenas um fragmento no mosaico forense que decifrou a culpa do assassino. Mas o sucesso da combinação de métodos usada no caso Ruxton ajudou a aumentar a confiança pública e profissional nos recursos da ciência forense, incluindo a entomologia. As pessoas conseguiam enxergar que, mesmo que Buck Ruxton tivesse embrulhado as partes picotadas das vítimas em sacolas de papel branco, em vez de em cadernos do jornal

ENTOMOLOGIA   65

local, mesmo que o carro dele não tivesse acertado uma bicicleta, mesmo que o riacho não tivesse deixado suas margens à vista, as larvas teriam apontado para ele. E assim os jovens com ideias inovadoras foram atraídos pela disciplina.

◆

Martin Hall dedicou boa parte de sua vida às moscas-varejeiras — a família de insetos mais comumente associada aos cadáveres. Existem mais de mil espécies conhecidas no mundo. Martin considera as moscas-varejeiras o "indicador por excelência" do mundo forense, por várias razões. Por causa de seu apurado faro, que consegue localizar uma gota de sangue minúscula ou o menor cheiro de decomposição a cem metros de distância, elas colonizam corpos mortos com mais rapidez do que qualquer outra família de insetos. Tendo em vista que há um conhecimento muito grande documentado sobre seus estágios de crescimento, elas geralmente fornecem as melhores informações para aferir o tempo decorrido desde a morte. E pelo fato de haver tantas variações regionais, elas podem ser usadas para indicar o local onde um crime foi cometido mesmo quando o corpo é encontrado em outro lugar.

Diferentemente de outras famílias de insetos, que usam o olfato somente até chegarem perto o suficiente da comida e a partir de então passam a usar a visão, a mosca-varejeira o usa até pousar naquilo que farejou. Isso torna muito difícil descartar um corpo sem que as moscas-varejeiras o encontrem. Se, por exemplo, um corpo é escondido debaixo do assoalho, os odores da decomposição infiltram gradualmente nos tijolos com orifícios para ventilação e as moscas rastejam através deles para encontrar o corpo.

Mesmo que um corpo possa ser hermeticamente lacrado, pistas sobre a localização dele ainda podem ser óbvias. Alguns anos atrás, a polícia de Indiana estava à procura de uma pessoa desaparecida e notou uma nuvem de moscas frustradas sobrevoando um poço tampado. A pessoa desaparecida fora assassinada e o criminoso jogara seus restos mortais no poço. Ele lacrou o poço o suficiente para impedir que insetos entrassem, mas não que um leve cheiro de decomposição saísse. As moscas agiam como se fossem uma lápide oscilante, atraídas pelo cheiro, que estava além da capacidade de percepção do nariz humano.

Não muito tempo antes de Barack Obama tomar posse em 2009, uma mosca-varejeira ficou sobrevoando e zumbindo ao redor de sua cabeça em uma entrevista ao vivo para a CNBC. A mosca acabou pousando nas costas de sua mão esquerda, e ele a matou na mesma hora dando um tapa com a mão direita. "Isso foi maneiro, não foi?", comentou ele. "Peguei a safada." Em 2013, outra mosca pousou no presidente, dessa vez, bem entre seus olhos. A fotografia desse momento ficou ótima. Mas quando Martin Hall vê algo assim, a cabeça dele já está a mil pensando no que as moscas teriam feito caso o presidente não pudesse esmagá-las. "Elas teriam seguido em frente e explorado o corpo dele. Se fossem fêmeas com uma pilha de ovos prontos para serem postos, elas procurariam um lugar adequado, geralmente nos orifícios da cabeça, no nariz, nos olhos e na boca. E ela botaria os ovos."

Então o banquete começaria. Em 1767, o sueco Carlos Lineu, pai da taxonomia, afirmou que "três moscas consomem o cadáver de um cavalo com a mesma rapidez de um leão". Lineu chegou a essa conclusão espantosa por causa do extraordinário trabalho de Francesco Redi. Em 1668, o italiano provou, por meio de uma série de experiências, que larvas vinham de ovos de moscas. Antes de Redi, presumia-se que a presença de larvas em cadáveres era resultado de geração espontânea.

Assim que uma mosca-varejeira fêmea põe os ovos, um relógio biológico começa a bater. No calor do verão, o ovo de uma mosca-varejeira típica leva quinze dias para se transformar em mosca. Depois de um dia, o ovo eclode e uma larva começa a rasgar e retalhar a carne em decomposição com os dois ganchos que tem na boca. Como os órgãos que ela usa para comer e respirar ficam em lados opostos de seu corpo, consegue comer e respirar simultaneamente 24 horas por dia. Ao longo dos quatro dias seguintes, ela come vorazmente e aumenta dez vezes o seu tamanho original, passando de 2 milímetros para 2 centímetros.

A larva rechonchuda então serpenteia para fora do corpo e vai em direção a um lugar escuro, onde é menos provável que seja comida por um pássaro saprófago ou uma raposa. Se estiver em um lugar ao ar livre, vai entocar-se 15 centímetros debaixo do solo. Se for em um local fechado, a parte de baixo de um guarda-roupa ou um espaço entre as tábuas do assoalho servirão. Na segurança, no escuro, a larva transforma-se em pupa e a sua terceira e mais externa camada de pele endurece, virando um casulo. Dez dias depois, uma mosca adulta sai do casulo e, se estiver em local aberto, percorre o túnel na direção da superfície do solo. Esse empenho para chegar à liberdade é uma façanha e tanto. A mosca enche um receptáculo na cabeça com sangue e pulsa seu aríete em forma de balão para dentro e para fora, deslocando o solo. Assim que chega ao ar, a mosca sacode as asas enrugadas e começa a acasalar quase imediatamente. Com dois dias de vida, a fêmea põe ovos, às vezes no mesmo cadáver em que cresceu — porém, tendo em vista que os vermes conseguem devorar 60% de um corpo humano em menos de uma semana, provavelmente não haverá muita sobra.

Nas matas, nos quartos, becos e praias aos quais é chamado pela polícia, Martin Hall se depara com a estranha música das hordas de moscas. Ele vê imagens e sente cheiros de uma variedade inegável. "Às vezes ouvimos a expressão 'o doce cheiro da decomposição', e ele pode ser doce às vezes, mas também pode ser bem avassalador. Trabalhei em casos nos quais a metade de cima do torso era só esqueleto porque estava para fora de um saco de dormir, e a parte de baixo não parecia morta havia tanto tempo assim. Quando nos aproximamos do local, o cheiro não era tão ruim, mas, assim que o saco foi aberto, ele nos esmurrou. O fedor não era somente do corpo, mas das larvas se alimentando do corpo. Elas produzem muita amônia, que também pode ser bem forte."

◆

68   A ANATOMIA DO CRIME

Às vezes, peritos criminais coletam espécimes de insetos de cadáveres e os enviam aos entomologistas para que os inspecionem. Martin Hall prefere ir pessoalmente à cena do crime. Dessa maneira pode garantir que o espécime e a informação colhidos sejam admissíveis no tribunal, e ele tem a oportunidade de procurar em lugares que outras pessoas não perceberiam ou não levariam em consideração. Ele procura larvas pelo cadáver e pupas enterradas no solo, e busca espécimes mais velhos, pois eles revelam quando as primeiras moscas encontraram o cadáver e, portanto, indicam há quanto tempo ocorreu a morte. Martin mata algumas dessas larvas em água fervente e as guarda em etanol. Mantém outras vivas. Quanto mais quente, mais rápido as larvas crescem, então Martin usa um termômetro para registrar a temperatura a cada hora, durante dez dias. Ele também pega os relatórios das últimas duas semanas na estação meteorológica mais perto da cena do crime, para que possa ter uma ideia aproximada da temperatura em que os vermes estavam enquanto cresciam.

De volta ao laboratório, Martin faz a identificação crucial das larvas conservadas. "Até mesmo espécies muito similares desenvolvem-se em ritmos diferentes; portanto, se a leitura for equivocada, podemos dar à polícia a informação errada." Ele incuba cuidadosamente as larvas vivas para estimar o estágio de crescimento delas. Combinando sua avaliação com a informação sobre a temperatura, ele faz um gráfico que retroage no tempo até o momento em que a mosca-varejeira mãe pôs os ovos. Essa é geralmente uma informação-chave e a contribuição mais valiosa do entomologista para o quebra-cabeça forense.

Mas e se o cadáver estiver no local há mais de sete dias, que é aproximadamente o tempo necessário para uma larva se tornar pupa? Os entomologistas conseguem retroceder mais do que uma semana no tempo? À medida que esses profissionais começam a ampliar os limites daquilo que os insetos podem nos contar, também descobrem como decifrar o relógio biológico embutido nas pupas.

São necessários dez dias para que uma pupa se transforme em mosca adulta. É esse processo de metamorfose que está no coração daquilo que torna os insetos misteriosos e provoca admiração tanto em poetas quanto em entomologistas há séculos. Nunca foi possível testemunhar as mudanças que as pupas sofrem ao longo do tempo porque o casulo delas é opaco. Com a ajuda de aparelhos de raio-x e tomografias computadorizadas em miniatura, no entanto, Martin e sua equipe no Museu de História Natural estão mudando isso. Depois de ter ajudado a identificar de maneira confiável o ritmo de crescimento de muitas espécies de larva de mosca-varejeira, ele agora está focado na arte do envelhecimento das pupas: "Com trinta horas, tirei um raio-x de um espécime e ele era apenas os tecidos larvais. Fiz uma imagem só três horas depois, quando voltei da pausa para uma xícara de chá, e o espécime estava completamente transformado. Em vez daquele indistinguível tecido larval, dava para ver nitidamente a cabeça, o tórax, o abdômen, as pernas e asas em desenvolvimento."

É tentador pensar que, armados com revelações tão extraordinários, entomologistas forenses estejam começando a oferecer a certeza absoluta. Porém, jurados e estudantes de entomologia não devem se sentir seduzidos. Em 1994, numa reportagem da BBC, foi mostrada uma charge intitulada *The witness was a fly* [A testemunha era uma mosca], na qual uma lupa que poderia ter pertencido a Sherlock Holmes paira sobre uma larva. A larva segura uma placa dizendo "Assassinado às 15 horas da sexta-feira". A charge é formidável, porém equivocada, também. Larvas não podem nos contar quando um assassinato aconteceu. Elas podem indicar quando as moscas puseram ovos em um cadáver, e isso revela o momento a partir do qual a pessoa estava definitivamente morta. Nos meses quentes de verão, seria possível estreitar essa janela para, digamos, sexta-feira, e, possivelmente, se as deduções se tornarem cada vez mais refinadas, sexta-feira à tarde. Contudo, esperar que um entomologista forneça com precisão a hora em que uma pessoa morreu seria o mesmo que pedir a um meteorologista que prometa, em novembro, que nevará no Natal em Londres. A amplitude de variáveis impede esse tipo de precisão.

Uma dessas variáveis é baseada no gregarismo das larvas. Elas gostam de se alimentar em "massas de larvas" — uma espécie de

70   A ANATOMIA DO CRIME

roda punk fervilhante. Ao se movimentarem de um lado para o outro, elas soltam um resíduo alcalino que quebra o tecido e o transforma em uma substância pegajosa que contém amônia. Suas atividades digestivas são tão intensas que aquecem as carcaças, fazendo-as às vezes chegarem aos 50°C. Isso é adequado para a família das moscas--varejeiras porque ambientes quentes aceleram seu crescimento, mas pode ser uma dor de cabeça para os entomologistas que tentam mapear a atividade delas. Todavia, somente nos estágios finais de desenvolvimento é que as larvas geram calor significativo. Ou seja, quanto mais cedo os entomologistas têm acesso a elas, menor o efeito da "massa de larvas".

◆

Se não é possível encontrar as larvas mais velhas porque elas já se transformaram em moscas, os entomologistas podem recorrer às descobertas de Jean-Paul Mégnin no século XIX sobre as previsíveis ondas de colonização de insetos. À medida que um cadáver começa a secar, diferentes famílias de moscas, como a mosca-do-queijo e a mosca-da-carne, transformam-no em sua casa. Quando um cadáver fica seco demais para a larva raspá-lo com os ganchos de sua boca, besouros chegam com suas bocas apropriadas para mastigar. Eles comem a carne seca, a pele e os ligamentos. Por fim, as larvas de mariposas e os ácaros começam a trabalhar no cabelo, deixando apenas o esqueleto como representação da vida que ali já existiu. Todas essas espécies trabalham dentro de cronogramas específicos, os quais o entomologista pode utilizar para ajudar a estimar o período decorrido desde a morte.

Em 1850, um pedreiro encontrou uma criança mumificada atrás da cornija de uma lareira em Paris. Os jovens que moravam lá a princípio foram considerados suspeitos de homicídio, porém, quando o dr. Bergeret d'Arbois analisou os insetos, concluiu que o corpo tinha sido "explorado" por moscas-da-carne (que se diferem da maioria das outras moscas pelo fato de serem ovovivíparas — isto é, depo-

ENTOMOLOGIA **71**

sitam as larvas já fora dos ovos em matérias em decomposição ou feridas abertas) em 1848, e ácaros tinham colocado ovos no cadáver ressecado em 1849. A suspeita então recaiu sobre os moradores anteriores, que foram presos e posteriormente condenados.

Em alguns casos, os investigadores deparam-se com enigmas que não têm nada a ver com a hora da morte. Num caso recente em Merseyside, a polícia estava fazendo uma busca na casa de um suspeito quando topou com uma grande quantidade de casulos. Eles especularam que aquilo deveria estar ali por causa de um pombo morto no sótão, mas acharam a abundância de resíduos estranha. Apesar disso, não havia como interrogar os casulos marrom-escuros para descobrir quando eles tinham eclodido para libertar as moscas recém-nascidas. Então alguém teve a brilhante ideia de mandar fazer exames toxicológicos neles. Os resultados foram espantosos: os casulos continham vestígios de metabólito de heroína. Como não há registro de pombo usuário de heroína, solicitaram novos exames. Martin explica: "As larvas se alimentam de uma sopa de DNA e o tecido fica alojado na espinha que elas têm. O casulo de pupa é a pele velha da larva e ainda pode conter tecidos humanos." Quando fizeram mais exames nos casulos das pupas, descobriram vestígios de DNA humano que eram compatíveis com o de um usuário de drogas que estava desaparecido. Com base nisso e em outras provas, o dono da casa foi condenado por homicídio e pegou prisão perpétua. Ele tinha desovado a vítima, mas não calou o testemunho dos insetos.

De modo mais convencional na entomologia forense, a hora da morte pode às vezes exercer um papel decisivo em um processo judicial. Certo dia no parque, Samantha, uma menina de 10 anos, conheceu um homem por volta dos 30. Ele deu doces a ela e fez amizade. Quando chegou em casa, Samantha contou à mãe o que tinha acontecido. Aparentemente, a mãe não se preocupou. Algum tempo depois, a menina se encontrou com o homem de novo e dessa vez ele a convidou para ir à sua casa. Nada trágico aconteceu. Os dois passaram a se encontrar assim regularmente. Caminhavam juntos ou assistiam à TV, às vezes com alguns homens e mulheres amigos dele

72 A ANATOMIA DO CRIME

presentes também. Depois de um tempo, a menina convidou o homem para ir à casa da mãe. Não demorou para que a mãe e o homem começassem a ter um relacionamento. Ele passou algumas semanas com a mãe antes de começar a abusar sexualmente de Samantha. A casa se encheu de ressentimento e amargura. Brigas odiosas começaram a flamejar entre os três. E então Samantha desapareceu.

A polícia fez uma busca e por fim recolheu o corpo da garota em um monte de entulho e tijolos quebrados no terreno de um hospital. Um golpe violento com um objeto contundente havia afundado a lateral esquerda de seu crânio. Pediram ao célebre entomologista forense Zakaria Erzinçlioğlu que fosse à cena para examinar o corpo. Ele encontrou alguns ovos postos havia pouco tempo e larvas minúsculas de mosca-varejeira. Isso servia de prova de que a menina havia morrido muito pouco tempo após ter sido vista pela última vez com o homem. No julgamento, o sujeito alegou inocência. Mas, na metade do processo, quando estavam apresentando a prova baseada nas larvas, ele sucumbiu e confessou. Silenciara a garota durante uma discussão, depois que ela ameaçou contar à mãe o que ele fazia com ela.

Zakaria Erzinçlioğlu ajudou a solucionar duzentos homicídios durante sua carreira de trinta anos na ciência forense e escreveu sobre uma quantidade muito maior, porém sua peculiar biografia, *Maggots, murder and men* [Moscas, mortes e homens] (2000), é muito mais abrangente do que o título sugere. Por exemplo, ele relata um incidente peculiar na Finlândia. Certa manhã, um funcionário do governo entrou em sua sala e viu larvas grandes debaixo da ponta do carpete. Ele chamou a faxineira e lhe perguntou quando tinha sido a última vez que ela limpara a sala. Quando ela respondeu "ontem à noite", o homem ficou furioso e a acusou de estar mentindo. Ele simplesmente não conseguia acreditar que "bichos" tão grandes pudessem ter aparecido ali da noite para o dia. Demitiu-a na mesma hora.

Mas o funcionário, típico burocrata, conservou algumas larvas e, certo tempo depois, aproveitou uma oportunidade para mostrá-las a um professor da Universidade de Helsinque. Ele as identificou como

ENTOMOLOGIA   73

larvas de mosca-varejeira no início da fase em que começam a se movimentar. Haviam terminado de se alimentar, provavelmente de um rato em algum lugar no prédio, e foram atrás de um lugar para encasular. Elas podiam, de fato, ter chegado ao escritório da noite para o dia. O funcionário, agoniado e com remorso, entrou em contato com a antiga faxineira e lhe ofereceu o emprego de volta.

Em última instância, isso tudo se resume a colocar a ciência a serviço da justiça. Trata-se de pegar os fatos obtidos com grande esforço no ambiente abstrato do laboratório e usá-los no mundo inflexivelmente real da cena do crime. "No ambiente acadêmico, não se encontra esse tipo de coisa", explica Martin. "Mas é muito gratificante usar o meu conhecimento sobre insetos e ver que ele serve para ajudar num espaço de tempo tão pequeno. Muitos cientistas, não apenas entomologistas, ralam muito durante anos e anos e anos e não necessariamente veem o resultado daquilo que fazem, ao passo que eu geralmente vejo em poucos meses a ajuda que a minha colaboração proporcionou."

Martin também relembra um caso em Yorkshire. Um idoso tinha vendido toda a sua mobília antiga por quase nada a um estranho que o convencera a deixá-lo entrar na casa. O charlatão disse ao idoso que a mobília estava infestada de caruncho, mostrou a ele larvas no chão para provar o que estava afirmando e foi embora com sua pilhagem. Atormentado, o idoso ligou para o vizinho, que viu algumas das larvas ainda no chão. Ele as colocou em uma garrafa e levou para a polícia, que em seguida as passou para Martin. As larvas foram prontamente identificadas como sendo de moscas-grua — mais conhecidas como típulas —, que gostam de se alimentar de raiz de grama e não têm interesse algum em madeira.

Martin disse: "Felizmente, acharam o sujeito que roubou a mobília e a devolveram ao senhor. Até aquele policial rude de Yorkshire se emocionou quando estava me contando como conseguiu as coisas de volta. Uma vez mais, foi tudo por intermédio do conhecimento sobre insetos." Ou seja, o conhecimento é o responsável por um monte de

74 A ANATOMIA DO CRIME

finais felizes por aí. No entanto, provas entomológicas podem ser algo escorregadio, ainda mais no mundo acusatório dos tribunais.

◆

Em uma sexta-feira, dia 1º de fevereiro de 2002, Brenda Van Dam foi a um bar com dois amigos em San Diego, Califórnia, e deixou o marido tomando conta dos três filhos. Ela voltou para casa às duas da manhã. Só percebeu que a filha de 7 anos, Danielle, não estava no quarto quando foi acordá-la na manhã seguinte. Ela foi tomada pelo pânico. Tinha visto Danielle pela última vez na noite anterior; a garota estava escrevendo no diário enquanto o pai e os irmãos jogavam videogame.

A polícia interrogou vizinhos e descobriu que David Westerfield, um engenheiro que morava a duas casas dos Van Dam, tinha viajado no fim de semana com seu motorhome. (*Ver imagem 9 no encarte de fotos.*)

Todas as outras pessoas na vizinhança haviam ficado em casa. Descobriu-se que Danielle e a mãe tinham batido na porta de Westerfield alguns dias antes para vender biscoitos das Bandeirantes. Colocaram-no sob vigilância policial durante 24 horas no dia 4 de fevereiro. A polícia revistou o motorhome e encontrou pornografia infantil, além de cabelo, impressões digitais e uma mancha de sangue de Danielle. Depois de uma busca envolvendo centenas de voluntários, o corpo nu de Danielle foi encontrado no dia 27 de fevereiro em um matagal numa área seca às margens de uma estrada. Sua pele enrugada e enrijecida estava quase toda mumificada.

As provas com base nos insetos tornaram-se o ponto central do julgamento. Pela primeira vez na história chamaram *quatro* entomologistas para testemunhar. Pouquíssimas larvas foram encontradas dentro do corpo de Danielle. Os entomologistas que a defesa chamou disseram que as moscas deviam ter posto os ovos em meados de fevereiro. O advogado de defesa usou essa informação, já que isso era uma semana depois de a polícia começar a vigiar Westerfield, e ele, portanto, não podia ter desovado o corpo às margens da rodovia. A promotoria acusou o entomologista da defesa de usar informações incorretas sobre o clima. De forma desdenhosa, ele perguntou ao promotor quanto ele recebera como pagamento, insinuando que ele "fazia qualquer coisa por dinheiro" — o que levou a uma briga tão acalorada que a sessão teve que ser suspensa antes do previsto.

Os entomologistas chamados pela promotoria afirmaram que a infestação de moscas-varejeiras aconteceu entre 9 e 14 de fevereiro, também alguns dias depois de Westerfield começar a ser vigiado pela polícia, o que ocorreu em 4 de fevereiro. Porém, argumentaram eles, outros fatores podiam explicar a chegada tardia dos insetos e o pequeno número deles encontrado no corpo. O clima extremamente seco — o mais seco em mais de um século — sugara a umidade do corpo de Danielle, deixando-o menos atraente para as larvas. Existia a possibilidade de o corpo ter ficado enrolado em um cobertor que depois foi levado por cachorros. Talvez formigas tivessem levado embora os ovos e as larvas que tinham chegado antes ao cadáver. Essas ideias foram refutadas por um entomologista da defesa.

David Westerfield foi declarado culpado de sequestro e homicídio. E sentenciado à pena de morte. O tempo médio entre a sentença e a execução é de dezesseis anos na Califórnia. Ele declara ser inocente até hoje. Em 2013, entrou com um recurso solicitando um novo julgamento, que foi negado pela Suprema Corte.

As conclusões conflituosas dos quatro especialistas envolvidos no caso de Westerfield abalou a reputação da entomologia forense. Não há prova de que algum deles "fazia qualquer coisa por dinheiro". Na verdade, eles tinham um conjunto de circunstâncias e variáveis particularmente difíceis com que lidar: número pequeno de espécimes de larvas, relatórios conflitantes sobre o clima extremo, exposição intensa na mídia. Apenas um dos entomologistas teve a oportunidade de examinar o corpo *in situ*. A ciência geralmente funciona melhor quando é abordada de forma colaborativa. Se aqueles cientistas pudessem ter comparado suas descobertas em um ambiente sem pressão, o alcance de suas estimativas provavelmente seria reduzido.

76 A ANATOMIA DO CRIME

Desde os "Jigsaw Murders", de Buck Ruxton, em 1935, o reconhecimento da entomologia por parte do público tem crescido gradualmente. E agora, graças ao sucesso internacional das séries de TV sobre crimes como *CSI*, cujo protagonista com frequência usa insetos para solucionar crimes, a entomologia forense ganhou mais reconhecimento do que nunca. Os entomologistas da vida real continuam a desenvolver formas surpreendentes de usar a ciência para extrair provas periciais. Em um caso recente nos EUA, os movimentos de um suspeito foram identificados por insetos salpicados no para-brisa do seu veículo.

Contudo, essas técnicas revolucionárias não são a norma. A maior parte do trabalho dos entomologistas forenses é baseada na assimilação detalhada de um volume enorme de informações e na habilidade de diferenciar insetos que a maior parte de nós consideraria idênticos. Entomologistas que se dedicam à ciência forense entram em um espaço emocional e intelectualmente complicado. Seus conhecimento e métodos são tensionados ao limite, já que tentam interpretar relógios biológicos minúsculos sob o microscópio. Conseguir informantes que entreguem seus segredos é um negócio complicado, independentemente de quais espécies eles sejam.

QUATRO

PATOLOGIA

"Para começar a despojar a morte do grande trunfo que tem sobre nós, adotemos um caminho abertamente contrário ao comum; despojemos a morte de sua estranheza, frequentemo-la, acostumemo-nos a ela, não deixemos que nada frequente nossa mente mais do que a morte."

Michel de Montaigne, *Os ensaios* (1580)

O poeta John Donne nos lembra que "A morte de qualquer homem diminui a mim, porque na humanidade me encontro envolvido". É um verso que carrega peso moral, mas, mesmo assim, é inegável que somos mais afetados pela morte repentina e violenta quando ela tem alguma relação com a nossa própria vida, ainda que tangencialmente. Assim foi para mim com o caso de Rachel McLean, aluna de graduação na mesma pequena faculdade para mulheres de Oxford que frequentei. Embora eu não a conhecesse, não consigo deixar de lado uma sensação de parentesco distante com ela e com o destino que teve.

Rachel McLean era aluna de graduação da Faculdade de St. Hilda quando começou a namorar John Tanner aos 19 anos. Tanner a pediu em casamento no dia 13 de abril de 1991, com dez meses de relacionamento. Uma ocasião importante como essa faria qualquer garota ficar ansiosa para comentar com todo mundo próximo a ela. Todavia, nos

78 A ANATOMIA DO CRIME

dias que se seguiram ao pedido, nenhuma amiga dela na St. Hilda nem no restante da universidade a viu. Além de estudiosa, ela era uma pessoa amigável e aberta — portanto, ninguém acreditava que ela tivesse ido embora sem falar nada. Tanner ligou para a casa dela, mas a menina que morava com ela disse que não sabia onde Rachel estava.

A preocupação foi ficando cada vez maior e, depois de cinco dias, a autoridade de segurança da faculdade prestou queixa na polícia sobre o desaparecimento. Quando entraram em contato com Tanner em Nottingham, onde fazia universidade, ele explicou que a tinha visto pela última vez na noite do dia 14 de abril de 1991, quando ela deu tchau para ele da plataforma na estação Oxford, de onde seu trem partiu em direção a Nottingham. Um jovem de cabelo comprido que haviam conhecido na cafeteria da estação tinha oferecido a Rachel uma carona até Argyle Street, onde ela morava.

Tanner cooperou com a polícia, ajudou nas buscas e participou de uma reconstituição para a televisão da ocasião em que partiu da estação Oxford, usando um programa que tinha como objetivo estimular a memória de qualquer pessoa que pudesse ter visto Rachel. Acredita-se que ele foi o primeiro assassino a participar desse tipo de reconstituição para a televisão. Em uma coletiva de imprensa, Tanner, emocionado, disse a amigos e jornalistas que ele e Rachel estavam apaixonados e planejando se casar.

Mas a polícia estava com suspeitas de que Tanner escondia alguma coisa, então instruíram jornalistas a fazerem perguntas-chave, como "Você matou a Rachel?". A resposta dele, com um sorriso malicioso e apático, fez a polícia ter certeza de que ele sabia mais sobre o desaparecimento dela do que dizia.

Fizeram uma busca na casa que Rachel dividia com amigas na Argyle Street. Tudo parecia em ordem: as tábuas do assoalho estavam no lugar e não havia nada suspeito. Os detetives estavam doidos para encontrar provas que pudessem usar para prender Tanner ou pelo menos pressioná-lo. Mergulhadores vasculharam o rio Cherwell e outros policiais passaram um pente-fino nos campos da região.

PATOLOGIA   79

Eles entraram em contato com o conselho local para conferir se a casa na Argyle Street alguma vez já tinha tido um porão. A resposta foi que, embora não houvesse porão, algumas das casas na rua eram suspensas, ou seja, havia espaço debaixo do assoalho.

Com essa nova informação, a polícia fez uma nova busca na casa no dia 2 de maio. Dessa vez, encontraram o corpo de Rachel parcialmente mumificado debaixo da escada. Tanner a havia espremido por uma fresta de 20 centímetros no fundo do armário na escada e a empurrado para baixo das tábuas do assoalho. Embora tivessem se passado dezoito dias desde a morte, ela quase não havia se decomposto: o ar quente e seco vindo dos tijolos com orifícios para ventilação tinha ressecado sua pele.

Encontrar o corpo é o fim da primeira fase de uma investigação de homicídio. Mas é apenas o início do trabalho do patologista forense, que faz uma contribuição crucial na montagem do processo contra um réu. No caso de Rachel McLean, essa tarefa ficou a cargo de Iain West, chefe do Departamento de Medicina Legal do Hospital Guy's. No processo da autópsia, ele encontrou um hematoma de 1 centímetro ao lado esquerdo da laringe de Rachel e quatro hematomas de 1 centímetro, à direita. Ele tirou fotos desses hematomas e de petéquias — minúsculas hemorragias no rosto e nos olhos. O exame interno revelou fraturas nas cartilagens da laringe. Todas essas lesões indicavam morte por estrangulamento. Além disso, faltava um tufo de cabelo no couro cabeludo, e West acreditava que Rachel o arrancara numa tentativa desesperada de aliviar a pressão na garganta.

Quando, de posse das provas condenatórias de Iain West, a polícia confrontou John Tanner, e ele sucumbiu e confessou ter matado Rachel. No julgamento, ele disse: "Eu voei para cima da Rachel, furioso, e pus as mãos no pescoço dela. Acho que devo ter perdido o controle, porque só tenho uma vaga lembrança do que aconteceu depois disso." Ele alegou que matou Rachel após ela ter admitido ser infiel. Em seguida, passou a noite deitado ao lado do corpo sem vida. De manhã, procurou um lugar adequado para escondê-la, enfiou-a na

80 A ANATOMIA DO CRIME

fresta do armário e pegou o trem de volta para Nottingham. Tanner foi condenado à prisão perpétua, e em 2003, depois de conseguir a liberdade condicional, voltou para sua terra natal, a Nova Zelândia.

A patologia forense é tipo um quebra-cabeça. O patologista tem que catalogar qualquer elemento incomum que encontra em cima ou dentro do cadáver e, a partir desses fragmentos de informação, tenta reconstruir o passado. Ao longo da história humana, sempre foi um desejo das pessoas entender por que aqueles por quem se afeiçoam morreram. A própria palavra "autópsia" vem do grego antigo e quer dizer "ver por si mesmo". A autópsia é uma tentativa médica de sanar essa profunda curiosidade.

A primeira autópsia forense documentada ocorreu em 44 a.C., quando o médico de Júlio César relatou que, das vinte e três punhaladas no imperador, apenas o ferimento entre a primeira e a segunda costelas foi fatal. Alguns séculos depois, o físico grego Cláudio Galeno produziu relatórios muitíssimo influentes ao dissecar principalmente macacos e porcos. Apesar de seu material rudimentar, suas teorias sobre a anatomia humana não foram contestadas até Andreas Vesalius começar a comparar as anatomias normal e anormal no século XVI, pavimentando assim o caminho para a patologia moderna, a ciência da doença.

Quando Vesalius começou seu livro referência em anatomia *De humani corporis fabrica* [Sobre a organização do corpo humano], em 1543, dedicou-o ao imperador romano-germânico Carlos V, cujo reinado também presenciou outro marco na medicina legal. Pela primeira vez no Sacro Império Romano-Germânico, decretaram-se regras de procedimentos criminais. Elas regulamentaram quais crimes deveriam ser considerados graves, permitiram a queima de bruxas e, pela primeira vez, deram aos tribunais o poder de solicitar investigações e inquisições de crimes graves. Conhecidas coletivamente como *Constitutio Criminalis Carolina*, foram cruciais para a medicina legal, pois exigiram que os juízes consultassem cirurgiões em caso de suspeita de homicídio.

PATOLOGIA 81

Esse conjunto de regras foi adotado por boa parte da Europa, e os médicos envolvidos em pesquisa interessaram-se em expor sua expertise na sala de audiência. Entre esses pesquisadores está o barbeiro-cirurgião Ambroise Paré, comumente chamado de "Pai da Medicina Legal". Ele escreveu sobre os efeitos da morte violenta nos órgãos internos, apontou os indícios das mortes por raio, afogamento, sufocamento, veneno, apoplexia e infanticídio, e demonstrou de que forma se distingue ferimentos feitos em um corpo vivo e em um morto.

◆

Conforme o conhecimento a respeito do corpo humano crescia, o mesmo acontecia com a disciplina. No século XIX, Alfred Swaine Taylor escreveu abundantemente sobre patologia forense e modernizou a disciplina. O livro mais importante que escreveu, *A Manual of Medical Jurisprudence* [Manual de jurisprudência médica] (1831), teve dez edições enquanto ele estava vivo. Em meados dos anos 1850, Taylor havia sido consultado em mais de quinhentos casos; contudo, sua experiência serve como exemplo de que, desde aquela época, os cientistas forenses são tão falíveis como o restante de nós.

Em 1859, o dr. Thomas Smethurst foi a julgamento no Tribunal Central Criminal, no Reino Unido, acusado de envenenar a amante, Isabella Bankes. Em seu testemunho, Swaine Taylor disse que havia arsênico em uma garrafa de Smethurst e que isso provava sua culpa. Smethurst foi declarado culpado e condenado à morte. Só depois que ficou evidente que Swaine Taylor tinha feito a análise de forma inadequada e tudo indicava que a garrafa nem ao menos tinha traços de arsênico. Isabella Bankes estava doente havia muito tempo e a probabilidade de ter morrido de causas naturais era grande. Smethurst foi absolvido, porém cumpriu pena de um ano por bigamia. O *Lancet* e o *Times* criticaram muito Swaine Taylor e o veredito de homicídio. Com isso, a patologia forense ficou conhecida como "a ciência bestial". O caso lançou um estigma à patologia forense durante muitos anos.

82 A ANATOMIA DO CRIME

Dada a natureza teatral do sistema judiciário inglês, para restaurar sua reputação, a disciplina precisava de alguém cuja competência viesse com uma generosa pitada de carisma. Esse toque de glamour surgiu na figura de Bernard Spilsbury. Um orador bonito e convincente, Spilsbury jamais foi visto em público sem cartola, casaca, flor de lapela e polaina. Sua competência era óbvia. Ambidestro, conseguia trabalhar em um corpo com velocidade e precisão. Ele também apresentava suas descobertas com uma linguagem clara e cotidiana.

Os jurados e o público em geral o adoravam. A imprensa o descrevia como uma rocha firme sobre a qual a lei podia quebrar à força as mentiras de assassinos imorais. Quando morreu, em 1947, o *Lancet* publicou uma matéria dizendo que ele tinha sido "incontestavelmente o nosso maior especialista em medicina legal". Spilsbury examinou mais de duzentos casos de homicídio para a Coroa. (*Ver imagem 10 no encarte de fotos.*)

A primeira vez que ele chamou a atenção do público foi em 1910, quando, como perito, participou do sensacional caso do dr. Hawley Harvey Crippen. Norte-americano, homeopata e vendedor de patentes de medicamentos, Crippen morava em Camden Town com sua esposa, Cora, uma cantora de music hall cujo nome artístico era "Belle Elmore". O casamento deles estava passando por turbulências e, de uma hora para a outra, os amigos passaram a não ver mais Cora. O dr. Crippen alternava entre duas histórias: que ela tinha morrido e que ela tinha ido para os Estados Unidos alavancar a carreira. Eles suspeitaram e procuraram a polícia, que interrogou Crippen e fez uma busca na casa dele. Não encontraram nada. Mas a investigação assustou Crippen e ele fugiu com sua amante adolescente Ethel Le Neve a bordo do SS *Montrose*, com destino ao Canadá. Le Neve vestiu-se de menino para se passar por filho dele, um disfarce questionável.

A fuga reacendeu a suspeita da polícia, que voltou à casa do médico para uma segunda busca e, novamente, não encontrou nada. Porém, continuaram suspeitando dele e providenciaram uma terceira busca, ocasião na qual cavaram o chão de tijolos do porão. Dessa vez,

PATOLOGIA   83

encontraram o que acreditaram ser os restos mortais de um torso humano embrulhado em uma camisa de pijama masculino.

Nesse meio-tempo, o capitão do *Montrose* desconfiou de dois passageiros a bordo, e, logo antes de sua embarcação ficar incomunicável, mandou uma mensagem por telégrafo para as autoridades britânicas: "Tenho grande suspeita de que Crippen, o assassino do porão de Londres, e cúmplice estão entre os passageiros. Sem bigode, barba por fazer. Cúmplice vestida de menino. Jeito e corpo de garota, definitivamente." O inspetor-chefe Dew, da Scotland Yard, embarcou em um navio mais rápido, chegou ao Canadá antes da dupla e a prendeu bem teatralmente quando aportaram — a primeira prisão feita com a ajuda de comunicação sem fio.

A polícia chamou um cirurgião do St Mary's Hospital, de Londres, para examinar o corpo, e ele colocou Spilsbury no caso, que analisou minuciosamente o histórico médico de Cora Crippen e descobriu que ela havia feito uma operação na barriga. A autópsia não revelou o sexo do corpo, mas Spilsbury encontrou vestígios de compostos tóxicos.

No julgamento de Crippen, Spilsbury mostrou um pedaço de pele que continha uma cicatriz curva conservada em formaldeído, tirada do torso que acreditava ser de Cora Crippen. Ele o mostrou ao júri em uma travessa de vidro. Spilsbury montou um microscópio na sala ao lado para que os jurados observassem as lâminas com o tecido. Apesar de o patologista da defesa argumentar que, por haver folículos pilosos nela, aquilo poderia ser pele dobrada, e não tecido cicatrizado, o júri acreditou em Spilsbury. Crippen foi declarado culpado por dopar e matar a mulher. Ele morreu enforcado na Prisão de Pentonville, em Londres, e, a pedido dele, enterrado com uma foto de Le Neve. Ela foi indiciada e absolvida por ter sido partícipe depois do fato.

As lâminas de Crippen ainda estão no Royal London Hospital, e em 2002 o professor Bernard Knight as examinou. Ele não conseguiu identificar sinais precisos de tecido de cicatriz. Um exame recente nos fragmentos mostra que o DNA parece não ser compatível com o

84 A ANATOMIA DO CRIME

dos descendentes de Cora Crippen e que os restos mortais são de um homem. Ironicamente, tudo indica que o caso que projetou Spilsbury na consciência do público como a grande viga de sustentação da patologia forense pode ter sido aquele sobre o qual ele estava equivocado. (*Ver imagem 11 no encarte de fotos.*)

◆

Cinco anos após o enforcamento de Crippen, Spilsbury estava envolvido em outro caso extraordinário que nem o exame de DNA nem outra técnica forense moderna qualquer poderia tê-lo ajudado a solucionar. No domingo, dia 3 de janeiro de 1915, um produtor de frutas de Buckinghamshire chamado Charles Burnham sentou-se com uma caneca de chá e abriu uma edição do *News of The World* [Notícias do Mundo]. Uma manchete na página 3 o abalou profundamente. "Morta em banheira — destino trágico de noiva no dia seguinte ao casamento." A pequena matéria informava que Margaret Lloyd havia sido encontrada morta em seu apartamento em North London. "Exames médicos mostraram que uma gripe forte combinada com um banho quente deve ter causado um desmaio", concluía a publicação. A filha de Charles Burnham também tinha morrido em uma banheira em Blackpool, pouco depois do casamento, exatamente um ano antes. Burnham entrou em contato com a polícia e descobriu que o marido de Margaret Lloyd era George Joseph Smith, o homem que havia sido casado com a filha do produtor de frutas, Alice Burnham.

A polícia chamou Spilsbury para fazer uma autópsia no corpo exumado de Margaret Lloyd. Em seguida, ele viajou a Blackpool para fazer a autópsia em Alice Burnham. Depois disso, a polícia descobriu detalhes sobre uma terceira mulher, Bessie Williams, que havia se casado com George Smith e morrido em circunstâncias muito similares, em casa, no dia 13 de julho de 1912.

Os médicos-legistas haviam determinado que a morte fora acidental nos dois primeiros afogamentos, porém, quando a polícia fez

PATOLOGIA   85

uma nova investigação, descobriu que Smith beneficiara-se financeiramente com a morte das três esposas: ele tinha recebido 700 e 506 libras dos seguros de Margaret e Alice, e 2.500 libras (o equivalente a 190 mil libras hoje) de um fundo de Bessie. Com um padrão estabelecido, a polícia o prendeu. (*Ver imagem 12 no encarte de fotos.*)

Nos corpos de Margaret e Alice, Spilsbury não encontrou sinal algum de violência, veneno nem ataque cardíaco. Em Bessie, ele achou evidências de pele arrepiada na coxa, o que às vezes é um indício de afogamento (embora também possa ser causado pela decomposição depois da morte). Spilsbury leu as anotações do clínico-geral que examinou o corpo de Bessie primeiro e descobriu que ela estava apertando uma barra de sabonete.

Ele pediu que levassem as três banheiras para a Delegacia de Kentish Town, onde as enfileirou e examinou minuciosamente. O caso de Bessie Williams o deixou particularmente intrigado. Pouco antes de sua morte, Smith a levara ao médico para que ela conversasse com ele sobre seus sintomas de epilepsia. Smith dissera a Bessie que ela estava tendo convulsões, ainda que não se lembrasse delas e não tivesse casos de epilepsia na família. Essa versão dos acontecimentos não convenceu Spilsbury. Bessie media um metro e setenta centímetros e era obesa. A banheira na qual morrera tinha, no máximo, um metro e meio de comprimento e uma inclinação em uma das pontas. Spilsbury sabia que a primeira fase do ataque epilético causa a completa rigidez do corpo e que, levando em consideração o tamanho dela e o formato da banheira, esse tipo de convulsão teria feito a cabeça de Bessie sair da água, e não afundar.

Se um ataque epilético não tinha sido o responsável pela morte de Bessie, o que tinha? Spilsbury deu prosseguimento à sua pesquisa e descobriu que, se água entra repentinamente no nariz e na garganta de uma pessoa, isso pode inibir um nervo craniano vital, o nervo vago, causando perda repentina de consciência, seguida de morte. Uma consequência secundária dessa ocorrência incomum é o *rigor mortis* instantâneo — o que Spilsbury achou que explicava o sabonete na mão fechada de Bessie.

86   A ANATOMIA DO CRIME

Em 1853, Alfred Swaine Taylor afirmou categoricamente que era impossível afogar um adulto sem deixar hematomas por causa da violenta luta reacionária para conseguir respirar, e isso nunca havia sido questionado. O detetive-inspetor Neil decidiu realizar uma série de experiências antes do julgamento, para testar a teoria de Spilsbury sobre como a mulher tinha morrido. Ele conseguiu voluntárias que tentariam resistir a serem submersas em banheiras. A primeira voluntária entrou em uma banheira cheia usando roupa de banho e conseguiu segurar na lateral da banheira e resistir. Porém, quando Neil agarrou os calcanhares e puxou abruptamente as pernas dela para cima, a moça escorregou para dentro da água e perdeu a consciência. Um médico demorou vários minutos para fazê-la retomar a consciência; ela teve sorte de sair viva. O experimento não foi ideia de Spilsbury, mas ele estava ciente dele e sua reputação com certeza foi beneficiada pelo resultado.

George Smith foi julgado pelo assassinato de Bessie Williams. No julgamento, Spilsbury discursou com muita autoridade e não teve dificuldade alguma de convencer o júri. Os jurados deliberaram em vinte minutos e declararam Smith culpado. Ele foi enforcado na Maidstone Prison.

Smith era um vigarista cheio de lábia que cometeu seu primeiro roubo em East End, Londres, aos 9 anos. Quando cresceu, começou a usar anéis de ouro e gravatas-borboleta de cores vivas que o ajudavam a impressionar as mulheres, de modo que pudesse tirar proveito delas. Devido aos efeitos da Primeira Guerra Mundial e ao fato de que muitos jovens britânicos tinham se mudado para as colônias, havia um excedente de meio milhão de mulheres no Reino Unido em 1915, o que colocava à disposição uma fartura de presas. Ouriçado pelos jornais, o interesse público no que chamaram de "Assassinatos das noivas na banheira" foi intenso na época. Uma quantidade enorme de jornalistas, sedentos por uma manchete do tipo "cientista derrota serial killer", não arredou o pé da frente da casa de Spilsbury durante toda a investigação. Ele seria uma grande estrela durante toda a vida.

PATOLOGIA   87

Muitos casos de Spilsbury envolviam maridos acusados de assassinar as esposas. É de arrepiar imaginar quantos saíram impunes antes de a ciência evoluir o suficiente para descobrir a verdade por trás das mortes dessas mulheres. Cada vez mais, a imprensa pintava Spilsbury como um herói que dedicava a vida à interpretação de pistas furtivas deixadas em vítimas indefesas, para que os assassinos malignos não escapassem da justiça nem atacassem novamente. Em 1923, essa imagem foi reforçada por um título de cavaleiro. Um ano depois, outro caso consolidou ainda mais sua reputação.

◆

No dia 5 de dezembro, Elsie Cameron saiu de casa no norte de Londres para visitar o noivo, Norman Thorne, um criador de galinhas de Crowborough, Sussex. Estavam noivos havia dois anos, porém Thorne tinha começado a se encontrar com outra garota.

No dia 15 de janeiro de 1925, a polícia encontrou o corpo desmembrado de Elsie enterrado debaixo de um galinheiro na fazenda, e a cabeça, enfiada em uma lata de biscoitos. A princípio, Thorne disse que ela nunca havia chegado, porém, após a descoberta do corpo, ele mudou a história, contando que Elsie tinha chegado, lhe dito que estava grávida e que queria se casar. Thorne contou que depois disso saiu da casa e que, quando voltou duas horas depois, encontrou-a dependurada no teto. Ele supôs que se tratava de suicídio e decidiu ocultar o corpo, cortá-lo em quatro pedaços e enterrá-lo.

Spilsbury fez a autópsia no dia 17 de janeiro e, em seu relatório para o investigador, disse que Elsie teve uma morte violenta, provavelmente depois de ter sido espancada. Identificou oito hematomas, inclusive um na têmpora, invisíveis na superfície, mas que foram revelados quando ele abriu a carne. Como não viu nenhuma marca de corda no pescoço que indicasse enforcamento, não retirou amostra dele. Spilsbury tinha notado duas marcas no pescoço, mas achou que não passavam de rugas naturais. No inquérito, o investigador questionou como era possível examinar um cadáver de seis

88   A ANATOMIA DO CRIME

semanas e Spilsbury lhe garantiu que a decomposição não tinha sido um problema. O acusado, Norman Thorne, contestou o relatório porque não havia sinal algum de hematoma externo; solicitou uma segunda autópsia e seu pedido foi atendido. (*Ver imagem 13 no encarte de fotos.*)

Elsie foi exumada no dia 24 de fevereiro e Robert Bronte conduziu a autópsia, com a supervisão de Spilsbury. As análises *post mortem* devem ser feitas com a luz clara do dia ou em necrotérios com iluminação elétrica. Elsie foi exumada da meia-noite às 9 da manhã, diante de uma multidão de espectadores e jornalistas, sob a iluminação tênue da capela do cemitério. O caixão estava cheio de água e o cadáver tinha tido um mês a mais para se decompor desde que Spilsbury o examinara, mas Bronte viu marcas no pescoço e retirou amostras para análise.

O julgamento de Norman Thorne durou cinco dias. As opiniões dos patologistas sobre os hematomas eram divergentes. Quando a promotoria perguntou a Spilsbury se havia alguma marca externa no corpo, ele respondeu: "Não, nenhuma." O patologista da defesa, J. D. Cassels, disse que Elsie Cameron ainda estava viva quando Thorne a soltou da viga, que os hematomas haviam sido causados pela queda dela no chão, e que ela havia morrido devido ao impacto entre 10 a 15 minutos depois: isso explicaria a inexistência de marcas de corda, já que elas teriam sido eliminadas pela circulação do sangue. Ele criticou Spilsbury por não ter analisado o pescoço com microscópio.

Em seu testemunho, Spilsbury afirmou que os dois hematomas decisivos foram os no rosto e que ela havia sido morta com as clavas de treino, Indian Clubs, encontradas bem perto do local. Ele ateve-se ao seu estilo de conduta na sala de audiência, que era se recusar a reconhecer qualquer incerteza em suas conclusões. Porém, dissera em uma palestra dois anos antes que, se as provas geradas por exames médicos forem testadas rigorosamente por meio de interrogatório em tribunal, "é nesse momento que o médico se dá conta de sua falibilidade".

PATOLOGIA   89

Ao longo do julgamento, o juiz se referiu a Spilsbury como "o mais extraordinário patologista vivo" e disse ao júri em seus argumentos finais que a opinião de Spilsbury "é, sem dúvida, a melhor opinião que se pode ter". O júri chegou ao veredito de "culpado" em menos de meia hora. Algumas pessoas acharam que eles não tinham reconhecido a complexidade das provas do patologista, especialmente o fato de não haver sinal algum de que Elsie Cameron tinha sido morta de forma violenta. Em meio àqueles preocupados com a aceitação por parte do júri das confiantes conclusões de Spilsbury estava Sir Arthur Conan Doyle, que morava perto de Norman Thorne. Ele escreveu no *Law Journal* [Periódico jurídico] que "a infalibilidade mais que papal que os jurados estão atribuindo a Sir Bernard deve de certa forma ser um tanto constrangedora para ele".

Norman Thorne foi enforcado na Prisão de Wandsworth pelo assassinato de Elsie Cameron, embora tenha alegado inocência até o último segundo. Em uma famosa carta para o pai na véspera da execução, ele escreveu: "Deixe pra lá, pai, não se preocupe. Sou um mártir para o spilsburismo."

Segundo os historiadores Ian Burney e Neil Pemberton, o julgamento de Thorne girou em torno de duas práticas rivais da patologia: a celebridade da patologia Spilsbury, com sua presença dramática na sala de audiência, valendo-se de seu bisturi e de sua intuição, e Bronte, o patologista de laboratório, valendo-se da tecnologia forense mais avançada da época. Eles argumentam que o "virtuosismo" de Spilsbury no necrotério e na sala de audiência "ameaçava solapar as bases da patologia forense como uma especialidade moderna e objetiva".

Em seu livro *Lethal Witness* [Testemunha letal] (2007), Andrew Rose sugere que Spilsbury causou pelo menos dois erros judiciais e muitos veredictos arriscados. Algumas condenações muitas vezes foram feitas com base em provas frágeis, porque se Sir Bernard Spilsbury dizia que um homem era culpado, então os jurados acreditavam que ele provavelmente era culpado. Em alguns dos seus mais de 20 mil relatórios de autópsias, Spilsbury suprimiu provas porque elas não se encaixavam na sua narrativa.

90 A ANATOMIA DO CRIME

Por exemplo, em 1923, por causa de uma prova de Spilsbury, um jovem soldado chamado Albert Dearnley foi declarado culpado de amarrar seu melhor amigo e sufocá-lo. Condenado por homicídio, ele estava a apenas dois dias de ser enforcado quando o diretor da prisão leu uma carta que Dearnley havia escrito para uma amiga. O tom da carta o preocupou, e ele convenceu o Ministério do Interior a conceder uma suspensão da execução.

A tempo, a verdade veio à tona: a morte não tinha sido um assassinato, e sim uma asfixia acidental que aconteceu em um jogo homossexual sadomasoquista. Spilsbury — famoso por sua homofobia — tinha suspeitado da verdade, mas manteve seu parecer porque acreditava que o soldado era um pervertido sexual que merecia seu destino.

Todavia, quando Spilsbury cometeu suicídio em 1947, intoxicando-se com gás em seu próprio laboratório na University College London após uma longa batalha contra a depressão e a saúde debilitada, não foi somente o *Lancet*, periódico médico britânico, que o saudou como o mais extraordinário patologista de sua era. Os discursos de bajulação foram abundantes e sufocaram bastante os dissidentes. Após a morte, sua imagem foi gradualmente deteriorada. Em 1959, seu companheiro de profissão, o patologista Sydney Smith, escreveu: "Pode-se quase desejar que nunca mais tenhamos outro Bernard Spilsbury."

◆

Atualmente, Dick Shepherd é o principal patologista forense no Reino Unido. Mas ele afirma sem pestanejar que não é nenhuma celebridade de sala de audiência — e nem gostaria de ser, ainda que algumas pessoas na sua lista de autópsias sejam dignas de reconhecimento. Da princesa Diana e de Jill Dando a vítimas do ataque de 11 de setembro nos EUA, ele investigou algumas das mortes mais notórias dos últimos anos. Para ele, todo caso é igual: uma autópsia deve ser "uma aquisição científica e imparcial dos fatos", independentemente de quem seja a vítima.

PATOLOGIA   91

A motivação para Dick Shepherd levantar todos os dias são os vivos, não os mortos. "Sou fascinado pelas interconexões — trabalhar com a polícia, os tribunais e outras pessoas. Ver os problemas, compreendê-los, interpretá-los e fornecer informação a outras pessoas. "Tenho de me separar das coisas destrutivas que faço e lembrar que estou fazendo aquilo pela família dos mortos. Compreender o que aconteceu não ajuda em nada do ponto de vista prático, contudo, se existem pontos de verdade, a família pode se tratar e conseguir colocar um ponto final na história. A ciência forense fracassou quando as pessoas não foram verdadeiras, às vezes porque elas esconderam a verdade na esperança de não afligir as pessoas. Isso nunca funciona."

Cabe à polícia tomar a difícil decisão de determinar a quantidade de informação que o patologista pode receber sobre um caso antes do primeiro exame crucial do corpo. Dependendo da quantidade de informação, a autópsia pode acabar sendo influenciada, e o médico-legista pode negligenciar algo importante. E, como Dick Shepherd explica: "Se o filtro é feito por outras pessoas, elas podem deixar de lado uma coisinha, mas que seria informação crucial. Aí, quando ela, de repente, aparece no tribunal, gera a possibilidade de alguém ficar surpreso e irritado. O advogado pergunta: 'Se o senhor tivesse esta informação, talvez tivesse uma opinião diferente?' 'Teria, sim.' 'Ah, obrigado, dr. Shepherd.' E então o advogado senta com um sorriso presunçoso no rosto." E o promotor retrai-se.

Uma das razões pelas quais Spilsbury raramente teve de testemunhar o sorriso presunçoso de um advogado foi porque ele quase sempre tinha muita informação e contexto sobre seus casos. Hoje em dia, quando Dick Shepherd recebe uma ligação da polícia ou da sala do investigador, quase nunca pedem para ele comparecer à cena do crime, e sim diretamente ao necrotério. Vários profissionais de outras especialidades, como analistas de manchas de sangue e de DNA, reúnem boa parte dos indícios pelos quais os patologistas forenses costumavam ser responsáveis. No local da morte, peritos novatos ensacam o corpo para evitar que vestígios como cabelo, fibras e sujeira caiam dele, e para evitar que ele também não seja contaminado.

92 A ANATOMIA DO CRIME

Quando Dick vai para a cena do crime — e às vezes ir é muito útil, não tanto para fazer alguma análise específica, mas para interpretar o cenário —, observa a posição do corpo e sua proximidade em relação a outras provas, como armas, impressões digitais, pontos de entrada e saída. É necessário cautela para não perder nem contaminar provas ao tocar no corpo e nem movimentá-lo mais do que o estritamente necessário. Em um de seus casos recentes, a polícia achou que uma senhora encontrada aos pés da escada tivesse tomado um tombo. Dick compareceu ao local para ver "onde ela estava caída, a posição em que se encontrava, e se existia a possibilidade de terem movido o corpo. Quando eu fiz a autópsia, encontrei ferimentos e achei que tinham sido causados pelo tombo e pelas pancadas que foi levando durante a queda. Porque eu tinha ido ao local, pude depois explicar que os esfolados na lateral do corpo surgiram quando passaram com ela na quina da parede."

Os detetives sempre querem uma hora estimada da morte. Esse tipo de informação pode abalar, descartar ou comprovar o álibi de algum suspeito. Quanto mais tempo se passa desde o momento do falecimento, mais difícil é para determinar com precisão a hora da morte; quanto mais estreita a estimativa, mais útil ela é para a investigação.

A primeira coisa que um patologista como Dick Shepherd faz quando examina um corpo é ver a temperatura retal, a não ser que haja suspeita de violência sexual. Nesses casos, ele perfura o abdômen com o termômetro. Antes, pensava-se que o corpo perdia calor a constantes 1°C por hora, até chegar à temperatura ambiente. Por exemplo, se uma pessoa morre com uma temperatura corporal de 37°C em um cômodo com 20°C, a probabilidade é de que haja uma janela de dezessete horas em que o horário da morte pode ser razoavelmente estimado. Mas pesquisas mostraram variáveis significativas: um corpo magro esfria mais rápido do que um gordo; quanto maior a área de superfície, mais rápido o processo de resfriamento; há diferença se o corpo estiver esticado ou curvado; a roupa influencia o resfriamento; sombra ou luz do sol; na água rasa ou na margem de um rio. Ainda assim, uma análise preliminar e cuidadosa pode

PATOLOGIA 93

ser um ponto de partida útil, e patologistas podem inserir no cálculo variáveis como temperatura ambiente e peso do corpo usando um gráfico com vários eixos chamado nomograma.

O próximo fenômeno pelo qual Dick se interessa é o *rigor mortis* — a razão macabra pela qual os cadáveres são conhecidos como *presuntos*. Os sintomas da rigidez cadavérica são úteis para o patologista durante aproximadamente dois dias após a morte devido a um ciclo conhecido. O corpo primeiramente afrouxa por completo e, depois de três ou quatro horas, os pequenos músculos das pálpebras, do rosto e do pescoço começam a enrijecer. A rigidez segue de cima para baixo, da cabeça para o dedão do pé, na direção dos músculos maiores. Depois de doze horas, o corpo está completamente rígido e permanecerá imobilizado na posição da morte por cerca de 24 horas. Em seguida, os músculos relaxam gradualmente e a rigidez desaparece seguindo a mesma ordem: começa nos músculos menores e progride na direção dos maiores. Depois de mais ou menos doze horas, todos os músculos atingem o estado de completo relaxamento.

No entanto, mesmo um processo tão bem documentado quanto o *rigor mortis* é um indicador muito imperfeito do horário da morte. Quanto mais alta a temperatura ambiente, mais rápido ocorre cada etapa do processo. Além disso, curvar e esticar um cadáver quebra as fibras dos músculos e elimina o rigor, e sabe-se de assassinos que já usaram essa informação para tentar confundir a investigação.

O *rigor mortis* é seguido pelo estágio menos majestoso do período que o corpo passa na terra. A "putrefação" pode não ser um fenômeno admirável, mas os patologistas forenses precisam conhecê-lo muito bem para executarem seu trabalho adequadamente. Primeiro, a pele ao redor do abdômen fica esverdeada porque as bactérias no intestino grosso começam um processo de "autodigestão". Conforme a quantidade de bactérias no cadáver aumenta, transformando as proteínas em aminoácidos, há a produção de gases que fazem o corpo inchar — o que tem início no rosto, onde os olhos e a língua começam a se protrair. Em seguida, aparecem vasos sanguíneos em forma de teia, dando um aspecto marmorizado à pele, porque

94   A ANATOMIA DO CRIME

as células vermelhas do sangue se rompem e soltam hemoglobina. Os gases continuam a inchar o abdômen até escaparem, às vezes de modo explosivo, produzindo um cheiro horrível. A essa altura, o cadáver já está com uma cor preto-esverdeada, pois os fluidos escoem do nariz e da boca, e a pele começa a despencar como "um tomatão apodrecido".

Concomitantemente, e com o auxílio da "autodigestão", os órgãos internos vão se liquefazendo, começando com os órgãos digestivos e os pulmões, e, em seguida, o cérebro. Moscas já puseram ovos nos pontos de entrada do cadáver, como olhos, boca e feridas abertas, e vermes rasgam a carne sem parar.

Os cientistas estão sempre estudando e refinando as várias diferentes maneiras de mensurar o tempo desde o momento da morte. Entretanto, como explica a patologista forense Sue Black, isso nem sempre simplifica a questão. "Quanto mais informações conseguimos, mais nos damos conta do quanto é difícil. Dois corpos nunca vão se decompor da mesma maneira e no mesmo ritmo. Eles podem estar a literalmente sete palmos um do outro e eles vão se decompor de maneira completamente diferente. Pode ser por causa da quantidade de gordura no corpo. Pode ser por causa das drogas que eles usavam ou dos medicamentos que tomavam. Pode ser por causa do tipo de roupa que estão usando. Pode ser pelo fato de um ter um odor mais atraente para as moscas do que o outro. Pode ser literalmente qualquer coisa."

Uma forma de tentar combater a dor de cabeça que essa quantidade de variáveis causa é desenvolver novas ferramentas. E foi isso que o Departamento de Pesquisa Antropológica da Universidade do Tennessee vem fazendo há anos. "A Fazenda de Corpos", como é mais conhecida, foi criada em 1981 por William Bass para desenvolver pesquisas sobre putrefação. Foi a primeira instituição a desenvolver o estudo sistemático da decomposição humana e de como os cadáveres interagem com o ambiente. Mais de cem pessoas doam seus corpos para a Fazenda de Corpos todo ano, onde são colocados em locais diferentes para apodrecer. Os pesquisadores têm uma regra prática: uma semana de exposição acima do solo é igual a oito semanas enterrado e duas semanas na água.

Arpad Vass, professor adjunto de Antropologia Forense na Universidade do Tennessee, está desenvolvendo um novo método para estimar o tempo decorrido desde a morte. A "Análise de Odor de Decomposição" espera identificar os aproximadamente quatrocentos vapores distintos que um corpo exala nos diferentes estágios de decomposição. Entender quando esses vapores são exalados, em uma variedade de locais, e medi-los em um cadáver, pode fornecer o horário da morte com uma precisão maior do que foi possível até hoje.

Descobertas de instituições de pesquisa como a Fazenda de Corpos passam lentamente para o mundo da prática forense por intermédio de revistas e monografias, munindo os patologistas com um conhecimento que eles podem usar para fornecer provas melhores a investigações criminais. Os patologistas usam esse conhecimento na grande maioria das vezes em necrotérios ou hospitais, emaranhados na intensa concentração da autópsia. Como e por que a pessoa morreu? Foi suicídio, homicídio, acidente, velhice, ou não é possível dizer? Raramente as respostas são objetivas. Uma bala que atravessou a cabeça de alguém pode ter sido disparada por três motivos: suicídio, homicídio ou acidente. Ao entrar no necrotério, o escopo da curiosidade do patologista forense é muito amplo. Ele gradualmente vai estreitando sua atenção para os pequenos detalhes, antes de ampliar mais uma vez para inserir esses detalhes em uma conclusão. As etapas gerais da autópsia foram pouco alteradas desde o início do século passado.

Quando o corpo chega ao necrotério, Dick Shepherd está pronto para fotografá-lo. Um assistente tira o corpo do saco em que foi colocado para ser transportado e o examina em busca de provas. Dick tira a roupa do cadáver, a fotografa, embala e documenta. Em seguida, colhe amostras biológicas: arranca cabelo, raspa debaixo das unhas, coleta material nos órgãos sexuais. Só então ele cuidadosamente colhe as impressões digitais do cadáver. Forçar os dedos para

96 A ANATOMIA DO CRIME

abri-los e colher digitais pode colocar em risco provas presas em um punho fechado pelo *rigor mortis*.

Depois, Dick lava o corpo e documenta todas as cicatrizes, marcas de nascença, tatuagens e características físicas incomuns que encontra. "Cada patologista tem uma ordem diferente", diz Dick. "Eu começo pela cabeça e sempre examino o lado esquerdo primeiro. Então eu faço cabeça, peito, abdômen, costas, mão esquerda, mão direita, perna esquerda e perna direita. Durante o processo, documento e fotografo todos os ferimentos. Tenho que admitir que sinto um aperto no peito quando é uma briga de bar e o corpo está abarrotado de hematomas. Não posso só dizer que o corpo tinha muitos hematomas nas pernas? Não. Em casos menos óbvios, o estilo rigoroso encorajado pelo processo de documentação pode ser inestimável, como ilustrado por outra esposa britânica morta na banheira."

Às 23 horas do dia 3 de maio de 1957, Kenneth Barlow, um enfermeiro de Bradford, ligou para a emergência e informou que havia encontrado a esposa inconsciente na banheira. Ele explicou que a tinha tirado da banheira e passado um longo período tentando reanimá-la, e que ela havia vomitado e estava com febre naquela noite. Os investigadores começaram a ficar desconfiados quando encontraram duas seringas usadas na cozinha. Kenneth explicou que as estava usando para tratar um abcesso dele com penicilina. Exames indicaram a presença de penicilina.

Mas o patologista David Price continuou desconfiado. Durante a autópsia, ele vasculhou cada centímetro de pele da sra. Barlow com uma lupa. Por fim, encontrou dois buraquinhos minúsculos compatíveis com a agulha de seringa, um em cada nádega da mulher. Os sintomas que Kenneth alegou que a esposa estava tendo eram de hipoglicemia (pouco açúcar no sangue), o que fez David Price desconfiar que ele havia injetado uma dose letal de insulina nela. Não havia exames para detectar insulina na época, então Price pegou um pouco de tecido que ficava ao redor dos locais da injeção nas nádegas da sra. Barlow e o injetou em camundongos. Rapidamente, eles morreram de hipoglicemia. Barlow foi declarado culpado e pegou prisão perpétua.

Depois da meticulosa verificação externa, dá-se início ao exame interno. O patologista procura tanto ferimentos internos quanto qualquer problema de saúde que possa ter feito a pessoa morrer de causas naturais. Dick Shepherd faz um corte em "Y" partindo de ambos os ombros indo até a virilha, serra as costelas e a clavícula, e em seguida abre o peitoral, deixando expostos o coração e os pulmões. Ele inspeciona o pescoço em busca de coisas como cartilagem quebrada, o que pode indicar estrangulamento. Em seguida, retira os órgãos um a um (como o fígado) ou em conjunto (como o coração e os pulmões) e os corta para examiná-los internamente. Ele conserva amostras dos órgãos. "Atualmente, o Ministério do Interior exige que façamos análises microscópicas dos órgãos principais em todos os casos, mesmo quando se trata de uma pessoa de 18 anos que levou uma tacada de beisebol na cabeça." Melhor prevenir do que remediar; algo pelo qual deveríamos ser todos agradecidos. Ele posteriormente manda essas amostras para o laboratório. Em seguida, Dick faz uma incisão de orelha a orelha no alto da cabeça e puxa o couro cabeludo para trás. Então está livre para serrar parte do crânio e examinar o cérebro no lugar antes de removê-lo para fazer uma análise melhor.

Por fim, Dick costura todas as incisões que fez nos órgãos, os coloca cuidadosamente no cadáver e sutura a primeira incisão que fez em forma de "Y". Em seguida, conversa com detetives e outros peritos, reúne ideias sobre o que parece suspeito ou o que precisa ser acompanhado e dá informações aos investigadores. Quase sempre há uma segunda autópsia, para que outro patologista confira as conclusões a que Dick chegou. Depois que os relatórios de todos os peritos chegam — peritos em ossos, neuropatologistas, radiologistas pediátricos —, Dick redige seu relatório e o envia ao responsável pela investigação.

◆

98   A ANATOMIA DO CRIME

Em algumas situações extremas, pode haver mais de uma autópsia após a de Dick. No dia 23 de agosto de 2010, a polícia encontrou uma mala vermelha da North Face na banheira de um apartamento em Pimlico, Londres. Ela pertencia a Gareth Williams, um galês prodígio em matemática que trabalhava como criptoanalista na MI6 e um cadeado juntava dois cursores do zíper, trancando a mala. Quando a polícia abriu o cadeado, encontrou dobrado dentro dela o corpo nu e em decomposição de Gareth, que tinha 31 anos.

A polícia considerou a morte suspeita. A família de Gareth Williams estava convencida de que havia o envolvimento da MI6 ou outro serviço secreto na morte, já que Williams estava trabalhando com o FBI, compondo uma equipe que tentava penetrar em redes de hackers.

Dick Shepherd foi um dos três patologistas que fizeram as autópsias, e todos concordaram que Williams estava morto havia aproximadamente sete dias. Como não encontraram sinal algum de estrangulamento nem de ferimentos, foi difícil para eles determinar a causa da morte, pois o corpo decompusera-se rápido demais: a bolsa foi encontrada no verão e todos os aquecedores da casa estavam no máximo. Toxicologistas não viram sinal de envenenamento, porém, devido à condição em que se encontrava o corpo, não podiam descartar essa possibilidade. Sufocamento parecia o mais provável.

As autópsias revelaram pequenas abrasões na ponta dos cotovelos de Williams, o que podia ser resultado do movimento dele dentro da bolsa, possivelmente numa tentativa de fugir. Dick Shepherd resumiu a situação: "Uma vez que o cadeado foi trancado, não havia como sair de dentro da bolsa. A questão é: ele colocou o cadeado ali ou foi outra pessoa?"

Peter Faulding, um ex-militar reservista que se especializou em resgatar pessoas de espaços confinados, disse durante o inquérito que ele mesmo havia tentado trezentas vezes se trancar em uma mala de 81 centímetros por 48 centímetros da North Face idêntica àquela, mas nunca conseguiu. Ele disse que até mesmo Harry Houdini teria pelejado para se trancar na mala. Outro especialista tinha tentado fazer a mesma coisa e fracassou cem vezes.

PATOLOGIA   99

Mas Dick Shepherd suspeitava que Williams tinha sufocado, e "era muitíssimo provável" que ainda estava vivo quando entrou na bolsa. Ele chegou à conclusão de que, por Williams estar tão encurvado, apertado e contraído no momento em que foi encontrado, e por causa do quanto os corpos ficam "frouxos" antes do *rigor mortis*, teria sido muito difícil para alguém enfiá-lo ali dentro. Nenhum especialista se ofereceu para testar a teoria dele. As investigações também revelaram que o DNA encontrado no dedo de Williams na primeira autópsia não era de um misterioso casal da região mediterrânea que a polícia perseguia havia um ano. Um funcionário da LGC, a empresa de ciência forense responsável pela análise das amostras, tinha digitado as informações erradas sobre o DNA no banco de dados. O DNA, na verdade, pertencia a um dos peritos criminais que estivera no local. A LGC comunicou à família de Williams que "lamentava profundamente" o erro.

Encontraram no apartamento de Williams roupas de grife femininas que juntas valiam aproximadamente 20 mil libras, além de sapatos femininos e perucas. Os investigadores também encontraram fotos de drag queens e provas de que ele estava acessando sites de autoimobilização, e claustrofilia — a afeição pela clausura — dias antes de sua morte.

A médica-legista Fiona Wilcox determinou que, embora não houvesse provas suficientes para se chegar ao veredito de homicídio, provavelmente a morte não tinha sido natural; outra pessoa o trancara na bolsa e a colocara na banheira, e, muito provavelmente, ele estava vivo quando entrou nela. Ela ainda acrescentou que não havia provas de que Williams era travesti "nem que se interessava por esse tipo de coisa".

Dias depois do veredito, uma garota de 16 anos e uma jornalista de 23, separadamente, tentaram se trancar em uma mala da North Face idêntica à do caso: elas entraram, suspenderam as pernas, puxaram o zíper até quase o fim, enfiaram o dedo pela fresta e trancaram o cadeado. Depois disso, tensionaram o corpo e o zíper terminou de

100   A ANATOMIA DO CRIME

fechar sozinho. A jornalista, que tinha um físico similar ao de Gareth Williams, tentou repetir a manobra várias vezes, até conseguir fazê-la em três minutos.

Peter Faulding não deu muita importância a essas façanhas. "Nenhuma das minhas conclusões está errada. Uma menina fechar o zíper de uma mala não descredita esta investigação. Estávamos cientes de outras maneiras de se trancar a bolsa, mas nem ela nem ninguém conseguiria fazer aquilo sem deixar rastros de DNA ou qualquer outro vestígio na banheira, e isso é fundamental para o caso."

Dick Shepherd continua a discordar. "Eu nunca vou convencer a legista. Ela ficou furiosa comigo; a palavra 'incandescente' me vem à cabeça. Uma das principais coisas que me fazem achar que ele estava sozinho era o fato de ele ter uma existência solitária, de usar roupas de mulher, de trabalhar intensamente e de ser um nerd da matemática — deixe a patologia de lado, a psicologia não estava correta."

Em 2013, a Polícia Metropolitana fez uma investigação interna porque a legista tinha apontado para um possível envolvimento de funcionários da MI6. Em novembro, a Scotland Yard divulgou o veredito da investigação: o mais provável é que Williams tenha morrido sozinho, resultado de ter se trancado por acidente na mala. A opinião de Dick Shepherd tinha prevalecido.

◆

Para a solução de casos misteriosos, geralmente é preciso usar a imaginação: o patologista que injetou tecidos das nádegas de uma mulher em camundongos e a jornalista que se trancou dentro de uma mala pequena, feito que nem mesmo um especialista militar conseguiu fazer. Essas pessoas quiseram seguir o significado original grego da palavra autópsia: ver por si mesmo. A nossa curiosidade aumenta a cada uma das novas tecnologias que experimentamos no trabalho prático. Novas tecnologias permitem aos patologistas enxergar dentro do corpo humano com uma profundidade jamais vista, sem a necessidade de arregaçar as mangas. A mesa de Autópsia

Virtual (AV) é uma ferramenta nova de visualização desenvolvida na Suíça, que combina tomografia computadorizada e ressonância magnética para transformar imagens de um cadáver em um modelo 3D computadorizado. Patologistas que já adotam a tecnologia na Alemanha encontraram fraturas e hemorragias impossíveis de serem descobertas com a autópsia convencional. As mesas AV também possuem um scanner de alta resolução, o que permite a ampliação da pele, tornando possível a revelação de coisas como hematomas ou pontos maliciosos de injeção. Além disso, ela também diminui o sofrimento nos vivos, que não querem contemplar aquilo que enxergam como a profanação das pessoas amadas.

Alguns cientistas forenses tradicionais disseram que a mesa AV ainda não é confiável e que é modernosa demais. Porém, quanto mais a geração jovem que lida melhor com a tecnologia passa a ocupar os laboratórios, mais essas mesas vêm sendo instaladas. Em janeiro de 2013, 3 em cada 35 institutos de ciência forense nas universidades da Alemanha tinham um. Os patologistas forenses ainda tendem a usá-las como complementação a autópsias físicas. Mas a utilização delas continua a aumentar. No caso de um alpinista que morreu em uma queda nos Alpes Suíços, o neurocrânio estilhaçado, a espinha lombar fraturada e a canela quebrada foram todos verificados sem um único arranhão de um bisturi.

Outro benefício da mesa de Autópsia Virtual é que o modelo em 3D que ela produz pode ser examinado por vários patologistas de modo independente e sem dificuldades, arquivado para pesquisas futuras e reproduzido nos tribunais para que os jurados julguem por si mesmos. Spilsbury poderia até não ter apreciado essa ideia, mas seus mártires certamente teriam.

CINCO

TOXICOLOGIA

"No sumo desta flor, para quem procura.
Mata o veneno, e o remédio cura."

Romeu e Julieta, ato II, cena III

Drogas são de uma ambiguidade assustadora. Uma quantidade pequena de digitalina, extraída da dedaleira, regula irregularidades no ritmo cardíaco. Contudo, uma dose exagerada pode provocar náusea, vômito e fazer o coração disparar a toda velocidade na direção da morte. Paracelso, o fundador da toxicologia moderna, expressou essa ideia com precisão quando escreveu em 1538 que "a dose faz o veneno".

O veneno é uma das armas mais antigas que os humanos usam uns contra os outros. À medida que a ciência foi avançando, o trabalho do toxicologista se desenvolveu para identificar substâncias letais e buscar antídotos. Um homem em particular sistematizou essa área. Mathieu Orfila estudou em Valência e Barcelona no início do século XIX, antes de se mudar para Paris e cursar medicina. Com o intuito de descobrir seus efeitos, Orfila passou três anos testando venenos em várias centenas de cachorros, que sofreram horrores — anestésicos surgiram apenas nos anos 1840; além disso, eles teriam interferido nos

TOXICOLOGIA 103

resultados das experiências. Com apenas 26 anos, Orfila publicou seu abrangente *Traité des poisons tirés des règnes minéral, végétal et animal, ou Toxicologie générale* [Tratado sobre venenos retirados dos reinos mineral, vegetal e animal, ou toxicologia geral] (c. 1813), no qual catalogou todos os venenos minerais, vegetais e animais. A obra de 1.300 páginas foi a principal referência sobre toxicologia durante quarenta anos.

Em um trecho fundamental do *Traité*, Orfila descreveu os aperfeiçoamentos que promoveu nos exames relacionados à substância que é sinônimo da imagem que temos do envenenador do século XIX — o arsênico. Orfila percebeu que vômitos violentos conseguiam remover todos os vestígios de arsênico da barriga de uma pessoa. Ao examinar os órgãos de seus cachorros envenenados, descobriu que a corrente sanguínea espalha o arsênico pelo corpo. Ele demonstrou que corpos enterrados tinham a capacidade de absorver o arsênico do solo ao redor deles, o que podia dar a impressão de que haviam sido envenenados em vida. Depois do *Traité*, toxicologistas passaram a examinar o solo sempre que um corpo era exumado.

Em 1818, Orfila publicou *Secours à donner aux personnes empoisonnées ou asphyxiées: suivis des moyens propres à reconnaître les poisons et les vins frelatés, et à distinguer la mort réelle de la mort apparente* [Alívio a ser dado a pessoas envenenadas ou asfixiadas: seguido pelo reconhecimento de venenos e vinhos adulterados, e distinguindo a morte real da morte aparente], com o intuito de "popularizar as informações mais importantes no *Traité*". As pessoas estavam começando a se dar conta de que primeiros socorros adequados podiam limitar as lesões por envenenamento acidental. Orfila tinha uma genuína preocupação com a ignorância do povo, assim como estava ciente de que podia ganhar dinheiro com esse novo campo da ciência. Ele escreveu na introdução de seu livro: "É de extrema importância que o clero, a magistratura, os chefes de grandes instituições, os pais de família e os habitantes do país" se informem sobre toxicologia. Numerosas traduções do livro para o alemão, espanhol, italiano, dinamarquês, português e inglês solidificaram a reputação de Orfila.

104 A ANATOMIA DO CRIME

Se um advogado precisava de um toxicologista para testemunhar em um julgamento, a primeira pessoa em que pensava era Orfila, ainda mais depois de se tornar médico real de Luís XVIII.

Em 1840, Orfila envolveu-se em um caso célebre, o julgamento por homicídio da delicada e refinada herdeira Marie-Fortunée Lafarge. As pessoas vieram de toda a Europa para ver o destino dela.

Marie cresceu na aristocracia de Paris e viu suas amigas de escola casarem-se com homens ricos. Aos 23 anos, seu desejo de fazer o mesmo tinha chegado a tal ponto que seu tio contratou um casamenteiro profissional. Era um serviço fácil. Afinal, Marie era jovem, bonita e seu dote era de 100 mil francos. O casamenteiro entrou em contato com Charles Lafarge, um solteiro proprietário de um mosteiro do século XIII em Limousin, região central da França.

As construções na propriedade Lafarge tinham começado a desmoronar, mas Charles tinha a intenção de restaurar a fortuna da família. Ele montou uma forja e nela inventou novas técnicas de fundição. Despejou seu dinheiro na empreitada, mas ela rateou e, por fim, ele foi obrigado a apagar as fornalhas. Em 1839, ele estava muito próximo da falência. Parecia ter apenas uma salvação — uma mulher com dinheiro. Charles tinha entrado em contato com o distante casamenteiro parisiense, mas deixou de fora de seu perfil os problemas financeiros e deu destaque à avaliação de seu patrimônio em 200 mil francos e em uma ótima carta de recomendação de seu padre.

Marie, assim que conheceu Charles, já desgostou dele. Ela o achou um grosseirão e escreveu em seu diário que "o rosto e o físico dele são muito industriários". Mas ela tinha gostado da ideia de viver em uma propriedade extensa, com suntuosos sofás para refastelar-se e jardins perfumados onde caminhar. Além disso, certamente o dono de um monastério antigo teria poesia escondida em sua alma, não é mesmo?

Quatro dias depois de se conhecerem, estavam casados e compartilhando uma carruagem para Limousin. Quando ele começou a comer um frango assado com as mãos, acompanhado de uma garrafa inteira de vinho Bordeaux, Marie preferiu sentar na parte da frente

TOXICOLOGIA 105

com o condutor. Assim que chegaram à casa, ela teve um choque ainda maior. Seus novos parentes estavam vestidos "ao pior estilo provinciano", a mobília era "surrada e ridícula de tão fora de moda" e o lugar estava cheio de ratos. Naquela primeira noite, 13 de agosto de 1839, Marie se trancou no quarto e escreveu uma carta fervorosa para o marido, implorando-lhe para que a libertasse do casamento, "senão tomarei arsênico, que trouxe comigo [...]. Estou disposta a dar-lhe a minha vida. Mas receber os seus abraços, jamais".

Depois que se acalmou, Marie concordou em ficar com Charles sob uma condição. Ele não poderia consumar o casamento até ter dinheiro suficiente e reformar a propriedade. Os outros moradores da casa tinham a impressão de que os dois estavam se dando bem melhor. Marie gostava de andar em meio às ruínas da igreja e dos claustros góticos. Escrevia cartas para suas amigas de escola em que contava cenas de felicidade doméstica. Ela não mencionou, entretanto, que comprava arsênico para se livrar da bicharada asquerosa.

Em determinado momento, Marie disse ao marido que faria um testamento deixando tudo o que tinha para ele, com a condição de que fizesse o mesmo por ela — comportamento esperado de um casal jovem apaixonado. Porém, astuciosamente, Charles fez um segundo testamento secreto, deixando tudo para a mãe.

Quatro meses depois do casamento, Charles voltou a Paris, numa viagem de negócios para arrecadar fundos. Quando estava fora, Marie mandou-lhe carinhosas cartas de amor que expressavam o quanto sentia falta dele, e um bolo de Natal caseiro. Charles comeu um pedaço e, pouco depois, começou a vomitar. Ele voltou para Limousin depois de arranjar algum dinheiro, ainda sentindo-se enjoado. Marie o recebeu com preocupação e disse que o único lugar para ele era a cama. Ela o alimentou com trufas e veado. Mas o estado de saúde dele piorou e chamaram o médico da família. Ele temia que fosse cólera, o que colocou todos na casa em estado de pânico.

Na manhã seguinte, Charles estava com câimbras fortes nas pernas e uma diarreia terrível. Por mais que bebesse água, não conseguia melhorar. Um segundo médico foi chamado, que concordou

106   A ANATOMIA DO CRIME

que Charles estava com cólera e sugeriu que tomasse gemada para recuperar as forças. Mas Anna, uma das mulheres contratadas pela família para tomar conta de Charles, notou que Marie misturou um pó branco na gemada antes de dá-la a Charles. Quando perguntou o que era aquilo, Marie respondeu que se tratava de "açúcar de flor de laranjeira", mas Anna ficou desconfiada e escondeu a gemada em um armário.

Na tarde de 13 de janeiro de 1840, Charles Lafarge morreu. A essa altura, Anna já tinha revelado seus temores a outros moradores da casa. A reação calma de Marie à morte do marido, que no início deu a impressão de ser respeitosa, começou a parecer suspeita. No dia seguinte, Marie foi ao notário com o que achava ser o último testamento de Charles.

Nesse meio-tempo, o irmão de Charles procurou a polícia. Dois dias após a morte de Lafarge, um juiz de paz foi à propriedade, prendeu Marie e deu início a uma investigação. Médicos da região fizeram uma análise da gemada de Charles, de seu estômago e um pouco de seu vômito. Encontraram vestígios de arsênico na gemada e no estômago, mas nada no vômito.

As coisas ficaram feias para Marie, mas o advogado dela teve uma ideia. "Ciente de que nesse assunto M. Orfila é o rei da ciência", ele lhe escreveu. Orfila respondeu, explicando que os médicos que fizeram os testes tinham usado exames de arsênico do século XVII. O químico James Marsh criara um teste quatro anos antes, e Orfila o havia aperfeiçoado e disse que era desse exame que eles precisavam. Quando Marsh publicou os detalhes sobre seu teste extremamente sensível para a detecção de arsênico, o *Pharmaceutical Journal* de Londres declarou, entusiasmado: "Os mortos agora se tornaram as testemunhas mais temidas pelos envenenadores." Havia alguns problemas com o Teste de Marsh, mas Orfila tinha solucionado a maior parte deles. Com auxílio de outro teste inventado dois anos depois por Hugo Reinsch, o Teste de Marsh se tornaria o padrão para identificação de arsênico até os anos 1970, quando métodos mais sofisticados estavam sendo desenvolvidos com cromatografia e espectrografia gasosas. Munido da carta de Orfila, o advogado desabonou o primeiro resultado e o juiz ordenou que os médicos repetissem o exame de acordo com a versão mais moderna de Orfila.

Os médicos fizeram o exame no estômago de Charles Lafarge, no vômito e na gemada. Dessa vez, não encontraram nada.

A essa altura, o advogado da promotoria tinha conseguido uma edição do *Traité* e o leu atenciosamente. Vômitos violentos, ele passou a saber, podiam remover todos os vestígios de arsênico do estômago de uma pessoa. Além disso, uma vez que a corrente sanguínea passasse pelo estômago, ela podia levar o arsênico para outros órgãos. Ele disse ao juiz que era necessário desenterrar Charles e examinar os órgãos dele. O juiz concordou e os médicos novamente usaram o Teste de Marsh em sua análise, dessa vez diante de um grupo grande de espectadores, alguns dos quais desmaiaram devido às "exalações fétidas". Porém, uma vez mais, não encontraram arsênico. Ao receber a notícia no tribunal, a sra. Lafarge derramou lágrimas de alegria.

Num esforço de última hora, o promotor perguntou aos médicos locais que ficaram responsáveis pela análise quantas vezes haviam feito o Teste de Marsh na carreira deles. Nenhuma, admitiram. O promotor argumentou com o juiz que se tratava de um caso importante demais para ser tratado por médicos provincianos. A única pessoa apropriada para a tarefa, alegou ele, era o maior toxicologista do mundo, o próprio dr. Mathieu Orfila. Orfila chegou de trem expresso e começou a trabalhar imediatamente, macerando o que restava de órgãos, "fígado, um pedaço do coração, certa quantidade do canal intestinal e parte do cérebro". Dessa vez, o Teste de Marsh à la Orfila gerou um resultado positivo. Como precaução extra, Orfila mostrou que o arsênico não tinha vindo do solo ao redor do caixão de Charles. (*Ver imagem 14 do encarte de fotos.*)

A sra. Lafarge foi condenada à prisão perpétua e execução de trabalhos pesados. Da cadeia ela publicou suas memórias em 1841, alegando inocência, posição que manteve até morrer de tuberculose, aos 36 anos.

A performance de Orfila com o Teste de Marsh seria vista no futuro como um divisor de águas na luta contra o assassinato por envenenamento — uma vindicação da toxicologia forense. No entanto, logo após o julgamento, a opinião pública ficou atordoada, incapaz de decidir se a toxicologia forense era uma ciência, uma arte ou um jogo. Um jornal resumiu a questão: "Dentro de dois dias a acusada foi de declarada inocente pelo veredito da ciência para culpada pelo veredito da mesma ciência." Envolver um toxicologista forense em uma suspeita de homicídio aparentava ser apenas metade da batalha. Tinha de ser o toxicologista forense certo.

Marie Lafarge foi uma entre muitos assassinos que usaram arsênico. Seus companheiros de envenenamento eram motivados por dinheiro, vingança, legítima defesa e até sadismo. Os franceses deixaram claro qual era a motivação mais comum ao apelidarem o arsênico de *"poudre de succession"* (pó da herança). No outro lado do Canal da Mancha, na Inglaterra e no País de Gales, teve-se a ocorrência de 98 julgamentos por envenenamento entre 1840 e 1850. Pode parecer estranho que na década posterior ao surgimento do Teste de Marsh em 1838 tenham ocorrido tantos envenenamentos. No entanto, a verdade é que, antes do teste, os legistas eram muito mais propensos a afirmar que as vítimas haviam morrido de "causas naturais".

A razão para isso era a dificuldade de se identificar o uso do arsênico como método de assassinato. A substância quase não tem gosto — há quem diga que é levemente adocicado — nem cheiro, e estava disponível a preços baixos em praticamente qualquer tipo de venda. O corpo não pode expeli-lo, de modo que os elementos pesados e metálicos se acumulam no organismo da vítima, dando a impressão de que se trata da lenta deterioração causada por uma doença natural. As pessoas que o digerem sofrem uma ampla gama de sintomas com variados níveis de agressividade. Hipersalivação, dor abdominal, vômito, diarreia, desidratação e icterícia podem todos ser resultado de envenenamento por arsênico. Como as reações são muito variadas, os assassinos podem atacar mais de uma vez sem despertar a suspeita de médicos, que dão diagnósticos diferentes: cólera, disenteria e febre gástrica. Assassinos inteligentes que usavam arsênico geralmente optavam pela aplicação crônica em vez da aguda, ou seja: optavam por doses pequenas durante um período longo, e não por uma dose grande, já que uma morte repentina, violenta e espasmódica gerava suspeita.

Por causa disso, em 1851, o Parlamento aprovou a Lei do Arsênico, dificultando a compra da substância sem receita médica. Os vendedores tinham de ser registrados e os compradores, de informar por escrito a razão pela qual estavam comprando a substância e assinar. A não ser para uso médico ou agrícola, todo arsênico devia ser colorido com fuligem ou anil, de modo que ficasse menos parecido com açúcar ou farinha.

Porém, a Lei do Arsênico e o Teste de Marsh não dissuadiram todos os aspirantes a assassinos. Em 1832, Mary Ann Cotton (cujo sobrenome de solteira era Robson) nasceu em um vilarejo perto de Durham, no nordeste da Inglaterra. Quando tinha 9 anos, o pai morreu depois de cair no poço de uma mina e a família começou a passar por um período difícil. Mary Ann era uma garota inteligente, e durante a adolescência lecionou na Escola Dominical Metodista. Aos 19 anos, engravidou de um mineiro chamado William Mowbray e juntos eles viajavam pelo país à procura de trabalho. Mary Ann deu à luz cinco filhos durante esse período nômade, mas quatro deles morreram, possivelmente de causas naturais.

Em 1856, o casal se mudou de volta para o norte, onde Mary Ann teve mais três filhos de Mowbray, e todos morreram de diarreia. Seu luto, porém, não a impediu de requerer a indenização do seguro de vida que fizera para todos os três. Certo tempo depois, Mowbray feriu o pé num acidente em uma mina e teve de convalescer em casa. Logo ele adoeceu; foi diagnosticado com "febre gástrica" e morreu em janeiro de 1865. Mary Ann foi ao escritório da Segura-

110   A ANATOMIA DO CRIME

dora Prudential e retirou a indenização de 30 libras de uma apólice de seguro que ela o convencera a fazer havia pouco tempo.

Nos doze anos seguintes, Mary Ann tornou-se a mais prolífica serial killer da história do Reino Unido. Embora nunca se saiba exatamente quantas pessoas envenenou com arsênico, ela provavelmente assassinou a mãe, três de seus quatro maridos (o outro se recusou a fazer seguro de vida), um amante, oito dos doze filhos e sete enteados — pelo menos vinte pessoas no total.

Em 1872, Mary Ann mirou em Richard Quick-Mann, uma autoridade fiscal, significativamente mais rico que seus maridos de classe operária anteriores. Só que seu enteado de 7 anos, Charles Cotton, era um empecilho. Mary Ann tentou convencer um dos tios do garoto a ficar com ele, mas não conseguiu. Então, levou-o para um asilo. Quando o superintendente se recusou a aceitá-lo a não ser que Mary Ann acompanhasse a vida dele ali, ela lhe disse que o garoto estava adoentado e que, se o superintendente não mudasse de ideia, o garoto ia morrer "como todos os outros Cotton".

Por falta de opção, ela envenenou Charles. O superintendente do asilo soube do falecimento repentino e foi à polícia. O médico que atendeu Charles antes de ele morrer realizou uma autópsia e não encontrou vestígio de veneno. O legista, então, determinou morte por causas naturais. No entanto, o médico tinha ficado com o estômago e o intestino de Charles, e, quando fez um Teste de Reinsch neles, descobriu o veneno letal.

Os corpos das vítimas mais recentes de Mary Ann foram exumados e altos níveis de arsênico neles encontrados. O advogado de defesa alegou que Charles havia inalado vapores de arsênico da tinta verde do papel de parede do próprio quarto. Contudo, sob o peso das provas nos corpos exumados e das declarações de outras testemunhas, Mary Ann foi declarada culpada de homicídio e sentenciada à morte. Parece extraordinário hoje que ninguém tenha suspeitado, mas, até envenenar Charles, ela tinha sido *extremamente* cuidadosa. Inteligente e charmosa, mudava de nome e de casa com muita frequência, fazendo com que não fosse descoberta. Além disso, ela vivia em um mundo onde a mortalidade infantil nas classes operárias devia chegar a 50%.

Mas, depois de enforcada, sua notoriedade foi garantida. Um verso de uma canção foi publicado no jornal: "Mary Ann Cotton — she's dead and she's rotten".* E a notícia permaneceu meses nos jornais. Fizera aquilo somente por dinheiro? Ou havia forças ainda mais sombrias em cena? Era possível que aquilo acontecesse novamente? Por que demoraram tanto tempo para pegá-la? Seria possível envenenar alguém e sair impune?

◆

Os vitorianos eram fascinados pela figura da envenenadora que, exalando amabilidade e gentileza, oferece ao marido uma segunda colherada de açúcar para o chá, transformando-o em uma bebida letal. Os leitores sentiam uma mistura de fascinação, medo e exaltação por essa imagem da mulher fatal em seu sentido literal. Na verdade, mais de 90% dos condenados por homicídio de cônjuge no século XIX eram homens. Mas os homens tinham muito mais propensão a esfaquear ou estrangular suas esposas. A quantidade de esposas julgadas por usar o método mais indireto de assassinato, o envenenamento, foi duas vezes maior do que a de maridos.

Nem sempre o caso era óbvio e objetivo. O arsênico era abundante na vida cotidiana. Havia tinta com arsênico em brinquedos de criança, capas de livro infantil, papéis de parede e cortinas verdes; esteticistas usavam-no em produtos de beleza; ele era um ingrediente dos comprimidos para virilidade, pomadas para espinhas e cerveja barata. Como resultado, em casos de morte repentina, os toxicologistas tinham de ser melindrosos em relação à quantidade de arsênico em um cadáver, de modo a evitar indiciar alguém por homicídio incorretamente.

---

* Mary Ann Cotton, ela está morta e putrefata. [N. do T.]

112 A ANATOMIA DO CRIME

Há anos fabricantes usam uma variedade de substâncias venenosas em seus produtos, às vezes ignorantes de seus efeitos, às vezes almejando que todas as pessoas permaneçam ignorantes. No início do século XX, o trabalho de dois médicos de Nova York teria implicações duradouras para corporações negligentes assim como para aspirantes a assassinos.

Em 1918, Charles Norris montou o primeiro sistema de atuação do legista do mundo quando se tornou o primeiro médico-legista chefe da cidade de Nova York, responsável por investigar os corpos de pessoas que morriam de forma não natural e suspeita. Antes disso, a patologia forense tinha sido exclusividade de "legistas eleitos", geralmente barbeiros, agentes funerários sem qualificação ou coisa pior. O historiador especializado em ciência forense Jurgen Thornwald registrou "oito agentes funerários, sete políticos profissionais, seis agentes imobiliários, dois barbeiros, um açougueiro, um leiteiro [e] dois proprietários de bar que trabalharam como legistas eleitos em Nova York entre 1898 e 1915. O sistema era incompetente e corrupto. Mas hoje o médico-legista chefe e sua equipe têm de ser médicos bem como "patologistas e microscopistas qualificados".

Norris convocou Alexander Gettler e pediu que ele assumisse a patologia química e montasse o primeiro laboratório de toxicologia forense dos EUA. Gettler começou a inventar uma série de técnicas para revelar toxinas. Numa época em que envenenamentos devido à ingestão de bebidas alcoólicas ilegais estavam atingindo níveis epidêmicos, Gettler desenvolveu muitas maneiras novas de identificar os ingredientes ativos. Toda vez que se deparava com um caso envolvendo uma toxina desconhecida, ele comprava um pedaço de fígado no açougue ali perto, injetava a toxina nele e fazia experimentos até conseguir recuperá-la e identificá-la.

Ele estudou mais de 6 mil cérebros para conceber "a primeira escala científica de intoxicação". Depois de Gettler, os patologistas começaram a analisar tecido cerebral para identificar a presença de álcool em todas as mortes violentas e inexplicadas. Ele também inventou exames para identificar clorofórmio, monóxido de carbono, cianeto, sangue, sêmen, entre outras substâncias. Então, quando a própria ciência foi parar no banco dos réus, Norris e Gettler foram os peritos que podiam analisá-la minuciosamente.

◆

A história começa em Paris, em 1898, com a descoberta de Marie Curie de um trio de elementos radioativos — tório, polônio e rádio —, e a subsequente exploração de suas propriedades. Em 1904, os médicos começaram a usar sais de rádio para reduzir tumores cancerígenos, o que eles chamavam de "terapia do rádio". Ele foi visto como a nova substância milagrosa — água com rádio, refrigerante com rádio, cremes para o rosto com rádio, pó de arroz com rádio e sopas com rádio estavam em voga. O elemento brilhante aparecia em todos os outdoors; o rejuvenescedor de corpo e alma.

Parecia não haver nada melhor do que os raios benevolentes do rádio. A United States Radium Corporation chegou a usar tinta com rádio em relógios para que eles emitissem um leve brilho esverdeado. No fim da Primeira Guerra Mundial, relógios que brilhavam no escuro tomaram conta dos pulsos de fashionistas por todos os Estados Unidos, e a Radium Corporation lucrava horrores.

As pintoras de relógio na fábrica da Radium Corporation, em Orange, Nova Jersey, pintavam cerca de 250 relógios por dia. Os gerentes as instruíam a ser o mais cuidadosas que pudessem quando usassem a tinta cara, as ensinavam a deixar a ponta dos pincéis bem fina passando-as nos lábios. Eram em sua maioria jovens que, nos intervalos, costumavam pintar as unhas e fazer mexas no cabelo usando a tinta com rádio, e uma das garotas chegou a cobrir os dentes com ela para ficar com um sorriso assustador. (*Ver imagem 15 do encarte de fotos.*)

Porém, em 1924, as pintoras de Orange começaram a adoecer. Seus maxilares estavam apodrecendo. As moças perdiam a capacidade de andar porque seus quadris se deslocavam e os tornozelos rachavam. Elas se sentiam sempre cansadas devido aos baixos níveis de

114 A ANATOMIA DO CRIME

glóbulos vermelhos no sangue. Nove morreram. Preocupada com a repercussão no mercado, a Radium Corporation contratou um grupo de cientistas da Universidade de Harvard para investigar. Eles chegaram à conclusão de que as mortes estavam "ligadas" ao trabalho na fábrica. Nervosa, a diretoria ficou com tanto medo da implicação disso nos lucros que impediu a divulgação do relatório. Contudo, outro grupo de cientistas também realizou exames nas trabalhadoras.

O patologista forense Harrison Martland leu o relatório deles e se empenhou a investigar mais. Martland era um ativista fervoroso em prol da segurança no local de trabalho e publicou uma pesquisa que mostrava que a nitroglicerina estava envenenando os trabalhadores em fábricas de explosivos, e que o berílio, usado na jovem indústria de eletrônicos, podia causar doenças pulmonares fatais. Criaram-se regulamentações sobre o uso dessas duas substâncias químicas logo depois da publicação desses trabalhos. (*Ver imagem 16 do encarte de fotos.*)

Martland estudou o corpo de trabalhadoras da Orange vivas e mortas havia pouco tempo e publicou suas conclusões em 1925. O elemento rádio é estruturalmente relacionado ao cálcio, explicou ele. Quando é ingerido, o corpo o trata como cálcio: parte é metabolizada, parte é enviada aos nervos e músculos, e grande quantidade fica depositada nos ossos. Porém, em oposição ao cálcio, que fortalece os ossos, o rádio os bombardeia com radiação, destruindo a medula no centro deles, criando buracos minúsculos que vão aumentando com o tempo.

Naquele ano, um pequeno grupo de ex-funcionárias deu um passo corajoso e processou a Radium Corporation. Foram necessários três anos de disputa legal para que as "Garotas do Rádio" — apelido que a imprensa não demorou a lhes dar — conseguissem a data de início do julgamento.

Nesse meio-tempo, Martland tinha pedido a Charles Norris, do Instituto Médico-Legal de Nova York, para reunir provas para o julgamento. Juntos, eles decidiram exumar o corpo da ex-pintora de relógios Amelia Maggia, que havia morrido aos 25 anos. Em seu último ano de trabalho, ela tinha perdido peso e sofrido dores nas juntas. No ano seguinte, seu maxilar começou a lascar e precisou ser removido quase todo. Em setembro de 1923, ela morreu de "estomatite ulcerativa", segundo o legista.

Norris pediu a Alexander Gettler que analisasse os ossos de Amelia, inclusive o crânio, os pés e a tíbia. A equipe de Gettler os ferveu por três horas em uma solução de carbonato de sódio. Em seguida, serraram os maiores em partes de 5 centímetros. Gettler levou os ossos para uma câmara escura que continha filmes de raio-x. Ele apoiou bem os ossos nos filmes de raio-x e fez o mesmo com ossos de outro cadáver que constituiriam o grupo de controle. Quando Gettler voltou para ver os resultados dez dias depois, os filmes de raio-x com os ossos de Amelia Maggia tinham uma quantidade enorme de manchas esbranquiçadas e os do grupo de controle não tinham nada. Ele publicou os resultados de seu experimento.

Enquanto a ação judicial se arrastava, as condições das Garotas do Rádio deterioravam. Os nomes de duas delas eram Quinta e Albina Maggia, irmãs de Amelia. Quinta fraturou o quadril e Albina não conseguia sair da cama, além de, a essa altura, haver uma diferença de 10 centímetros entre suas pernas. Outra mulher, Katherine Schaub, tinha esperança de gastar o dinheiro do processo com rosas para o próprio funeral.

Os advogados de defesa da empresa tentaram enrolar ainda mais as coisas, com o argumento de que as mulheres não podiam processar a fábrica porque não trabalhavam mais lá. Mas a promotoria valeu-se da pesquisa de Martland e Gettler e argumentou que, enquanto toxinas tradicionais como o arsênico e o mercúrio envenenam as pessoas durante um período, o rádio permanece no corpo para sempre. Quando as Garotas do Rádio expiravam, todas as cinco exalavam gás radônio.

O tribunal rejeitou a petição e prosseguiu com o julgamento. Isso levou à decisão final: estabeleceram o pagamento de uma indenização de 10 mil em dinheiro a cada uma das mulheres, pensões anuais

116 A ANATOMIA DO CRIME

e plano de saúde vitalício. Foi uma indenização baixa. Pelo menos duas delas estavam mortas depois de um ano.

Deborah Blum conta a triste história das Garotas do Rádio em seu livro *The Poisoner's Handbook* [O manual do envenenador] (2010). A demora em punir os empregadores e prover as vítimas com algum tipo de justiça atesta o problema moderno de envenenamento de trabalhadores da indústria. James C. Whorton, autor de *The Arsenic Century* [O século do arsênico] (2010), escreveu: "Como aconteceu com velas, papéis e tecidos contendo arsênio, outros artigos chegaram ao mercado antes de seus perigos serem identificados, garantindo assim que qualquer tentativa de restringir o seu uso fosse repelida pelos fabricantes [...] e combatida ou ignorada por políticos ideologicamente contrários à interferência do governo [...]."

O laboratório de toxicologia forense de Gettler se tornou um modelo para outros. O empenho conjunto de cientistas foi diminuindo a lista de toxinas não identificáveis até não sobrar praticamente nenhuma. Porém, apesar do uso de veneno como arma ter decrescido e as condições de trabalho para operários da indústria terem melhorado em países desenvolvidos, o número de pessoas prejudicadas pelas "drogas de abuso" — heroína, cocaína, metanfetamina — continua grande. Essa é a área com que toxicologistas forenses têm se envolvido de forma mais expressiva atualmente.

◆

Robert Forrest é professor honorário de Química Forense na Universidade de Sheffield e a principal autoridade em toxicologia forense no Reino Unido. Sua trajetória até a ciência forense começou quando abriu uma clínica de serviços de toxicologia em Sheffield, onde agrupou uma série de equipamentos de alta tecnologia para prestar serviços de análise de primeiríssima qualidade. Além dos serviços que já faziam, Robert e sua equipe começaram a analisar amostras *post mortem* devido a uma avalanche de mortes causadas pela substituta da heroína, a metadona.

TOXICOLOGIA 117

Então, o legista da região entrou em contato com Robert e perguntou se ele poderia ajudar na investigação. "E aquilo, é claro, daria um dinheirinho, então comecei a trabalhar nessa área e a coisa foi crescendo a partir daí", conta ele. O serviço era novo e difícil, e Robert foi ficando cada vez melhor. Como a maioria das toxinas não geram diferenças visíveis nos tecidos corporais, mesmo sob o microscópio, Robert precisava fazer testes químicos em amostras de sangue, urina, órgãos, cabelo e, mais recentemente, nas unhas do pé, enviadas pelo patologista.

Às vezes, o envenenamento por metadona é mais crônico do que agudo e Robert consegue revelar isso a partir do cabelo da vítima, que cresce aproximadamente 1 centímetro por mês. Robert corta uma amostra de cabelo em segmentos de 1 centímetro e analisa cada um deles, conseguindo assim uma cronologia da ingestão de droga. A técnica é útil na triagem de drogas e também naquilo que é conhecido como agressão facilitada pelo uso de droga. "Ela é útil em casos em que uma prostituta precisa que o filho fique quieto enquanto ela entretém clientes. Para isso, ela dá à criança um pouquinho de metadona, mas um dia ela acaba dando demais. Em sua defesa, ela alega que outra pessoa deve ter dado a droga à criança, mas aí encontramos no cabelo uma quantidade grande de metadona ingerida num período de vários meses, o que destrói esse argumento."

Entretanto, esse não é um método infalível. Por exemplo, cabelo claro retém drogas com menos eficiência do que cabelo escuro, porque contém menos melanina. E tratamentos cosméticos, como tingimento e alisamento, tendem a remover vestígios de drogas. Ainda assim, o cabelo é útil como indicador da presença de droga, sobretudo porque ele permanece estável após a morte.

Algo que ficou claro para Robert com o tempo foi que as concentrações de drogas mudam significativamente após a morte na maioria das outras partes do corpo. "A interpretação dos resultados não é nem um pouco óbvia", admite ele. O consenso científico era de que "sangue vivo" gera os mesmos resultados toxicológicos que sangue

118   A ANATOMIA DO CRIME

post mortem. "Hoje em dia sabemos que isso não é verdade. Precisamos analisá-lo com muita cautela. É muito, muito difícil."

A quantidade de toxina e o local onde ela pode ser encontrada depende de como foi consumida. Se inalada, estará predominantemente nos pulmões. Se injetada de forma intramuscular, predominantemente a concentração nos músculos ao redor do local da injeção vai ser maior; se a injeção foi intravenosa, tudo estará no sangue e haverá pouquíssima quantidade ou nada no estômago e fígado. No caso de ter sido engolida, ela estará principalmente no estômago, intestino e fígado. Robert explica: "A amostra-padrão retirada *post mortem* é de sangue. Infelizmente, é isso que acontece, e percebo com muita frequência que, no sul do Reino Unido, os patologistas costumam não usar o conteúdo do estômago com regularidade, e esse conteúdo pode ser extremamente útil." Parece que na toxicologia, assim como em muitos aspectos da vida britânica, persiste uma divisão entre o norte e o sul.

◆

Às vezes, a toxicologia é mais do que só a identificação de substâncias estranhas no corpo. Ela pode ajudar a reconstituir as circunstâncias que envolveram uma morte suspeita. Os interesses morais são altos quando uma pessoa pode ter sido morta pelo funcionário de uma instituição pública; mais altos ainda se o trabalho dele é cuidar dos doentes e debilitados.

A irmã Jessie McTavish, uma enfermeira de 33 anos, trabalhava em uma ala geriátrica no Hospital Ruchill, em Glasgow. No dia 12 de maio de 1973, ela assistiu a um episódio da série de TV americana *Têmpera de aço*, no qual os parentes de pacientes idosos pagavam uma enfermeira para assassiná-los com uma injeção letal. No dia seguinte, ela conversou com alguns colegas e um deles mencionou que envenenamento por insulina não deixava vestígio algum. Três semanas depois do episódio, pacientes na ala de Jessie começaram a morrer inesperadamente; só em junho, cinco mortes foram registradas.

TOXICOLOGIA   119

No dia 1º de julho, a sexta paciente, Elizabeth Lyon, de 80 anos, morreu inesperadamente. O médico que atestou a morte dela foi quem começou a ficar desconfiado. Ele conversou com pacientes da ala de Jessie e uma delas tinha pavor da enfermeira. Jessie havia lhe dado uma injeção que a fez se "sentir péssima". Quando questionada, a enfermeira respondeu que a seringa continha água esterilizada, um placebo. Outros integrantes da equipe revelaram que Jessie tinha o costume de dar injeções nos pacientes sem registrá-las no prontuário. Testemunhas ouviram-na comentar com um visitante que estava sendo chamada de "Enfermeira Burke e Hare"* no necrotério, por causa da quantidade de mortes recentes em sua ala.

McTavish foi suspensa e acusada de injetar medicamentos não prescritos por um médico em mais três pacientes, um dos quais morreu. Na época, a tecnologia para mensurar a insulina no corpo não era muito desenvolvida. Ainda assim, o toxicologista confirmou que o tecido de ambos os braços de Elizabeth Lyons tinha marcas de agulha com insulina em excesso.

A enfermeira foi a julgamento em junho de 1974, sendo condenada pelo homicídio de Elizabeth Lyon e por agressão a três outros pacientes com injeções ilegais. Um grupo de enfermeiros e médicos forneceu provas contra ela. Uma enfermeira relatou ter encontrado três frascos de insulina em uma sala na ala de McTavish, ainda que não houvesse prescrição de insulina para nenhum dos pacientes dali. Outra enfermeira testemunhou que Jessie falou: "Eles podem desenterrar os corpos que não vão encontrar nenhum vestígio de insulina." Ela foi condenada à prisão perpétua.

Cinco meses depois do julgamento, McTavish recorreu. Seu advogado argumentou que o primeiro juiz, Lord Robinson, havia manipulado o júri ao não contar que Jessie tinha, na verdade, se negado a responder à acusação de homicídio da maneira como o inspetor a acusou de responder. O inspetor não havia gravado a resposta de Jessie, mas falou no julgamento que ela tinha dito "Dei meio centímetro

---

* Dupla de serial killers irlandeses que agiu na Escócia nos anos 1820. [*N. do T.*]

120 A ANATOMIA DO CRIME

cúbico de insulina solúvel para a sra. Lyon por causa dos problemas de intestino dela e porque ela queria que eu acabasse com sua dor e seu sofrimento". Jessie negou ter dito aquilo e alegou que só havia mencionado injeções de água esterilizada. Ela argumentou que o inspetor disse que, se ela admitisse ter injetado insulina, teria apenas de pagar "uma multa de 5 libras no tribunal de pequenas causas". Os juízes que analisaram a apelação concordaram que Lord Robinson havia manipulado o júri e anulou o veredito e a sentença do caso de McTavish.

O nome de McTavish foi retirado do Registro de Enfermeiras da Escócia. Ela se casou pouco tempo depois e, em 1984, foi reintegrada ao Registro Profissional do Conselho Central de Enfermagem, Obstetrícia e Assistência Social do Reino Unido com o nome de casada.

A condenação de Jessie McTavish foi anulada. Jamais houve a menor possibilidade de isso acontecer no caso de um infame médico que tinha o hábito de injetar morfina em seus pacientes e redigir ele mesmo seus atestados de óbito.

Harold Frederick Shipman (conhecido como "Fred") nasceu em 1946 e morava em um conjunto habitacional em Nottingham. Ele era um garoto inteligente e foi tão bem nas provas depois do ensino fundamental, que ganhou uma bolsa para a escola pública de excelência acadêmica, a High Pavement. A mãe de Fred sempre se achou muito superior aos vizinhos e criou Fred para se sentir superior, o que fazia com que ele fosse excluído pelos colegas. Ele era devotado à mãe e ficou arrasado quando o câncer de pulmão a fez definhar lenta e dolorosamente. À tarde, o médico injetava morfina nela para aliviar a dor na presença de Fred, e nessas ocasiões ele ficava observando a mãe imergir naquele estado de sossego. Ela morreu em 1963, quando Fred tinha 17 anos.

Em seu primeiro ano na faculdade de medicina da Universidade de Leeds, em 1965, ele conheceu Primrose Oxtoby, uma vitrinista de 16 anos, com quem se casou três meses antes do nascimento da filha

TOXICOLOGIA   121

deles. Embora ainda fosse estudante, recém-casado e pai de primeira viagem, Shipman ficou viciado em petidina, um analgésico usado principalmente no parto. Fazia parte do ensino encorajar os alunos a experimentar drogas diferentes em grupos de quatro, dois tomavam a droga e os outros dois monitoravam os efeitos — e provavelmente foi assim que se viciou.

Shipman falsificou receitas para petidina durante anos até, por fim, ter problemas sérios nas veias. Depois de fazer tratamento psiquiátrico para o vício, parou de tomar o medicamento em 1975. Aparentava ser um homem de família normal de classe média, com quatro filhos e uma esposa devotada. Seus pacientes o consideravam um bom médico, mas alguns colegas o achavam arrogante e arredio. No entanto, era bem-quisto nas comunidades em que trabalhava, primeiro em Todmorden, Yorkshire, a partir de 1974, e depois, a partir de 1977, em Hyde, Lancashire.

Mas a verdade era que Shipman era o exato oposto do bom médico de família. Por vinte e cinco anos, ele assassinou, em média, um paciente por mês. Normalmente, ele visitava mulheres idosas que moravam sozinhas, injetava nelas uma dose letal de morfina, as deixava sentadas numa poltrona ou num sofá, totalmente vestidas, e colocava o aquecedor no máximo. No dia seguinte, o médico retornava, declarava que estavam mortas e registrava que o falecimento tinha acontecido em um momento muito posterior ao da sua primeira visita. Ele conseguia fazer isso porque o calor do cômodo mantinha os corpos quentes, o que distorcia a prova relativa ao resfriamento do corpo. Ele estabelecia como causa da morte insuficiência cardíaca ou idade avançada, e não havia necessidade de autópsia porque ele as tinha examinado havia pouco tempo.

Em 1998, alguns moradores de Hyde começaram a ficar desconfiados. Um taxista que atendia senhoras idosas com frequência teve a impressão de que elas morriam pouco depois de terem se consultado com o dr. Shipman. Linda Reynolds, uma clínica-geral que trabalhava na região, notou que os pacientes dele morriam com uma

122   A ANATOMIA DO CRIME

frequência três vezes maior do que os dela. Shipman percebeu que estava sendo observado. Ele se certificou de que suas próximas vítimas fossem mulheres católicas, que certamente seriam enterradas, em vez de queimadas, porque, antes de um corpo ser cremado, dois médicos tinham de examiná-lo para garantir que não havia nada suspeito que requeresse autópsia.

Sua última vítima foi Kathleen Grundy, de 81 anos, uma ex-prefeita de Hyde. A mulher tinha, segundo o próprio Shipman, "uma saúde de ferro" quando ele foi à sua casa no dia 24 de junho para colher sangue para um exame. No dia seguinte, como ela não compareceu a uma associação que promovia almoço para idosos, dois amigos a encontraram deitada no sofá da sala, morta. Eles ligaram para a polícia, que informou a Shipman. Ele foi à casa de Grundy, examinou-a rapidamente e assinou o atestado de óbito, no qual declarou "idade avançada". Shipman também falsificou o prontuário, no qual inseriu a observação de que ela andava abusando de codeína, um medicamento para tosse que se transforma em morfina após a morte, porque ele sabia que exames de toxicologia provavelmente encontrariam morfina.

Ela foi enterrada, conforme seu desejo. Porém, o testamento deixava todo o patrimônio dela, 380 mil libras, para Harold Frederick Shipman. O documento afirmava: "Deixo todo o meu patrimônio, dinheiro e minha casa para o meu médico. Minha família não passa por necessidades e quero recompensá-lo por todo o cuidado que teve comigo e com as pessoas de Hyde." Quando a filha de Kathleen viu o testamento, achou "inconcebível" a mãe tê-lo escrito. Ela alertou a polícia, que ordenou a exumação e autópsia do corpo. Nesse meio-tempo, investigadores encontraram uma impressão digital de Shipman no testamento e o ligou a uma velha e surrada máquina de escrever da Brother que ele tinha em seu escritório. (*Ver imagem 17 no encarte de fotos.*)

Kathleen foi exumada no dia 1º de agosto, seis semanas após o funeral. O patologista forense dr. John Rutherford realizou a autópsia,

TOXICOLOGIA 123

mas não conseguiu identificar a causa da morte. Ele enviou o músculo da coxa esquerda e uma amostra do fígado para a toxicologista forense Julie Evans. O músculo da coxa tem o tecido com maior concentração de fibras musculares formadas por células que tendem a se dividir menos, o que faz dele um bom local para investigar a presença de veneno. Julie Evans examinou a coxa e o fígado usando espectrometria de massa, que produz um gráfico mostrando os níveis de diferentes produtos químicos na amostra. No dia 2 de setembro, ela afirmou que Kathleen Grundy havia morrido devido a uma dose fatal de morfina.

Morfina é a heroína médica, um analgésico forte e altamente viciante, e é prescrito com frequência para pacientes em estágios finais de doenças terminais. Shipman vinha estocando-a com o uso de receitas falsas e pegando-a secretamente de pacientes com câncer já mortos. A droga age no sistema nervoso central, aliviando a dor e induzindo ao sossego. Se ela é injetada na veia, a respiração diminui no mesmo instante, seguida de perda de consciência e morte — morte rápida e indolor. Ainda assim, trata-se de tirar violentamente a vida de uma pessoa.

Sabendo que a morfina permanece no corpo muito tempo depois da morte, o legista ordenou a exumação dos onze últimos pacientes de Shipman. Todos continham quantidades letais de morfina. Shipman foi preso e levado a julgamento no dia 4 de outubro de 1999, acusado por quinze assassinatos e pela falsificação do testamento de Kathleen Grundy. O médico foi condenado à prisão perpétua, mas em 2004 ele amarrou um lençol nas grades da janela da cela e se enforcou.

A investigação do caso de Shipman, presidido pela juíza do Tribunal Superior Janet Smith, examinou as mortes de todos os pacientes que ele tratou durante a carreira — 887 no total. O relatório final de Smith em 2005 estimou que Shipman provavelmente assassinou 210 pacientes, com a possibilidade de ter matado mais 45, fazendo dele o assassino mais prolífico já condenado. Embora a maior parte de seus pacientes tenha sido idosos, havia uma "suspeita muito substancial" de que ele matou um paciente de 4 anos. O fato de não o terem pega-

124 A ANATOMIA DO CRIME

do antes causou revolta na população e um exame de consciência em meio à comunidade médica e forense.

Como Fred Shipman tornou-se esse monstro tão calculista? E por quê? Até Kathleen Grundy, Shipman nunca tinha matado com interesse financeiro. Provavelmente nunca vamos descobrir as respostas para essas perguntas: ele levou todas as suas motivações conscientes para o túmulo e mentiu sobre suas condutas assassinas até o fim.

Talvez ele tenha sido influenciado pelo dr. John Bodkin Adams, acusado em 1957 de usar morfina para assassinar 160 de seus pacientes saudáveis em Eastbourne, Sussex. (Apesar de ter sido absolvido, nos últimos anos houve uma tendência na direção da conclusão de que ele provavelmente era culpado.) Entretanto, psicólogos propõem que as tardes em que Shipman passava observando os tranquilizantes efeitos da morfina em sua mãe sejam um dos fatores. Robert Forrest, que escreveu vários artigos sobre assassinos do sistema de saúde, sustenta que médicos são um grupo pertencente a uma parcela da sociedade e "não têm uma moralidade especial". Algumas razões comuns para se trabalhar com saúde incluem curiosidade intelectual, altruísmo, a promessa de status social e segurança financeira. Robert estimou que aproximadamente 1 em 1 milhão entra na área devido a sentimentos mais sombrios, "com uma psicologia mais abertamente perturbada, em que o criminoso está em busca de emoções ou até mesmo que seja efetivamente psicótico". Para alguém como Shipman, "ser capaz de manipular e controlar pacientes até o ponto de matá-los é interessante". Dada a arrogância que demonstrou aos policiais que o interrogaram nos dias após a prisão, dada a crença dele de que tinha o direito de assassinar secretamente quem quisesse, parece que Shipman gostava de exercer o poder de vida e morte e achou que poderia brincar de Deus para sempre.

◆

TOXICOLOGIA   125

Felizmente, a maioria dos possíveis assassinos não têm acesso ao mesmo arsenal de drogas que profissionais da área médica. Além disso, hoje em dia é pouco provável que usem venenos metálicos como o arsênico porque são facilmente identificáveis pelos toxicologistas. Seus venenos prediletos são à base de plantas, e eles às vezes os aplicam de forma quase que inacreditável. Como escritora, fui inspirada pelo Jardim Venenoso, no castelo de Alnwick, para criar um serial killer cuja fascinação por vegetais venenosos acabou sendo fatal para várias vítimas.

Porém, mais estranho do que qualquer coisa que eu pudesse ter inventado é o caso de Georgi Markov. No dia 7 de setembro de 1978, Markov aguardava em um ponto de ônibus na Waterloo Bridge, em Londres, quando sentiu uma dor forte na parte de trás da coxa direita. Markov era um escritor búlgaro que havia desertado para o Ocidente capitalista em 1969. Ele aguardava o ônibus que o levaria para o trabalho na BBC World Service, onde apresentava programas satirizando o regime comunista da Bulgária. Markov virou a cabeça, viu um homem pegar um guarda-chuva no chão, entrar num táxi e desaparecer. Ele achou que havia sido picado por uma vespa ou abelha. Quando chegou ao escritório, notou um carocinho vermelho na perna. Mais tarde, à noite, a perna inflamou e ele teve febre. Na manhã seguinte, uma ambulância o levou para o hospital. Os médicos tiraram um raio X de sua perna, mas não encontraram nada. Apesar das grandes doses de antibióticos, Markov morreu quatro dias depois.

O legista achou que poderia ser envenenamento e solicitou uma autópsia. O patologista, Rufus Crompton, descobriu que quase todos os órgãos de Markov estavam lesionados, e confirmou que ele havia morrido devido a um envenenamento sanguíneo agudo. Ele também encontrou uma bolinha do tamanho da cabeça de um alfinete debaixo da pele da coxa de Markov, com dois buracos minúsculos.

Crompton encaminhou a bolinha e o tecido ao redor dela para o toxicologista David Gall, que fez testes, mas não conseguiu identificar o veneno. No entanto, com base na sequência dos sintomas de

126 A ANATOMIA DO CRIME

Markov, ele imaginou que a bola podia conter ricina, uma substância extraída da semente da mamona — quinhentas vezes mais poderosa do que o cianeto. Crompton se lembrou dos experimentos com cachorros de Mathieu Orfila e decidiu injetar ricina em um porco. "Ele teve exatamente os mesmos sintomas", apontou. "Morreu da mesma forma. Amostras de seu sangue continham uma taxa alta de glóbulos brancos que nenhum outro veneno produz."

Se a ricina for engolida, os sintomas são terríveis, mas não levam à morte. Mas se injetada, ou inalada, ou absorvida pelas membranas mucosas, uma dose do tamanho de alguns grãos de sal mata um homem adulto. Ela inibe a síntese proteica das células, causando sua morte, e lesões em todos os órgãos. Os sintomas surgem apenas depois de algumas horas e incluem febre alta, convulsões, diarreia forte, dores no peito, dificuldade de respiração e edema. O que resulta em morte de três a cinco dias depois — não existe antídoto. Ele se tornou um dos favoritos dos envenenadores porque, assim como o arsênico, seus sintomas simulam morte por causas naturais.

No caso de Markov, Crompton achou que alguém tinha perfurado a bolinha, inserido alguns grãos de ricina e a fechado com uma capa açucarada feita para derreter a 37 graus, a temperatura do corpo humano. Para disparar o projétil, o assassino devia ter usado um mecanismo que funcionava como uma espingarda de ar comprimido e que poderia se parecer com um guarda-chuva. Houve um atentado similar, com o mesmo tipo de projétil, contra a vida de outro desertor búlgaro, dessa vez em Paris, dez dias antes de Markov ser atingido, mas a vítima sobreviveu porque a capa do projétil não derreteu completamente.

Como houve duas tentativas anteriores de matar Markov, a polícia suspeitava que seu assassinato tenha sido orquestrado pela polícia secreta da Bulgária, provavelmente com ajuda da KGB russa. Em 1990, Oleg Gordievski, um agente duplo, alegou que forneceu o veneno e fabricou a arma em formato de guarda-chuva. A União Soviética caiu em 1991 e, no ano seguinte, o ex-chefe do serviço de inteligência

TOXICOLOGIA 127

búlgaro destruiu um arquivo de dez volumes com detalhes sobre assassinatos ordenados pelo regime. É provável que quem tenha matado Markov permaneça um mistério para sempre.

◆

Cidadãos comuns tendem a fazer uso de suas plantas venenosas preferidas de formas menos elaboradas. Em 2008, em Feltham, na parte oeste de Londres, Lakhvinder Cheema terminou um relacionamento de dezesseis anos com a amante Lakhvir Singh, que tinha três filhos. Cheema, cujo apelido era "Lucky", tinha começado a namorar uma mulher com a metade de sua idade. Lakhvir ficou arrasada. Lucky anunciou que se casaria com a moça no Dia dos Namorados. Lakhvir decidiu que preferia matá-lo a sofrer a angústia perpétua de saber que ele estava com outra mulher, então foi passar um mês em Bengala, no sopé do Himalaia, e voltou com veneno extraído do acônito, uma planta de belas flores, também conhecida como acônito indiano, considerada a planta mais mortífera do mundo. (Aliás, em *Harry Potter e o enigma do Príncipe*, de J. K. Rowling, o professor Snape usa o mata-cão — outra palavra para acônito — para impedir que Remo Lupin se transforme em lobisomem.) (*Ver imagem 18 no encarte de fotos.*)

No dia 26 de janeiro de 2009, duas semanas antes da data agendada para o casamento, Lakhvir Singh entrou na casa de Lucky em Feltham, pegou um pote com sobras de curry na geladeira e o batizou com acônito. Lucky e a noiva jantaram o curry no dia seguinte. Ele achou tão gostoso que repetiu. Pouco depois, os dois começaram a vomitar. A noiva relembra o que aconteceu em seguida: "Lucky me falou: 'Não estou me sentindo muito bem. Meu rosto está dormente, encosto nele e não sinto nada.'" Depois, começou a perder o movimento dos braços e das pernas. Ele conseguiu ligar para a emergência e disse ao atendente que achava que a ex-namorada tinha envenenado sua comida. Eles foram levados às pressas para o hospital, onde Lucky morreu.

128   A ANATOMIA DO CRIME

O acônito faz o coração e outros órgãos pararem de funcionar. Após vômitos intensos, a vítima tem a sensação de formigamento por todo o corpo; em seguida, deixa de sentir os membros, a respiração fica cada vez mais lenta, o batimento cardíaco enfraquece, atrapalhando o ritmo cardíaco. Mas a pessoa permanece consciente. Puseram a noiva de Lucky em coma induzido por dois dias, período em que a toxicologista Denise Stanworth tentou identificar o veneno. Robert Forrest explica: "Felizmente, Denise tinha material *post mortem* suficiente para analisar. Foi somente quando começou a procurar venenos vegetais exóticos que ela encontrou acônito. Deram à mulher uma dose de digitalina, o que normalizou seu ritmo cardíaco, e ela foi melhorando, até se recuperar totalmente."

Quando a polícia revistou o apartamento de Lakhvir Singh, encontrou dois pacotes com um pó marrom contendo acônito num casaco e numa bolsa. Ela alegou que era um medicamento para tratar de uma irritação no pescoço, mas foi condenada por homicídio e sentenciada a 23 anos de prisão.

◆

Às vezes, os toxicologistas se deparam com venenos antes de eles terem entrado no corpo. A perita em incêndios Niamh Nic Daéid, que conhecemos no capítulo 2, também é analista química especializada em explosivos e drogas. Quando ela deseja saber se há presença de cocaína em alguma coisa, primeiramente usa um teste de cor que fornece respostas do tipo sim ou não. "Nós enfiamos em um tubinho, balançamos junto com um reagente e, se ficar azul, tem cocaína." Em seguida, Niamh emprega técnicas mais sofisticadas como cromatografia gasosa para descobrir a concentração da droga.

Quando uma pesquisadora da Tailândia se encontrou com Niamh, ela explicou que países mais pobres não têm como arcar com os custos dessa segunda bateria de exames. Então Niamh se deu conta de que as pessoas estavam sendo presas com base no exame da cor somente, sem levar em conta a concentração da droga. Portanto, criou com sua equipe uma solução mais barata. "Você tira uma foto da cor com um smartphone e, em seguida, depois de calibrar a câmera, usa-se a cor para dar um percentual estimado da droga presente na amostra. Como a foto é tirada com um smartphone, a imagem tem uma coordenada de GPS anexada a ela, por isso é possível transmitir sua localização. Estamos trabalhando com as Nações Unidas para criar um mapa global em tempo real de locais em que amostras de drogas são apreendidas. Boa parte do trabalho da ciência forense na linha de frente que faz a diferença na cena global não exige o uso de tecnologia complicada. Ela, na verdade, pode ser uma solução muito simples para um problema." O teste Pantone para identificar concentração de cocaína pode não ser o que Mathieu Orfila tinha em mente dois séculos atrás, porém não consigo deixar de pensar que ele gostaria de ver a simplicidade científica.

SEIS

IMPRESSÕES DIGITAIS

"E deu a Moisés [...] as duas tábuas do testemunho, placas de pedra escritas pelo dedo de Deus."

Êxodo, 31:18

O princípio norteador da ciência forense, como formulado por Edmond Locard no início do século passado, é que "todo contato deixa marcas". No entanto, a não ser que saibamos analisar, categorizar e entender essas marcas, elas não têm muita utilidade quando a questão é capturar criminosos. Em paralelo às constantes descobertas dos cientistas, o avanço da arte da detecção também foi acontecendo. E a técnica de identificação de impressões digitais foi uma ferramenta para levar criminosos à justiça que, além de pioneira, ficou famosíssima.

A ciência forense não começou com a técnica da identificação de impressões digitais, mas ela capturou a imaginação das pessoas como nenhum outro avanço. E por ser muito fácil de compreender, os tribunais a acolheram de imediato. No início dos anos 1900, os cidadãos cumpridores da lei se apaixonaram pela ideia de que um ladrão silencioso que encostasse naquilo que não lhe pertencesse poderia ser identificado de maneira igualmente silenciosa; que um assassino que tirou uma vida com um objeto contundente poderia ir

IMPRESSÕES DIGITAIS   131

para a forca graças ao padrão de desenho na ponta de seu mindinho; que um momento de descuido de um criminoso o levaria inevitavelmente à condenação graças ao formato único de um amontoado de sulcos e curvas.

Um dos primeiros europeus a compreender a ideia de individualidade das impressões digitais foi um jovem chamado William Herschel. Em 1853, ele saiu da Inglaterra de navio para trabalhar na Companhia Britânica das Índias Orientais, instituição que dominava grandes territórios da Índia. Quatro anos depois, uma controvérsia sobre o uso de gordura animal usado para impermeabilizar as munições levou um grupo de soldados indianos da companhia a se amotinar contra seus comandantes britânicos. A rebelião seguinte — conhecida como Revolta dos Cipaios — se espalhou pelo país, levando a uma violência generalizada que se viu brutalmente contida por parte das forças britânicas. Quando a poeira baixou, a Companhia Britânica das Índias Orientais foi forçada a entregar seus territórios para a Coroa britânica, e muitos funcionários foram transferidos para a Administração Pública indiana. Herschel ficou responsável por uma região rural em Bengala.

A brutalidade da rebelião deixou os ânimos exaltados e muitos cidadãos indianos estavam determinados a dificultar ao máximo a vida dos senhores britânicos. Eles deixavam de trabalhar, de pagar impostos e de cultivar as fazendas britânicas.

Herschel, um jovem ambicioso de 25 anos, não deixaria a agitação civil impedir que deixasse sua marca. Uma das primeiras ações que fez em sua nova função foi a construção de uma estrada. Ele firmou um contrato com Konai, um sujeito da região, para que ele fornecesse equipamento ao projeto. E então fez algo muito esquisito.

"Passei uma tinta caseira feita com óleo que eu usava para selar as correspondências oficiais na palma da mão e nos dedos de Konai, pressionei a mão inteira na parte de trás do contrato, e fizemos a análise juntos, usando uma boa e zombeteira dose de quiromancia, comparando a palma dele com a minha." Quando Herschel imprimiu a mão de Konai, não estava pensando em identificação, mas em uma

132 A ANATOMIA DO CRIME

espécie de seguro — "em amedrontá-lo a ponto de sequer pensar em contestar sua assinatura".

Embora rara e, em 1861, ilegal, Herschel pode ter concebido a ideia da impressão da mão a partir da prática hindu chamada *sati*, na qual a viúva era queimada viva na pira funerária do cadáver do marido. Enquanto ela passava pelo "Portão Sati" a caminho da morte, a mulher condenada mergulhava a mão na tintura vermelha e a colocava no Portão. A pedra ao redor da impressão era em seguida entalhada para que ficasse destacada em baixo-relevo.

Vinte anos depois, Herschel foi designado magistrado em Hooghly, próximo a Calcutá, onde ficou responsável pelos tribunais, pela prisão e pelas pensões. Nós temos o costume de achar que fraude em benefícios sociais é algo moderno, mas Herschel já estava ciente dela 140 anos atrás. Ele organizou um sistema de coleta de impressões digitais dos pensionistas de modo que, quando morressem, outras pessoas não conseguissem receber as pensões de maneira fraudulenta. Ele também recolhia as impressões das pessoas quando elas eram presas, para impedir que criminosos condenados pagassem a outras pessoas para cumprirem suas sentenças.

◆

A ideia de ser capaz de identificar formal e categoricamente criminosos ganhava força em várias jurisdições. Quase que na mesma época em que Herschel desenvolvia seu sistema, um assistente de delegacia em Paris chamado Alphonse Bertillon estava sucumbindo ao volume de pessoas que eram presas. Ele tentou identificá-las de forma sistemática usando antropometria, a ciência da medição de humanos. Para isso, escolheu onze medidas corporais, entre elas a largura da cabeça e a distância entre o cotovelo e o dedo médio. Bertillon estabeleceu que a probabilidade de duas pessoas terem as onze medidas iguais era de 1 em 286 milhões. Ele registrava as medidas individuais em fichas, e no meio dos cartões colava duas fotografias do rosto —

uma de frente e outra de perfil. Foi assim que nasceu a "mug shot" (fotografia tirada da pessoa quando ela é presa).

Ao mesmo tempo que isso acontecia, em algum lugar perto de Tóquio, um médico missionário escocês começou a fazer experimentos com impressões digitais. Henry Faulds notou que oleiros anciões marcavam seus potes com as impressões dos dedos. Ele também descobriu que impressões sutis se tornavam visíveis quando salpicadas com pó e usou a técnica para inocentar um homem acusado de roubo. Quando Faulds mostrou as similaridades das impressões digitais do verdadeiro ladrão com as na vidraça da casa assaltada, o sujeito cedeu e confessou. Como resultado de suas observações, Faulds desenvolveu um método de classificação de impressões digitais baseado nas impressões de todos os dez dedos. Ele tentou convencer a Scotland Yard a criar um departamento de impressões digitais que usasse o seu método, mas sua proposta foi rejeitada. (*Ver imagem 19 no encarte de fotos.*)

Henry Faulds, sem se deixar intimidar, escreveu para Charles Darwin, detalhando seu método baseado em impressões digitais. Darwin ficou intrigado com a ideia, mas achou que se tratava de um trabalho para uma pessoa mais jovem e o passou para seu primo, Francis Galton, que, durante dez anos, estudou impressões digitais e escreveu o primeiro livro sobre o assunto: *Finger Prints* [Impressões digitais] (1892), em que classifica oito padrões básicos de arcos, voltas e espirais de impressões digitais. Além disso, demonstrou que todos os dedos humanos se encaixam em uma dessas categorias de forma única e individual.

Depois de ler um artigo de Galton, um policial croata chamado Juan Vucetich começou a coletar as impressões digitais de homens presos em Buenos Aires, na Argentina. Ele desenvolveu o próprio sistema de classificação, que chamou de "datiloscopia" — e que muitos países que têm o espanhol como língua oficial usam até hoje. Além de ser usado em processos criminais, ele logo foi adotado pelo governo argentino como forma de verificação nas identidades internas.

O sistema de Vucetich logo se deparou com um caso exigente e perturbador. No dia 29 de junho de 1892, os corpos de Teresa Rojas,

134   A ANATOMIA DO CRIME

de 4 anos, e de seu irmão, Ponciano, de 6, foram encontrados em casa, em um vilarejo próximo a Buenos Aires. Os dois foram brutalmente assassinados. A mãe, Francisca, estava viva, mas tinha um corte na garganta.

Francisca contou à polícia que o vizinho, Pedro Velázquez, tinha invadido a casa, assassinado as crianças e tentado lhe cortar a garganta. A polícia passou uma semana torturando Velázquez, mas ele não cedeu, e tinha um álibi: havia saído com um grupo de amigos e estivera fora no horário em que os assassinatos foram cometidos.

Frustrado sem uma confissão, o inspetor Alvarez retornou à casa. Dessa vez, notou uma mancha marrom no umbral e achou que poderia ser uma impressão digital. Ele retirou a parte da madeira com a mancha de sangue e a levou, junto com as impressões digitais que haviam colhido de Velázquez, para Juan Vucetich, que tinha acabado de abrir uma agência de impressões digitais em Buenos Aires.

Vucetich afirmou que as impressões não eram compatíveis com as do umbral da porta. Depois ele colheu as impressões de Francisca Rojas. Eram idênticas. Diante da prova condenatória da impressão digital no sangue, a mãe confessou ter assassinado os dois filhos, cortado a própria garganta para dar credibilidade à história e acusado um homem inocente. Ela queria aumentar as chances de se casar com o namorado, que não gostava de crianças. Em vez de se casar, foi a primeira pessoa condenada por um crime com base em prova gerada com impressão digital. Pegou prisão perpétua.

Após o caso de Rojas, a Argentina abandonou o sistema antropométrico e começou a organizar os registros criminais somente com impressões digitais. Pouco depois, outros países passaram a seguir esse exemplo. No ano seguinte, Edward Henry, o chefe da polícia de Bengala, acrescentou a impressão digital de polegares aos registros criminais antropométricos. Embora as impressões digitais venham sendo usadas oficialmente em questões civis de Bengala desde que William Herschel apresentara o sistema quarenta anos antes, a polícia não o tinha aproveitado. Trabalhando com o policial indiano Azizul Haque, Henry aperfeiçoou o sistema de Galton para produzir um

IMPRESSÕES DIGITAIS   135

que permitisse aos investigadores usar características físicas de uma impressão digital para criar um número de referência único. Esses números foram então usados para arquivar as digitais em um dos 1.024 escaninhos no centro de operações da polícia: quando recolhiam uma digital nova, suas características eram codificadas e o arquivo no escaninho era conferido para ver se já tinha sido classificada. Em 1897, o "Sistema de Classificação de Henry" foi adotado em toda a Índia.

Em 1901, Henry foi transferido para Londres, onde ficaria responsável pelo Departamento de Investigações Criminais da Scotland Yard. A primeira coisa que fez foi criar um Departamento de Impressões Digitais para cadastrar as identidades dos criminosos na esperança de que isso acabasse com o caso dos reincidentes. Antes que houvesse um sistema de cadastro de identidades confiável, era uma prática comum os criminosos de carreira esquivarem-se de sentenças mais rígidas inventando pseudônimos e fingindo não ter antecedentes criminais quando, na verdade, eram reincidentes. Só no primeiro ano de funcionamento, o departamento descobriu os pseudônimos de 632 criminosos já autuados.

◆

Como geralmente acontece com práticas desconhecidas, é necessário um caso extraordinário para firmar uma técnica forense nova na consciência do público. Às impressões digitais foi dada mais atenção no mundo forense quatro anos depois, em 1905. Em uma manhã de domingo no fim de março, William Jones, de 16 anos, apareceu para trabalhar na Chapman's Oil and Colour Shop, na High Street de Deptford em Londres. O garoto ficou surpreso pelo fato de que, embora fossem 8h30, a loja de tintas estava fechada. O gerente e sua esposa moravam no andar de cima e geralmente abriam para os clientes que iam cedo ao estabelecimento, às 7h30. William ficou preocupado; achou que eles podiam estar doentes, como tinham 71 e 65 anos, isso parecia plausível. William bateu à porta, mas ninguém atendeu, então o jovem forçou a porta com o ombro. Ela resistiu. O rapaz ficou

136   A ANATOMIA DO CRIME

na ponta dos pés e olhou por uma fresta na persiana. No fundo da loja, perto da lareira, viu uma poltrona caída de lado.

Apreensivo, ele foi correndo chamar um amigo. Eles voltaram depressa e, juntos, arrombaram a porta. Thomas Farrow estava caído debaixo da cadeira revirada, com a cabeça arrebentada e o sangue escorrido se encontrando com as cinzas da lareira. Durante a autópsia subsequente, o patologista informou que Thomas tinha sido atingido seis vezes na cabeça e no rosto, provavelmente com um pé de cabra.

O sargento Albert Atkinson foi o primeiro policial a chegar ao local e quem encontrou Ann Farrow na cama no andar de cima, cruelmente espancada e inconsciente, mas ainda lutando para viver. Atkinson viu um mealheiro aberto no chão ao lado da cama dos Farrow. William explicou que o sr. Farrow costumava levar o mealheiro ao banco às segundas-feiras para depositar a receita semanal da loja, que era de aproximadamente 10 libras.

Melville Macnaghten, o sucessor de Edward Henry na chefia do Departamento de Investigações Criminais, assumiu o caso. Em seu primeiro dia na Scotland Yard, em 1889, o novo chefe de Macnaghten passou para ele os detalhes do caso não solucionado de Jack, o Estripador, ocorrido um ano antes. Macnaghten deixava fotos daquelas vítimas mutiladas em sua mesa, para não se esquecer de dar o seu máximo. Ainda assim, como qualquer detetive experiente, possuía casos sem solução no currículo. Apenas três dias depois de ter se juntado ao Departamento de Investigações Criminais, Macnaghten se pegou catando pedaços de uma mulher desmembrada ao longo da margem de um rio. O assassino jamais foi encontrado e o caso ficou conhecido como "Mistério do Tâmisa".

Macnaghten estava determinado a solucionar o homicídio brutal de Thomas Farrow. O crime chocara moradores da região. Deptford era um bairro degradado e muito populoso. Doenças e crimes faziam parte do cotidiano. Mas assassinatos a sangue-frio eram raros.

Como o casal de idosos havia sido encontrado de pijama e o patologista estimou que Thomas Farrow tinha morrido não muito tempo antes de William descobrir o corpo, a polícia acreditava que tinham enganado Thomas e o convencido a abrir a porta de manhã cedo. Especularam que o assaltante o teria atacado imediatamente, em seguida corrido ao andar de cima para procurar o mealheiro. Detetives encontraram uma poça de sangue no alto da escada e presumiram que Thomas tinha conseguido de alguma maneira ir atrás do agressor até o andar de cima, onde a esposa estava desprotegida. Chegaram à conclusão de que o assaltante, de modo insensível, o liquidou, silenciou a mulher com completa desumanidade, roubou o dinheiro e fugiu.

Macnaghten examinou o mealheiro minuciosamente e encontrou uma impressão digital oleosa na parte de baixo da bandeja interna. Ele o pegou com um lenço, embrulhou com papel e levou para o Departamento de Impressões Digitais. Sabia que estava arriscando fazer papel de ridículo porque, embora a impressão digital tivesse servido como prova para prender o ladrão Harry Jackson em 1902, ela ainda era deslegitimada como uma espécie de quiromancia. Nem todo mundo tinha se convencido da eficácia do método. Depois de ouvir o veredito de culpado, uma pessoa que assinou como "Magistrado Indignado" escreveu uma carta para o *The Times*: "A Scotland Yard, outrora conhecida como a melhor organização policial do mundo, será motivo de chacota na Europa se insistir em tentar localizar criminosos utilizando sulcos aleatórios na pele deles." (*Ver imagem 20 no encarte de fotos*.)

Charles Collins, chefe do Departamento de Impressões Digitais, examinou a bandeja com uma lupa e pelo tamanho da digital e a inclinação dos sulcos concluiu que se tratava da digital do polegar direito de uma mão suada. Ele também ficou satisfeito por ver diferenças significativas ao compará-la com as digitais do sargento Atkins e com as dos Farrow, que também havia recolhido. Essas diferenças reforçariam o caso contra um suspeito cuja digital do polegar fosse compatível com a encontrada na bandeja.

Embora o departamento tivesse somente quatro anos, ele já havia acumulado noventa mil impressões digitais, arquivadas em seu enorme escaninho. Collins olhou no compartimento em que a digital deveria estar arquivada, mas não encontrou nenhuma compatibilidade.

138   A ANATOMIA DO CRIME

O próximo golpe na investigação aconteceu cinco dias depois, quando Ann Farrow morreu em decorrência de seus ferimentos. Macnaghten tinha esperança de que ela retomasse a consciência e descrevesse o agressor.

Então descobriram algo revelador, do tipo que às vezes entra no caminho dos detetives graças à mídia. Um leiteiro leu sobre os homicídios no jornal, foi à polícia, disse que tinha visto dois jovens saindo da Oil and Colour Shop às 7h15 e gritou para avisar que a porta estava entreaberta. Um deles se virou e disse: "Ah, num quero nem saber", antes de os dois irem embora a pé. O leiteiro descreveu a aparência dos dois. Um tinha bigode escuro e estava de terno azul e chapéu-coco, o outro, de terno marrom e gorro.

Então outra testemunha ocular, um pintor, foi à polícia e contou por que William Jones tinha encontrado a porta trancada. O pintor tinha visto um homem idoso com sangue no rosto fechando a porta às 7h30. Macnaghten concluiu que Thomas Farrow havia, de alguma maneira, sobrevivido a uma segunda surra no alto da escada, e, em um estado delirante, tinha cambaleado escada abaixo e fechado a porta, antes de ir para os fundos da loja e finalmente sucumbir aos ferimentos.

Uma terceira testemunha ocular deu seu depoimento: uma mulher que tinha visto dois homens parecidos com aqueles descritos pelo leiteiro correndo pela High Street de Deptford às 7h20. Melhor ainda para a polícia: ela reconheceu um deles. O homem de terno marrom, disse ela, era Alfred Stratton, de 22 anos. As descrições do outro homem levavam a crer que seu companheiro era o irmão de Alfred, de 20 anos, Albert. Quando a polícia foi interrogar a namorada de Alfred, ela admitiu que, no dia anterior aos assassinatos, Alfred não tinha dinheiro suficiente para comprar comida, mas que, no dia seguinte, ele tinha voltado com pão, bacon, lenha e carvão. Isso foi o suficiente para Macnaghten. Os irmãos Stratton foram presos uma semana depois do assassinato de Thomas Farrow.

Todavia, a má sorte da investigação persistia. Nem o leiteiro nem seu assistente conseguiram apontar os irmãos Stratton em uma fila de identificação de suspeitos. Os irmãos eram cheios de gracinha, faziam piada e disseram que sentiram cócegas quando Charles Collins tirou as impressões digitais deles.

Mas quem riu por último foi Collins. Ao examinar as impressões digitais, ele descobriu que a impressão no mealheiro era compatível com a do polegar de Alfred Stratton.

Ainda assim, a promotoria tinha um grande desafio pela frente. Uma marquinha de suor de pouco mais de 2 centímetros seria capaz de persuadir o júri? Havia muitas coisas envolvidas nesse caso: a condenação de uma dupla de assassinos a sangue-frio; a restauração da reputação da Scotland Yard, muito deteriorada pelos assassinatos de Jack, o Estripador; e a aceitação de impressões digitais como provas-chave. Tanto Macnaghten como o chefe da Polícia Metropolitana, Edward Henry, sabiam o quanto estava em jogo.

Ironicamente, Henry Faulds, que havia voltado do Japão, aceitou testemunhar para a defesa. Ele tinha suas querelas pessoais. Para começar, a Scotland Yard rejeitara a sugestão que fizera para criarem um departamento de impressões digitais. Depois, instauraram um processo baseado no sistema de Henry e se recusaram a reconhecer seu papel no desenvolvimento da história das impressões digitais. Faulds estava disposto a alegar que não haviam feito pesquisas suficientes para provar que a impressão digital de um dedo podia identificar um indivíduo de maneira inquestionável.

Charles Collins subiu ao banco das testemunhas com várias fotografias ampliadas debaixo do braço. Ele mostrou ao júri a mancha recolhida no mealheiro, em seguida as nítidas impressões digitais dos Farrow e do sargento Atkinson. O júri não precisou de muita explicação para ver que as impressões eram diferentes umas das outras. Em seguida, Collins mostrou a impressão digital do polegar de Alfred Stratton. A similaridade era óbvia. Collins destacou onze pontos de similaridade. Os jurados ficaram hipnotizados.

Quando a defesa interrogou Collins, ele afirmou de forma convincente que jamais duas impressões deixadas pelo mesmo dedo eram exatamente iguais, devido às diferenças de pressão e ângulo de contato. Isso foi o melhor que podia ter acontecido, porque, quando o espe-

140 A ANATOMIA DO CRIME

cialista em impressões digitais da defesa, John Garson, testemunhou, ele depreciou os onze pontos de similaridade de Collins. As distâncias entre os pontos eram levemente menores em algumas e maiores em outras, disse ele. E as linhas tinham curvas um pouco diferentes quando chegavam às pontas. (*Ver imagem 21 no encarte de fotos.*)

O notável promotor Richard Muir começou a interrogar Garson, colocando duas cartas em frente a ele. Ambas haviam sido escritas pelo próprio Garson na mesma data. Mandara uma para os advogados de Stratton, se oferecendo para testemunhar para eles. A outra era para o diretor da Promotoria Pública, e a proposta era a mesma. Muir estava, assim, insinuando que Garson era um mercenário disposto a vender seus serviços a quem fizesse a melhor oferta. Em sua defesa, Garson respondeu: "Sou uma testemunha independente." O juiz rebateu severamente: "Uma testemunha absolutamente indigna de confiança." Garson desceu do banco das testemunhas com sua credibilidade despedaçada.

Henry Faulds seria o próximo a testemunhar. Estava pronto para revelar seu ponto de vista devastador de que, depois de comparar milhares de impressões digitais, ele não podia afirmar com certeza absoluta que uma impressão digital pertencia a uma única pessoa no planeta. Mas a defesa entrou em pânico e temeu que Muir o destruísse, assim como fez com Garson. Faulds não testemunhou.

Depois de deliberar durante duas horas, o júri decidiu e o veredito foi: culpados. No dia 23 de maio de 1905, dezenove dias após o início do julgamento, os irmãos Stratton foram para a forca. O sistema judicial britânico tinha dado um passo na direção de um mundo totalmente novo no que se dizia respeito a provas científicas.

◆

Em 1905, havia departamentos de impressões digitais na Índia, no Reino Unido, na Hungria, na Áustria, na Alemanha, na Suíça, na Dinamarca, na Espanha, na Argentina, nos EUA e no Canadá, mas elas só tinham sido usadas como prova de culpa em Buenos Aires e

IMPRESSÕES DIGITAIS 141

Londres. O caso dos Stratton demonstrou o quanto esse vestígio podia ser poderoso. Em 1906, um ano após o julgamento determinante, outros quatro homens britânicos foram a julgamento com base em impressões digitais deixadas nas cenas dos crimes. No mesmo ano, o Departamento de Polícia de Nova York levou as impressões digitais para os departamentos de polícia espalhados pelos EUA.

O sistema de classificação e identificação de similaridades de impressões digitais de Edward Henry permaneceu essencialmente intocado, até que os computadores levaram ao sistema de identificação automática de impressões digitas nos anos 1980, alterando, por consequência, o trabalho do analista de impressões digitais.

Em primeiro lugar, um analista de impressão digital precisa entender aquilo para o que está olhando. A ponta dos nossos dedos possui padrões intrincados de elevações e depressões. Se cobrirmos uma dessas pontas com tinta e a pressionarmos em um pedaço de papel, a marca resultante é instantaneamente reconhecível como a icônica imagem de uma impressão digital. Nossas impressões digitais fazem parte de nós antes mesmo do nascimento: elas surgem aproximadamente na décima terceira semana de gravidez, quando o feto mede apenas 8 centímetros. Quando uma das três camadas de tecido que compõem a pele do feto — a camada basal — começa a crescer com um ritmo maior do que a outras duas, sulcos se formam para corrigir as tensões resultantes, "como massas de terra que se dobram sob compressão". Se as pontas dos dedos fossem planas, a pressão na pele seria igual e os sulcos, paralelos. Mas, como elas são inclinadas, os sulcos se formam em linhas de igual tensão, muito frequentemente em círculos concêntricos. Esses sulcos também aparecem na palma das mãos e na sola dos pés. Outros primatas também os têm, e biólogos evolucionistas acreditam que elas existam por motivos importantes: ajudam a nossa pele a esticar e deformar, evitando que surjam ferimentos; criam depressões pelas quais o suor pode escorrer, deixando nossas mãos menos escorregadias quando seguramos as coisas; e nos dão mais contato (e, portanto, mais aderência) com superfícies ásperas como a casca de uma árvore.

142 A ANATOMIA DO CRIME

Quando encostamos em uma superfície com o dedo, os sulcos deixam o seu desenho único nela. Até as impressões digitais de gêmeos idênticos são diferentes. Em todos esses anos que temos usado a impressão digital, ninguém jamais encontrou dois desenhos absolutamente idênticos em dedos diferentes.

◆

Identificar as pessoas pelas marcas que elas deixam é algo muito simples em um ambiente doméstico. Essas pequenas pegadas enlameadas foram deixadas pela criança que se esqueceu de tirar o sapato sujo. As menores são do cachorro. Porém, deduções como essas são feitas a partir de um pequeno número de culpados, e as impressões que mencionamos são patentes — visíveis a olho nu. Impressões invisíveis, latentes, são muito mais complicadas. Substâncias como suor, lama, sangue e poeira podem produzir impressões tanto patentes quanto latentes. Quanto mais absorvente ou irregular a superfície, mais difícil é para o perito conseguir uma boa impressão. Embora antigamente fosse impossível recolher impressões digitais de sacolas plásticas e pele humana, as tecnologias foram aprimoradas e hoje há formas de se fazer isso.

Peritos usam vários métodos para recolher impressões digitais em uma sequência lógica, começando pela menos destruída. A ordem das ações está estipulada no *Manual for Fingerprint Development* [Manual de análise de impressões digitais], do Ministério do Interior. Primeiro, o perito examina as superfícies em busca de impressões patentes, como a de sangue no umbral da casa de Rojas, e, se necessário, as fotografa. Depois, passa lasers e luz ultravioleta na superfície para iluminar marcas latentes, tornando-as, com isso, fotografáveis. Se a iluminação especial não funcionar, ele passa delicadamente um pó escuro em cima da marca, tira uma foto e, em seguida, pressiona uma fita adesiva sobre ela. Depois a fita é retirada e colada em um cartão branco. Essa é a forma clássica de Henry Faulds recolher

IMPRESSÕES DIGITAIS   143

impressões digitais no local de um crime e ainda é o método mais usado. Se uma impressão teima em permanecer invisível ou se está em uma superfície mais porosa, o perito pode usar uma gama de substâncias químicas que reagem com o sal e os aminoácidos do suor humano para torná-la visível.

As fotografias e os cartões são então levados para um analista de impressão digital, que decide se eles contêm sulcos detalhados o bastante para que a identificação seja possível. Se a impressão não estiver muito manchada ou incompleta, o profissional a compara com as impressões digitais de neutros — isto é, de pessoas que tinham todo o direito de estar lá e que não são suspeitas —, inclusive vítimas e policiais, antes de verificar as digitais de potenciais suspeitos. Esse processo é inevitavelmente subjetivo. Se o analista julga que nenhuma é compatível, ele escaneia a impressão e a codifica em um padrão geométrico. Em seguida, faz uma busca automática usando um banco de dados nacional como o IDENT1, do Reino Unido, que contém as digitais de 8 milhões de pessoas.

O IDENT1 é o equivalente moderno dos pequenos escaninhos que serviam de arquivo na época de Edward Henry. Os bancos de dados tanto do IDENT1 quanto do FBI usam uma versão levemente modificada do sistema de classificação e identificação de Henry. Um programa de computador faz uma série de perguntas à impressão digital, como, por exemplo, "quantas espirais você tem?". Cada resposta recebe um valor numérico — "duas espirais" são dois pontos. Os valores são combinados para atribuir um código à digital. O IDENT1 então compara esse código com os 8 milhões registrados e fornece ao analista aproximadamente dez digitais que mais se aproximam deste.

A partir disso, ele deve julgar se alguma delas é compatível. Uma vez mais, trata-se de um processo subjetivo. Assim que encontra uma similaridade no padrão geral de sulcos, ele se concentra em minúsculos pontos de diferenciação chamados de "minúcias", que incluem locais em que os sulcos começam, terminam e se juntam; aqueles em que se tornam independentes, e outros em que pequenas pontes são formadas entre dois outros sulcos.

144   A ANATOMIA DO CRIME

Em 1901, quando a Scotland Yard criou o Departamento de Impressões Digitais, analistas como Charles Collins precisavam encontrar pelo menos doze minúcias compatíveis para que pudessem testemunhar em um tribunal inglês e afirmar que uma digital pertencia a alguém. Em 1924, esse número aumentou para dezesseis pontos, mais alto do que na maioria dos países. Nessa época, a maior parte dos especialistas em impressões digitais achava que oito eram o suficiente. Se um analista encontrava de oito a quinze pontos, avisava à polícia, porque isso podia indicar uma pista valiosa. Porém, em 1953, todas as forças policiais do Reino Unido tinham adotado o padrão de dezesseis pontos.

Desde o caso dos irmãos Stratton, a credibilidade nas impressões digitais foi crescendo cada vez mais entre civis, profissionais do judiciário e forças policiais no mundo. E para muitas pessoas, inclusive especialistas, ela tem uma áurea de absoluta infalibilidade. Como Jim Fraser escreve em *Forensic Science* [Ciência forense] (2010): "Na visão da maioria dos peritos papiloscopistas, a identificação de um indivíduo por intermédio de impressões digitais pode ser feita inequivocamente, isto é, com 100% de precisão."

Quando uma impressão é nítida, as chances de um analista se equivocar são praticamente inexistentes. Mas, quando uma impressão está borrada, coberta por outras marcas, ou é feita com sangue, um analista pode enxergar pontos compatíveis que outros não veem. Um caso em 1997 testou a natureza subjetiva de impressões digitais até o limite. No dia 6 de janeiro, o corpo de Marion Ross foi encontrado em casa, na cidade de Kilmarnock, Escócia. Ela tinha sido vítima de agressão: os ferimentos incluíam várias facadas e costelas quebradas, e ela tinha até uma tesoura cravada em sua garganta. Os peritos começaram a coletar os vestígios, encontraram mais de duzentas impressões digitais latentes na casa de Marion e enviaram-nas ao Departamento de Registros Criminais escocês para que as comparassem com as dos neutros — paramédicos, médicos, policiais.

IMPRESSÕES DIGITAIS 145

A marca de dedo que se tornou o olho de um furacão foi a de um polegar esquerdo no umbral da porta do banheiro. Embora estivesse muito borrada, um analista de impressões digitais disse com toda a certeza que ela pertencia à detetive Shirley McKie, de 35 anos, que supostamente tinha ficado do lado de fora da casa para preservar a cena enquanto investigadores recolhiam vestígios lá dentro. A policial só poderia ter encostado na porta se tivesse deixado seu posto, o que configuraria falta grave.

Policiais são muito bem treinados em relação a como devem lidar com uma cena de crime; peritos sempre usam luvas a fim de não danificar os vestígios sensíveis deixados por criminosos. Devido à gravidade do caso, três outros especialistas do Departamento de Registros Criminais analisaram a impressão digital do polegar e confirmaram que ela pertencia a McKie. Parecia que a detetive tinha de fato deixado o seu posto.

Enquanto isso, o principal suspeito pelo homicídio era David Asbury. Investigadores haviam encontrado marcas do dedo dele na casa de Marion, bem como as dela em uma caixa de lata na casa dele. Asbury explicou que tinha trabalhado na casa de Marion, por isso suas impressões digitais estavam lá. Contudo, os investigadores acharam que aquilo já era prova o bastante para prendê-lo.

No julgamento de Asbury, McKie testemunhou e afirmou que em momento algum havia entrado na casa de Marion Ross, então a impressão digital do polegar não tinha como ser dela. Todos os outros 54 policiais que trabalharam na cena do crime corroboraram a afirmação dela. Mesmo assim, McKie foi suspensa da Polícia de Strathclyde e, por fim, demitida.

Mas esse não foi o fim de seu pesadelo. Certa manhã do ano de 1998, Shirley McKie foi presa. Ela teve de se vestir sob o olhar atento de uma policial. Foi levada para a delegacia onde seu pai, Iain McKie, tinha sido comandante, e foi revistada nua e trancada em uma cela. Ela soube que estava sendo acusada de perjúrio, crime que podia lhe render até oito anos de prisão. A longa e ilustre carreira policial de seu pai o deixara convencido da integridade da impressão digital.

146 A ANATOMIA DO CRIME

Era mais fácil acreditar que a própria filha estava mentindo do que duvidar dos especialistas. "Pessoas foram enforcadas por causa de digitais assim", ele a lembrou.

Em maio de 1999, McKie foi levada a julgamento no Tribunal Superior. Dois especialistas americanos que haviam analisado a impressão digital afirmaram que não era dela. Um deles disse que levou "segundos" para ver as diferenças "óbvias". Com base nessa prova, o júri declarou McKie inocente. A condenação de David Asbury também foi anulada em agosto de 2002, no tribunal em Edimburgo, devido à defeituosa impressão digital usada como prova. Ele tinha passado três anos e meio na prisão.

Depois que declararam a inocência de Shirley McKie, o Departamento de Registros Criminais escocês e quatro policiais da Polícia de Strathclyde foram acusados de conduta inadequada. McKie em seguida moveu uma ação indenizatória e em 2006 recebeu uma indenização de 750 mil libras.

Porém, a essa altura ela tinha perdido o emprego que adorava, passado anos trabalhando em uma loja de presentes e tido uma depressão profunda. Iain McKie começou a viajar o mundo fazendo campanhas para garantir o uso de apenas provas de qualidade fornecidas por peritos tribunais e alertar as pessoas sobre posicionamentos arraigados dos especialistas em impressões digitais.

Em 2001, o padrão de dezesseis pontos foi descartado na Inglaterra e no País de Gales em parte devido ao fiasco do caso McKie-Asbury, e em parte devido ao fato de ele não ser realmente um padrão. Às vezes, quando peritos papiloscopistas encontravam quatorze pontos, procuravam mais dois para poderem confirmar a "compatibilidade". Eles procuravam mais similaridades do que diferenças, e isso é bem perigoso. Depois que descartaram os dezesseis pontos, não estabeleceram mais nenhum padrão numérico. Mesmo assim, outros especialistas muito raramente questionam decisões individuais de analistas de impressões digitais.

Catherine Tweedy é uma das poucas pessoas vivas hoje cujo trabalho é contestar analistas de digitais. À primeira impressão, ela

IMPRESSÕES DIGITAIS 147

é como aqueles professores que as crianças adoram porque tiram o melhor delas — interessada, incentivadora, instruída. Mas cinco minutos em sua companhia revelam outra coisa: uma inteligência aguçada devotada ao argumento brutalmente lógico e uma paixão por sempre estar certa. Ela fez uma variedade de cursos de impressão digital no Reino Unido e no exterior, um deles o "Impressões digitais latentes avançado", da Polícia de Miami, na Flórida. Atualmente trabalha em uma consultoria forense em Durham, e atua em maior parte como perita em defesa, exercendo a conferência de um percentual das impressões digitais feitas no Reino Unido — apesar de ser um percentual menor do que o que ela gostaria. "Faço isso desde meados dos anos 1990", diz ela, "e entrei nesse ramo como cientista. Eu arranco os cabelos com a alegação que as pessoas vivem fazendo de que se trata de uma ciência absolutamente infalível. Não tem nada de científico. É uma comparação". A retórica que sustenta o uso da impressão digital como prova sempre teve o tom científico. Porém, há vinte anos Catherine Tweedy tenta lembrar as pessoas de que seguir em frente em uma estrada na direção da certeza não é a mesma coisa que alcançá-la, e que dar marcha à ré também é possível.

Em 2006, ano em que McKie ganhou a ação, a Escócia fez o mesmo que a Inglaterra e o País de Gales e descartou o padrão de dezesseis pontos. Em 2011, publicaram o resultado de um inquérito sobre o fiasco McKie-Asbury. Ele alegava que os equívocos de identificação foram "erro humano", e não uma conduta inadequada da Polícia de Strathclyde. Recomendava ainda que provas de impressão digital deviam, a partir de então, ser consideradas "opinião", e não um fato, e, desse modo, deveriam ser tratadas nos tribunais imparcialmente.

Mas essa mensagem não surtiu um efeito multiplicador em todos os analistas de impressões digitais, diz Catherine Tweedy. "Eles não estão sendo treinados para pensar que uma opinião é uma opinião. Quando você é treinado para enxergar as coisas como fatos, é extremamente difícil voltar atrás e entender que há nuances de incerteza.

148 A ANATOMIA DO CRIME

Não é possível ter 100% de certeza em muitos casos porque só se consegue uma parte da impressão digital."

Mesmo quando a impressão digital é corretamente atribuída a um indivíduo, às vezes os investigadores podem cometer equívocos quando tentam decifrar o significado disso. Em um de seus primeiros casos, Catherine se deparou com Jamie, um garoto de 14 anos acusado de roubar uma casa na Irlanda do Norte. As digitais dele foram encontradas em um peitoril no banheiro. Quando conversou com o garoto, ele disse que nunca tinha pisado na casa. Catherine entrou na residência e viu por que aquilo poderia ser verdade. A casa era uma imundície que dificultava qualquer tipo de análise detalhada. Assim que viu a impressão digital da mão, soube na hora que ela era compatível com a de Jamie. Mas se alguém tivesse entrado ou saído pela janela do banheiro, teria deixado pegadas na banheira ou na pia, assim como bagunçado o lixo debaixo do peitoril. E não havia sinal algum disso.

A equipe de peritos forense não tinha entrado nos outros cômodos nem olhado nas duas portas externas. Catherine fez sua própria averiguação e não encontrou mais nenhum indício que o ligasse ao interior da casa.

Motivada pelo trabalho de Catherine, a equipe de defesa de Jamie descobriu que os proprietários da residência invadida haviam, impiedosamente, expulsado a filha de casa e a mandado para a rua no aniversário de 16 anos. Ela ficou com amigos durante algumas semanas. Depois, ao ficar sabendo que os pais haviam saído para fazer compras, ela passou em casa e, com sua chave, entrou pela porta da frente, pegou seu rádio, seu cofrinho, algumas roupas e algumas fitas de videocassete.

Quando os pais chegaram à casa, perceberam que algumas coisas tinham desaparecido e ligaram para a polícia, informando sobre o roubo. A investigação tinha começado e terminado com a palma da mão no banheiro. Nenhuma outra pergunta foi feita. Quando Catherine Tweedy interrogou os amigos de Jamie, eles disseram que costumavam brincar de um jogo chamado Piratas atrás da casa. Piratas

IMPRESSÕES DIGITAIS   149

é uma brincadeira parecida com pique-alto, em que os participantes não podem ser pegos se estiverem com os dois pés fora do chão. Jamie, ficou evidente, era um bom escalador. Sua melhor estratégia era subir no cano da calha e ficar dependurado com uma mão na janela do banheiro. Sem a tenacidade de Catherine, a agilidade do garoto podia tê-lo levado à prisão.

◆

Algumas impressões digitais são recolhidas em contextos muito mais terríveis. No dia 11 de março de 2004, no auge da hora do rush, dez bombas explodiram simultaneamente em quatro trens de Madri, matando 191 pessoas e ferindo 1.800. O FBI suspeitou do envolvimento da Al-Qaeda.

A polícia espanhola achou alguns detonadores dentro de uma sacola de plástico que continha uma única marca de dedo incompleta. Eles a inseriram no banco de dados do FBI, que apontou vinte possíveis resultados. (*Ver imagem 22 no encarte de fotos*.)

Um deles era Brandon Mayfield, um advogado americano que morava e trabalhava no Oregon. Ele estava no banco de dados de impressões digitais do FBI porque tinha servido no Exército dos EUA. Porém, mais significativo em termos antiterroristas era o fato de ele ter se casado com uma egípcia e se convertido ao islamismo. Mayfield tinha defendido um dos integrantes do chamado Portland Seven — um grupo de homens que havia tentado ir para o Afeganistão lutar pelo Talibã —, embora em um caso de custódia infantil. Além disso, orava na mesma mesquita que eles.

O FBI decidiu, então, que Brandon Mayfield estava envolvido no atentado, mesmo que a impressão digital dele não fosse 100% compatível, o passaporte dele estivesse vencido e nenhuma prova de que ele tinha viajado para o exterior pouco tempo antes tivesse sido encontrada. Começaram a vigiar Brandon e sua família.

Apesar da insistência da polícia espanhola para que rejeitassem a impressão digital, os agentes do FBI grampearam o telefone de

150 A ANATOMIA DO CRIME

Mayfield, invadiram sua casa e seu escritório, analisaram documentos, movimentação financeira, investigaram seus computadores e o vigiaram. Quando Mayfield percebeu que estava sendo observado, entrou em pânico, então o FBI o prendeu para evitar que fugisse. Passaram-se duas longas e agonizantes semanas até que a polícia espanhola conseguisse encontrar a impressão digital do verdadeiro criminoso, um argelino chamado Ouhane Daoud.

Mayfield processou o governo dos EUA por detenção ilegal e, em 2006, recebeu uma indenização de 2 milhões de dólares.

◆

Depois, o FBI reconheceu que um dos problemas na condução do caso de Mayfield foi que os peritos em impressão digital erraram em não separar os estágios de análise e comparação do exame. Antes de qualquer coisa, o especialista deveria analisar detalhadamente a marca e descrever a maior quantidade de minúcias possível. E só então deveria examinar as digitais com possibilidade de serem compatíveis e fazer a comparação. Quando a análise e a comparação acontecem simultaneamente, os especialistas correm o risco de encontrar minúcias compatíveis porque estão procurando por elas. Na opinião de Itiel Dror, psicólogo cognitivo da Universidade de Londres: "A grande maioria de impressões digitais não são um problema; no entanto, se 1% é, isso significa milhares de erros todo ano."

Um experimento americano em 2006 mostrou que mesmo peritos papiloscopistas com muita experiência podem ser influenciados por informação contextual. Separaram seis impressões digitais que peritos já haviam analisado e mostraram-nas para eles de novo. Mas, dessa vez, deram a eles certos detalhes sobre o caso — que o suspeito estava sob custódia da polícia no momento em que o crime foi cometido, por exemplo, ou que o suspeito havia confessado o crime. Em 17% dessas análises secundárias, os especialistas mudaram suas decisões na direção sugerida pela informação. Em outras palavras, eles não conseguiram se separar do contexto e julgar de forma objetiva. A possibilidade desse tipo de condicionamento ocorrer no Reino Unido é menor, pois as divisões forenses são separadas dos outros departamentos na maioria das forças policiais.

Apesar das perguntas levantadas por especialistas como Catherine Tweedy, tribunais pelo mundo continuam a tratar a impressão digital como infalível e marcas de dedos isoladas ainda mandam pessoas para a cadeia. No famoso livro *The Forensic Casebook* [O livro de casos forenses] (2004), N. E. Genge afirma: "Os peritos não pensam em nenhum outro percentual que não seja cem e zero." Mas Christophe Champod, um perito suíço de identificação forense, preconiza que a impressão digital seja tratada em termos de probabilidades — sincronizando-a, assim, com outras disciplinas forenses — e que analistas deveriam ser livres para falar de compatibilidades prováveis ou possíveis. Ele também preconiza que a importância geral da impressão digital seja diminuída: "A prova baseada em impressão digital deveria ser fornecida por peritos apenas como corroborativa."

Se a ciência forense fosse uma família, a impressão digital seria o avô ganancioso, segurando-se com força à melhor poltrona, tentando exercer o monopólio dos julgamentos, sem se dar conta de que o tempo está sempre promovendo mudanças. Apenas quando o restante da família compreende que ele às vezes mistura pessoas, lugares e histórias engraçadas é que sua sabedoria passa a ser tratada com a devida cautela. A partir daí, sua contribuição para a família pode ser tratada como saudável e regrada.

SETE

MANCHAS DE SANGUE E DNA

"Poderá todo o grande oceano de Netuno lavar este sangue
E limpar minhas mãos? Não, estas mãos poderiam
Encarnar numerosos mares,
Tornando o verde, rubro."

Macbeth, ato II, cena II

Sangue. É a solução para a vida. Sem ele, morremos. É o fio que percorre a história, transferindo propriedade e poder de uma geração à seguinte. Desde o princípio dos tempos, o homem enxerga o sangue tanto como uma marca tribal quanto como um brasão individual. Em algumas sociedades, a herança passa não de pai para filho, mas do pai para o filho da irmã, afinal, é certo que o seu sobrinho por parte de irmã tem o mesmo sangue que o seu. Você tem certeza absoluta de que a avó dele foi sua mãe, mas não é possível ter certeza de que seus filhos têm o seu sangue.

O sangue é o coração da ficção policial desde sempre. Quando o dr. Watson põe os olhos em Sherlock Holmes pela primeira vez, o detetive está debruçado sobre uma mesa, aperfeiçoando um exame de hemoglobina. A lentidão de Watson para captar a genialidade do exame enfurece o detetive. "Porque, rapaz, esta é a mais útil descoberta da medicina legal em anos. Você não vê que ela nos dá um teste infalível de manchas de sangue. Venha aqui agora!" Então ele espeta o próprio dedo com uma agulha e usa a gota de sangue para mostrar como o exame funciona. "Muitos casos emperram continuamente neste ponto", declara ele. "Às vezes, um homem torna-se suspeito de um crime meses após ele ter sido cometido. As suas roupas são examinadas e nelas se encontram manchas pardacentas. São manchas de sangue, manchas de barro, manchas de ferrugem ou manchas de fruta? Eis uma questão que tem intrigado não só um perito. E por que será? Porque não existia nenhum teste confiável. Agora temos o teste Sherlock Holmes, e não haverá mais dificuldade alguma."

O próprio título do primeiro romance de Arthur Conan Doyle, *Um estudo em vermelho*, é extraído da aula que Holmes dá para Watson sobre o significado do trabalho de detetive. "Na meada incolor da vida, corre o fio vermelho do crime, e o nosso dever consiste em desenredá-lo, isolá-lo e expô-lo em toda a sua extensão." Quando, pouco depois, a dupla encontra um "fio vermelho" começando em uma casa vazia na Brixton Road, Watson quase passa mal diante da cena, o que parece absolutamente improvável, já que é um médico que serviu na Guerra Anglo-Afegã. Por outro lado, sou uma escritora cuja obra retrata carnificina e sangue e ainda assim fico nauseada com sangue.

Voltemos ao livro de Doyle. Um homem foi esfaqueado na lateral do corpo quando estava deitado na cama e a lâmina lhe tinha perfurado o coração. "Por debaixo da porta corria um fiozinho vermelho de sangue que serpenteava pelo corredor e formava uma pequena poça ao longo do rodapé do lado oposto." Dessa vez não há necessidade de usar o seu teste novo. Em vez disso, Holmes assimila todos os vestígios físicos na casa e ouve o relato de um policial sobre o assassino anônimo. "Ele deve ter ficado no cômodo um tempinho depois do assassinato, pois encontramos água suja de sangue numa bacia, onde lavou as mãos, e marcas no lençol em que cuidadosamente limpou a faca."

154　A ANATOMIA DO CRIME

A reconstrução de eventos passados a partir de sangue encontrado no local de um crime é conhecida como Análise dos Padrões de Manchas de Sangue. A imaginação de Conan Doyle não chegou nem perto daquilo que sangue espirrado pode contar aos especialistas modernos. Dois anos antes de *Um estudo em vermelho* ser publicado, Eduard Piotrowski, um assistente do Instituto de Medicina Legal da Polônia, deu os primeiros passos da disciplina ao escrever um artigo sobre a interpretação de manchas de sangue para explicar o decurso da ação violenta, *"Concerning the Origin, Shape, Direction and Distribution of the Bloodstains Following Head Wounds Caused by Blows"* [Sobre a origem, forma, direção e distribuição das manchas de sangue que se seguiram após ferimentos na cabeça causados por pancadas] (1895).

Piotrowski colocou um coelho em frente a uma parede de papel, golpeou sua cabeça com um machado e pediu a um artista para pintar o resultado ensanguentado. As ilustrações coloridas no papel são tão precisas quanto pavorosas. Ele espancou outros coelhos até a morte usando pedras e machadinhas, variando a posição e o ângulo do golpe para ver como isso afetava o formato e a posição das manchas de sangue. Não é possível saber como ele se sentia durante as experiências, mas no artigo ele expressou a nobreza do propósito: "É da mais alta importância para o campo das provas periciais dar total atenção às manchas de sangue encontradas na cena de um crime porque elas podem esclarecer um homicídio e fornecer uma explicação para os momentos fundamentais do incidente."

Entretanto, o trabalho pioneiro de Piotrowski recebeu pouca atenção até meados do século XX. Em um caso determinante de 1955, um médico galã chamado Samuel Sheppard foi condenado por espancar a esposa grávida até a morte no quarto da casa deles às margens do lago Erie, em Ohio. Ele afirmava que um "intruso de cabelo desgrenhado" tinha agredido sua esposa (e a si mesmo, já que estava com um ferimento na nuca muito difícil de ter sido causado pelo próprio).

No julgamento dele, e depois em um segundo julgamento em 1966, o cientista forense Paul Kirk, da Universidade da Califórnia,

MANCHAS DE SANGUE E DNA   155

em Berkeley, testemunhou pela defesa. "Quando uma arma atinge uma cabeça ensanguentada, o sangue espirra como os raios de uma roda, radialmente, em todas as direções." No julgamento, Kirk mostrou fotografias de uma área vazia da parede ao lado da cama, onde o assassino havia ficado em pé e espancado a sra. Sheppard. "Não há a menor sombra de dúvida", disse ele, "que o assassino ficou respingado de sangue e que alguma parte de sua roupa exposta ficou com manchas de sangue". Quando a polícia chegou à casa, Sheppard estava sem camisa e em estado de choque. A única mancha de sangue que encontraram nele foi no joelho de sua calça. Ele não se lembra de como acabou sem camisa. "Talvez o homem que vi precisasse de uma. Eu não sei." Mais tarde, encontraram uma camisa rasgada do tamanho de Sheppard perto da casa dele, sem nenhum respingo de sangue. O testemunho convincente de Kirk no segundo julgamento ajudou a anular a condenação de Sheppard. Depois de onze anos na prisão, ele foi solto. (*Ver imagem 23 no encarte de fotos.*)

Cinco anos depois, o governo dos EUA publicou o primeiro manual sobre análise de manchas de sangue. *Flight Characteristics and Stain Patterns of Human Blood* [Características do percurso e padrões de manchas do sangue humano] (1971). O manual e suas 64 fotografias mostravam aos peritos que manchas de sangue podiam revelar como e quando um golpe fatal tinha sido desferido, o tipo de arma usado, as prováveis manchas de sangue no assassino, se o assassino também tinha sangrado, se a vítima foi movimentada depois de morta, ou se a própria vítima se mexeu antes de morrer.

A polícia continua a usar análise de dispersão de sangue no cotidiano: até esta data, ela ajudou a solucionar milhares de crimes. Mas a mudança sísmica na importância das manchas de sangue aconteceu nos anos 1980, com a descoberta da impressão digital genética. A pergunta "quem?" pôde a partir de então ser acrescentada às "o quê?", "quando?" e "como?". Desde o início do século XX, os cientistas conseguem identificar o tipo de sangue de um suspeito a partir de uma amostra de sangue ou sêmen. Embora isso seja útil para diminuir o

156   A ANATOMIA DO CRIME

grupo de suspeitos em potencial, a abundância de alguns tipos sanguíneos na população em geral faz com que frequentemente possa ser usado apenas como prova circunstancial. O tipo de sangue estava muito longe de oferecer as possibilidades forenses do DNA.

◆

Faz trinta e dois anos que Val Tomlinson investiga manchas de sangue em cenas de homicídios e analisa DNA em laboratórios, primeiro no Serviço de Ciência Forense Britânico — de 1982 até eles fecharem, em 2011 —, e desde então na LGC Forensics. Ela é uma mulher afável e cordial cuja aparência camufla sua íntima relação com o sangue — a forma como ele se movimenta, sua estrutura química, a mensagem que ele carrega — e sua profunda compreensão dos códigos genéticos que estão na base de todos os seres humanos. "Há uma lógica no DNA. O trabalho no local de um crime é mais uma arte do que uma ciência, por mais bizarro que isso possa parecer." (*Ver imagem 24 no encarte de fotos.*)

Quando Val chega ao local onde ocorreu um crime com um bloco de papel em branco debaixo do braço, os peritos geralmente já fotografaram e filmaram todo e qualquer cantinho da cena. "Em muitas ocasiões, um policial à porta fala: "Por que está desenhando isso, srta. Tomlinson? Não precisa." Mas — como um artista que pinta uma paisagem — Val quer submergir-se por completo na cena. "Posso tirar duzentas fotos num feriado e, quando volto para casa, elas não passam de fotos amadoras. Mas se eu parar e desenhar a cena, sou atraída por aspectos bem específicos. Muito lentamente eu construo uma imagem e elimino elementos irrelevantes. Todos os itens podem ser 100% irrelevantes, com exceção de um, e eu consigo realçá-lo. Uma foto mostra tudo que está na mesa, só isso. Não há ênfase em, digamos, um item que está virado, um item manchado de sangue, uma caneca de café."

Depois de ter ficado em uma cena "durante cinco ou seis horas", Val ordenou-a, tornou-a lógica. Por isso, o ato de desenhar é mais importante do que o desenho propriamente dito. "Mesmo que eu não

MANCHAS DE SANGUE E DNA   157

tenha todas as respostas, consigo pelo menos fazer um discurso sobre o que vi e a possível sequência dos acontecimentos." Ela partilha essa narrativa com o investigador encarregado do caso e depois no tribunal, onde usa os desenhos da cena "provavelmente tanto quanto as fotografias, porque os jurados podem pegá-los e assim ser afastados de todas as coisas que possam distraí-los na sala de audiência e, consequentemente, ser levados para dentro daquilo que realmente importa".

Mais do que qualquer outra coisa no local de um crime, é o sangue que interessa Val. Como qualquer outro líquido, sua dinâmica está sujeita às leis da física. Se ele acerta o chão em ângulos retos, produz uma mancha circular, geralmente porque pingou devagar de um objeto ou uma pessoa. Caso se movimente de forma inclinada, produz uma mancha elíptica, geralmente devido a um soco ou uma arma branca. Quanto mais comprida e fina a elipse, mais agudo o ângulo do impacto. Se um conjunto de manchas de sangue em uma superfície irradia "como os raios de uma roda", elas provavelmente são oriundas de um golpe (ou golpes) desferido em algum lugar. Um perito que trabalha com análise de dispersão de sangue como Val consegue calcular os ângulos do impacto das manchas, depois prende cordas nos devidos lugares e as estende no ângulo apropriado. As cordas convergem para o ponto em que o golpe foi dado. Ou seja, se, por exemplo, o ponto de convergência está localizado perto do chão, a vítima não tinha como estar em pé na hora em que foi golpeada. Fotos desse "modelo de cordas" podem depois ser usadas no tribunal. E, cada vez mais, ângulos de impacto de manchas também podem ser inseridos em um programa de computador, como o *No More Strings* [Sem mais cordas], para providenciar um modelo 3D dos golpes dados na cena de um crime.

A causa da morte nem sempre é um mistério: pode ser bastante óbvio em um local onde aconteceu uma surra ou esfaqueamento, e nesse caso o investigador no comando da operação pode achar que a análise de Val ajuda mais na resolução do incidente do que a autópsia do patologista. As manchas de sangue estão confinadas a uma área,

158 A ANATOMIA DO CRIME

mostrando que a vítima caiu imediatamente no chão? Ela ficou em pé e lutou? Se foi o caso, sua roupa deveria estar toda respingada de sangue. O assassino arrastou o cadáver por algum motivo, fazendo o cabelo ficar todo para trás ou a roupa enrolada para cima, talvez deixando um rastro de sangue pelo chão? Os tornozelos estão cruzados, indicando que o corpo foi revirado? As respostas a essas perguntas podem dar ao chefe da investigação informações úteis sobre as ações do suspeito e os acontecimentos envolvendo a morte da vítima.

Os chefes das investigações querem que Val lhes diga com a maior rapidez possível como provavelmente são as manchas de sangue nos suspeitos. "Na última a que fui, havia uma quantidade terrível de manchas de sangue em uma casa vitoriana antiga com um monte de quartos. Dava para ver o caminho pelo qual o agressor saiu porque todas as portas tinham manchas de sangue nos locais em que a roupa tinha encostado. Por fim, descobriram que as roupas tinham sido queimadas, mas, quando as recuperaram, elas ainda tinham manchas de sangue."

A polícia corre contra o relógio para encontrar o suspeito antes que ele se livre de provas cruciais. Mas pode ser surpreendentemente difícil se livrar de manchas de sangue — bem como de muitas provas materiais. Às vezes, pedem a Val para deixar a cena de um crime e ir à casa de um suspeito para examinar portas e roupas. "Eles quase sempre já fizeram uma limpeza, então olhamos o conteúdo da máquina de lavar." Cientistas forenses não desistem facilmente de provas, algo que John Gardiner descobriu da pior forma possível quando tentou se desfazer de uma prova crucial na época da morte de sua esposa em 2004 (*ver pág. 188 e 189*).

Mas analistas de sangue nem sempre apresentam informações tão úteis, especialmente quando não lhes dão cinco ou seis horas para formarem uma relação artística com a cena do crime. "Eu já ouvi histórias de terror de cientistas que foram a cenas de crime e lhes disseram: 'Quero que você olhe para aquelas manchas de sangue ali e pronto'", admite Val. "Para mim, isso é o prelúdio de um desastre. Temos que fazer parte do todo." Em alguns casos, analistas

MANCHAS DE SANGUE E DNA   159

testemunham no tribunal sem sequer terem ido à cena do crime, como em um caso trágico e complicado que começou no dia 15 de fevereiro de 1997, na cidade costeira de Hastings, East Sussex.

No fim da tarde, quase à noite, Billie-Jo, de 13 anos, pintava as portas do pátio da casa de seus pais adotivos. Siôn Jenkins, o pai e vice-diretor de uma escola ali perto, chegou em casa depois de ir a uma loja de materiais de construção com suas duas outras filhas. Uma das garotas foi ao pátio para falar com Billie-Jo e deu um grito. Ela estava deitada de barriga para baixo. Siôn levantou o ombro dela para ver melhor o rosto da garota e viu uma bolha ensanguentada aparecer em sua narina e em seguida estourar. Ela ligou para a emergência, e, na própria cena do crime, os paramédicos a declararam morta.

Peritos encontraram uma estaca de metal para barraca de 46x1,5 cm ensanguentada perto do pátio. A autópsia mostrou que o agressor havia desferido pelo menos dez golpes brutais no crânio de Billie-Jo. No dia seguinte, um perito foi analisar as manchas de sangue na cena do crime e encontrou respingos na parede ao lado do pátio, na superfície interna das portas do pátio e no chão da sala de jantar.

Quando uma criança morre em circunstâncias suspeitas, a polícia logo começa a observar com atenção as pessoas próximas a ela. As roupas de Siôn Jenkins e a estaca para barraca foram encaminhadas ao Serviço de Ciência Forense Britânico para análise. No dia 22 de fevereiro, os cientistas descobriram 158 minúsculos respingos de sangue na calça, na jaqueta e nos sapatos — pequenos demais para serem vistos a olho nu. Esses respingos estavam ali porque Jenkins tinha espancado a filha? Ou a respiração de Billie-Jo liberara uma névoa de sangue nele durante seu último suspiro antes de morrer?

Dias depois do assassinato, o analista que examinou as manchas concluiu que o sangue nas roupas de Jenkins condiziam com ele sendo o agressor, mas não conseguia ter certeza se poderia haver outra explicação.

A polícia prendeu Jenkins no dia 24 de fevereiro e seu julgamento começou no dia 3 de junho. Um cientista instruído pela promotoria

160 A ANATOMIA DO CRIME

tinha feito bolhas com uma pipeta cheia de sangue e as estourado ao lado de uma superfície branca. O "estouro" produziu um leve borrifo que atingiu embaixo e dos lados por um percurso de 50 centímetros — mas nenhuma parte dele elevou-se. Em seguida, ele encheu uma cabeça de porco com sangue e bateu nela com o mesmo tipo de estaca de barraca encontrado perto de Billie-Jo, o que deixou um pequeno borrifo em seu macacão.

Um cientista instruído pela defesa também havia feito seus experimentos. Ele pôs um pouco do próprio sangue no nariz e expirou sobre um papel branco à distância de um braço. Ele também conseguiu um leve borrifo.

A promotoria argumentou que Billie-Jo já estava morta quando Jenkins puxou o ombro para vê-la, portanto, não tinha como ter respirado. O pediatra David Southall testemunhou: "Qualquer um que se aproximasse de uma criança ferida e sufocando não teria dúvida alguma de que a criança está respirando e viva, e relataria isso porque seria algo óbvio para a pessoa que a estivesse olhando." Contudo, neurocientistas não chegaram a um consenso sobre exatamente quando o cérebro está lesionado demais para conseguir fazer o sistema respiratório suspirar uma última vez. Patologistas da defesa achavam que Billie-Jo podia ter sobrevivido o suficiente para expirar em seu pai adotivo. Quando interrogados pela promotoria, os dois analistas de manchas de sangue da defesa concordaram que os respingos nas roupas de Jenkins podiam ser oriundas do impacto da estaca da barraca.

Siôn Jenkins continuou a alegar inocência, mas foi condenado por assassinato no dia 2 de julho de 1998 e sentenciado à prisão perpétua. Algumas pessoas se regozijaram com o veredito. Outras ficaram chocadas com a pequena quantidade de provas na qual o processo se baseou e achavam que a polícia tinha se apegado demais à suposição de que o assassino provavelmente era alguém da família. Nos dois anos anteriores, houve oitenta e cinco denúncias sobre ladrões e pessoas suspeitas perto da casa de Jenkins em Hastings. O *New Statesman* criticou severamente a condenação, alegando que "A polícia tinha um

MANCHAS DE SANGUE E DNA   161

suspeito evidente: uma pessoa com histórico não só psiquiátrico, mas também de violência contra crianças, que foi vista perambulando pela região na tarde do homicídio. Quando a polícia foi interrogá-lo, ele tinha, de maneira bem estranha, se desfeito da maior parte de suas roupas. Quem quer que seja o verdadeiro assassino, ele tem agora a oportunidade de, em consequência da excentricidade da Justiça britânica, matar a filha de outra pessoa".

Quando Siôn Jenkins recorreu da condenação em 2004, o patologista, instruído pela defesa, apresentou novas provas sobre o estado dos pulmões de Billie-Jo. A primeira autópsia afirmou que eles estavam hiperinsuflados, o que significa que alguma coisa (provavelmente sangue) impedia o ar de sair. O patologista opinou que se o bloqueio estava nas vias respiratórias superiores, ele podia ter sido liberado repentinamente e gerado o borrifo encontrado nas roupas dele, *estando Billie-Jo morta ou viva*. Houve dois novos julgamentos e em ambos os jurados não conseguiram chegar a um veredito, portanto, em 2006, Jenkins foi inocentado. Em julho de 2011, terminou o doutorado em Criminologia na Universidade de Portsmouth. Ele hoje trabalha com grupos de pressão que tentam, entre outras coisas, garantir que os peritos que participam de julgamentos sejam experientes e imparciais. O verdadeiro assassino de Billie-Jo nunca foi encontrado.

◆

Em 1984, Alec Jeffreys estava em seu laboratório na Universidade de Leicester quando vivenciou o "momento eureca". Ele vinha analisando raios X de um experimento com DNA que comparava membros das famílias de seus técnicos: observando os resultados, ficou imediatamente óbvio que havia se deparado com uma técnica que podia revelar as variações singulares no DNA de qualquer indivíduo. Desde essa descoberta fortuita, o teste de DNA (ou impressão genética, como ele é às vezes chamado) se tornou o "modelo de excelência" da ciência forense. Quando Sherlock Holmes inventou seu teste de

162   A ANATOMIA DO CRIME

hemoglobina, ele pôde afirmar, orgulhoso: "Aparentemente ele funciona bem tanto com sangue fresco quanto com velho. Se esse teste já tivesse sido inventado, centenas de homens que caminham hoje pela Terra há muito tempo estariam pagando por seus crimes." Cem anos depois da publicação dessas palavras, detetives reais seriam capazes de saber *de quem* é o sangue que encontraram na cena de um crime. Saber disso pode indicar a culpa de alguém ou, tão importante quanto, tornar irrefutável o veredito de inocência. Por exemplo, se o sangue encontrado no local onde ocorreu um estupro não pertence à vítima nem ao suspeito, então, no mínimo, será necessário procurar outra pessoa, alguém que terá informação vital — ou que poderá ser o verdadeiro criminoso. Apenas nos EUA, 314 pessoas presas, algumas no corredor da morte, foram libertadas por causa de novas provas adquiridas com testes de DNA.

A impressão genética deixou as pessoas ainda mais impressionadas do que a impressão digital física da virada do século XIX. Na imaginação popular, ela reina soberana em relação a qualquer outra prova material. O cientista forense Angus Marshall lembra de "um caso lendário nos EUA em que o júri volta ao juiz e diz: 'Não vamos aceitar provas com base em manchas de sangue, queremos ver o DNA.' Eles estavam lidando praticamente com uma confissão, mas, ainda assim, não acreditavam. Foi um absurdo."

Como isso sugere, o teste de DNA nem sempre é visto como um avanço inteiramente positivo. Mas quando perguntaram a Alec Jeffreys, no 25º aniversário de sua descoberta, se a impressão genética estava atualmente sendo usada de uma forma da qual ele não mais se orgulhava, o cientista respondeu: "Pegaram um número enorme de criminosos, libertaram inocentes — alguns deles passaram mais de trinta anos na cadeia —, famílias de imigrantes voltaram a se unir... eu diria que o bem excede, e muito, o mal."

Para se entender os prós e contras da impressão genética, precisamos revisitar o primeiro caso que ela ajudou a solucionar, na antiga e tranquila cidadezinha de Narborough, em Leicestershire. No dia

MANCHAS DE SANGUE E DNA   163

22 de novembro de 1983, encontraram o corpo de Lynda Mann, de 15 anos, perto de uma trilha, ela foi estrangulada e estuprada. Ela estava nua da cintura para baixo e com o rosto ensanguentado. Biólogos afirmaram que uma amostra de sêmen recolhida do corpo pertencia a uma pessoa com sangue tipo A, e um tipo específico de secreção enzimática, uma combinação compartilhada por apenas 10% dos homens. No entanto, sem muita informação além dessa, o caso acabou arquivado.

Três anos depois, no dia 31 de julho de 1986, Dawn Ashworth, também de 15 anos, desapareceu. O corpo dela foi encontrado perto de onde acharam o de Lynda, pouco depois da Ten Pound Lane. Também fora estrangulada, estuprada e abandonada nua da cintura para baixo.

O principal suspeito era Richard Buckland, de 17 anos, porteiro de hospital com deficiência de aprendizado. Buckland tinha um passado problemático e fora visto perto da cena do crime. Quando interrogado, revelou detalhes sobre o homicídio de Dawn e sobre o corpo dela que não haviam sido divulgados para a população. Ele não demorou para confessar. No entanto, negava veementemente ter matado Lynda três anos antes.

Convencida de que o mesmo homem havia assassinado as duas garotas, a polícia procurou Alec Jeffreys, na Universidade de Leicester, que ficava a 8 quilômetros de Narborough. Ele havia aparecido no jornal local, em uma matéria sobre "impressão genética". A análise que fez das amostras de sêmen revelou que a polícia estava certa: o mesmo homem *tinha* cometido os dois assassinatos, mas ele não era Richard Buckland. Apesar de sua confissão, Buckland foi inocentado — a primeira pessoa absolvida com base em prova gerada por meio de teste de DNA.

A polícia agora possuía a impressão genética do assassino, mas perdera seu único suspeito. Eles pediram a todos os 5 mil homens adultos de Narborough e dos vilarejos ao redor para voluntariamente fornecer amostras de sangue ou saliva. Dos 10% com o tipo de sangue recolhido dos corpos de Lynda e Dawn, Jeffrey fez o teste de

164 A ANATOMIA DO CRIME

DNA completo. Essa foi uma iniciativa gigantesca e sem precedentes. No entanto, com custos consideráveis, seis meses depois, ainda não tinham obtido um resultado positivo, e, novamente, o caso foi arquivado.

No ano seguinte, uma mulher em um pub da região ouviu por acaso um homem chamado Ian Kelly se gabando com os companheiros de ter ganhado 200 libras para se passar por um amigo, Colin Pitchfork, na operação de recolha de amostras. Pitchfork, um decorador de bolos — tranquilo, mas dado a surtos de temperamento —, tinha pedido a Kelly, um colega da padaria em que trabalhavam, para fazer o teste de DNA em seu lugar. Ele disse que tinha sido acusado de praticar atos obscenos no passado e queria evitar ser atormentado pela polícia. A desculpa era duvidosa, mas 200 libras foi uma quantia suficiente para fazer Kelly parar de fazer perguntas. A mulher foi à polícia, que prendeu Pitchfork e analisou seu DNA. Ele era compatível. Finalmente, os detetives conseguiram a resposta.

Em 1988, Pitchfork foi condenado à prisão perpétua pelos dois assassinatos. Departamentos de polícia e cientistas ao redor do mundo souberam do caso e tomaram nota. Gill Tully era estudante de biologia na Universidade de Cardiff na época e ficou impressionadíssima ao ver um crime tão brutal — e aparentemente insolucionável — ser desvendado por processos científicos tão sofisticados. Ela terminou a graduação e fez doutorado no Serviço de Ciência Forense, que depois a contratou. Ali ela se envolveu com progressos extraordinários durante um período no qual o Reino Unido era a usina de força da pesquisa sobre genética. Val Tomlinson já era do Serviço de Ciência Forense havia seis anos quando Gill chegou, e ela se lembra da atmosfera da época pré-DNA:

"Era muito mão na massa. Os equipamentos de proteção individual ainda não tinham sido inventados, para falar a verdade. Quase nunca usávamos luvas. Um dos testes de mancha de sêmen que se fazia era encostar nele para verificar se estava duro ou não. Não tínhamos salas separadas. A bancada em que trabalhávamos era o nosso escritório, então escrevíamos os relatórios na mesma

MANCHAS DE SANGUE E DNA   165

bancada em que examinávamos todas as roupas íntimas e os itens manchados de sangue. É bem engraçado pensar na época em que começamos a fazer testes de DNA. Era uma coisa muito rudimentar, literalmente química de balde, porque fazíamos tonéis com solução salina, tínhamos substâncias radioativas e precisávamos de uma mancha de sangue do tamanho de uma moeda de 10 centavos, se não maior, para conseguir fazer um teste de DNA. Nos estágios iniciais da minha carreira, não existiam cursos de treinamento formal, com exceção de um bem inicial, e depois trabalhávamos ao lado de um cientista experiente que nos carregava com ele, e fazíamos de tudo: desde teste de teor alcoólico, análise de manchas de sêmen, fibra, cabelo. Participei de casos envolvendo pena de faisão, pesca ilegal de salmão. Participei de um caso de corte de alho-poró." (*Ver imagem 25 no encarte de fotos.*)

Quando Gill chegou ao Serviço de Ciência Forense, ainda em sua época de estudante de graduação em Cardiff, a maioria dos geneticistas abordava seu trabalho com entusiasmo, mas sem se dar muita conta da revolução que estava começando. "Na pausa para o café, o assunto principal era se tinha sobrado um donut de geleia", conta Gill hoje, com uma risada triste. Embora o caso de Colin Pitchfork tivesse mostrado ao mundo como o DNA podia ser útil, ela admite: "Achávamos que seria usado apenas ocasionalmente e nesses casos muito famosos."

No entanto, com o passar dos anos, cada inovação ampliava a aplicação do DNA. "Toda vez você pensa: Nossa, é mesmo, isso seria muito bom, é um pouco caro demais para ser usado rotineiramente, mas para um crime de muita repercussão, essa pode ser a técnica que vai fazer a diferença. Só que muitas dessas técnicas se tornaram baratas o suficiente para virarem rotina e serem usadas até mesmo em roubos."

◆

O passo mais significativo para se afastar da "química de balde" foi dado por Kary Mullis, um surfista californiano entusiasta do LSD

166 A ANATOMIA DO CRIME

que acabou ganhando o Prêmio Nobel de Química. Em 1983, Mullis estava dirigindo pela Highway 128 quando teve uma revelação. Se acrescentasse uma enzima chamada polimerase ao DNA, isso iria fazê-lo, nas palavras dele, "se autorreproduzir que nem louco". Usando a reação em cadeia da polimerase (PCR), Mullis conseguiria transformar uma quantidade muito pequena de DNA em algo significativo o suficiente a ponto de ser interpretado. Não demorou para que cientistas estivessem usando PCR para solucionar crimes que haviam sido arquivados setenta anos antes, bem como para entender a genealogia de dinossauros fossilizados e da realeza enterrada, e também para diagnosticar doenças hereditárias.

Quando Gill Tully começou a trabalhar no Serviço de Ciência Forense, ela e seu supervisor eram as duas únicas pessoas que se dedicavam ao aprimoramento e uso de PCR. Ela se considera "profundamente privilegiada por estar presente desde o início". A impressão genética tradicional dependia de fluidos corporais e cabelo, porém, em 1999, a equipe da qual Gill fazia parte usava o PCR para desenvolver um método muito mais sensível, conhecido como "teste de DNA com baixo número de cópias (LCN, do inglês *low copy number*)". Para o LCN, eles só precisam de algumas células de um suspeito em potencial. Seja uma partícula de pele morta, o suor de uma impressão digital ou a saliva ressecada em um selo, a substância corporal necessária diminuiu, passando do tamanho de uma moeda de 10 centavos para um milionésimo de um grão de sal.

O LCN teve um impacto sísmico na forma como os crimes são investigados. Mas o seu caminho até a aceitação foi longo. Julgamentos controversos envolvendo provas geradas com DNA LCN provocaram reações de juízes e analistas que forçaram os geneticistas forenses a defender e redefinir seus métodos.

Um julgamento particularmente controverso que ajudou a delinear o papel do DNA LCN no tribunal foi desencadeado pela explosão de uma bomba gigantesca em uma cidadezinha da Irlanda do Norte. Em 1998, foi assinado o acordo de Belfast, que supostamente marcaria o fim das hostilidades entre as organizações paramilitares unionistas e

MANCHAS DE SANGUE E DNA 167

republicanas. Mas, no dia 15 de agosto, o Exército Republicano Irlandês Autêntico detonou uma bomba que destruiu uma rua movimentada em Omagh, no condado de Tyrone. A polícia recebeu uma ligação dos responsáveis pelo atentado, informando que o local da explosão seria o fórum do município, e a polícia acabou mandando pessoal para o caminho da explosão, que ocorreu no centro da cidade. Vinte e nove pessoas foram assassinadas, inclusive várias crianças e um casal de gêmeos ainda na barriga da mãe. Mais de duzentas pessoas ficaram feridas. A secretária de Estado da Irlanda do Norte na época, Mo Mowlam, descreveu o ocorrido como "assassinato em massa".

Três anos depois, Colm Murphy, um empreiteiro, foi condenado como responsável pela explosão e sentenciado a quatorze anos de prisão. Esse seria o início de um longo e doloroso processo judicial que não foi resolvido. Em 2005, a condenação dele foi cancelada quando se descobriu que a polícia forjara anotações de interrogatórios que havia feito com ele. No ano seguinte, a polícia prendeu o sobrinho de Murphy, um eletricista chamado Sean Hoey. Em seu julgamento, a promotoria concentrou a acusação no DNA LCN encontrado nos temporizadores da bomba usada no atentado, que um geneticista forense disse ser 1 bilhão de vezes mais provável de pertencer a Sean Hoey do que a um indivíduo desconhecido. Porém, na ausência de uma testemunha ocular ou de qualquer outra prova convincente, o caso desmoronou.

Quando o juiz Weir fez suas considerações finais no dia 20 de dezembro de 2007, ele criticou a maneira como a promotoria tinha transformado o DNA LCN no ponto central da acusação, em vez de usá-lo como guia na direção da descoberta de outras provas substanciais. Reclamou da "abordagem negligente" da polícia e de alguns peritos criminais. Alegou ainda que a prova tinha sido "supervalorizada" pela polícia, que era culpada de "deliberado e calculado fingimento" em seu esforço para garantir a condenação. Ele enfatizou que os únicos artigos validando o teste de DNA LCN foram escritos por seus inventores do Serviço de Ciência Forense. Por fim, Weir considerou o método novo demais e recomendou uma revisão urgente de seu uso — uma conclusão ruim para uma investigação que custou 16 milhões de libras.

168 A ANATOMIA DO CRIME

No dia seguinte ao veredito de Weir, a Procuradoria Pública suspendeu o teste de DNA LCN e determinou que fosse feita uma análise crítica com o objetivo de verificar sua adequação aos fins propostos. Desde 1999, ele tinha sido usado em 21 mil processos de crimes graves no mundo todo — particularmente em casos arquivados. A Procuradoria Pública britânica ordenou que todos os casos abertos envolvendo DNA LCN fossem reexaminados. Um deles era o dos irmãos David e Terry Reed, de Teesside, no nordeste da Inglaterra.

◆

No dia 12 de outubro de 2006, um amigo do ex-boxeador e brigão Peter Hoe recebeu uma mensagem de voz de 4 minutos da música em estilo *New Age* de Mike Oldfield. Mas, quando ele a escutou novamente, ouviu os gemidos abafados de Hoe, que estava sangrando até a morte depois de ter levado seis profundas facadas na sala de sua casa em Eston, perto de Middlesbrough. A polícia prendeu e acusou David e Terry Reed. David, o irmão mais velho, era conhecido por ter inveja da reputação de durão de Hoe, e no julgamento o irmão da vítima alegou que a agressão foi uma retaliação a uma briga num pub alguns dias antes: "Eles foram à casa do meu irmão porque o David não conseguia aceitar a coça que tomou."

Quando Val examinou a sala de Peter Hoe, não achou nada indicando que os criminosos tivessem sangrado, mas notou dois pequenos pedaços de plástico. "Vemos isso o tempo todo quando facas são usadas em esfaqueamentos. As vibrações e as forças projetadas na lâmina da faca são tão fortes que o cabo quebra." No laboratório, Val analisou mais cuidadosamente os pedaços de plástico e, com base em sua experiência, concluiu que eram de facas vagabundas. Encontraram vestígios de DNA nelas. Um teste de LCN revelou que eram dos irmãos Reed.

No julgamento, a defesa convocou um ilustre professor de engenharia de plásticos, "um cavalheiro simpático da Universidade de Newcastle", que tinha ido a Argos e comprado uma faca vagabunda

MANCHAS DE SANGUE E DNA 169

com cabo de plástico. Depois, ele colocou a faca em uma máquina que a envergou lentamente, até quebrar o cabo. O professor explicou no tribunal que tinha calculado as forças e que estava convencido de que um pulso humano não era capaz de fazer aquilo. Ele declarou que era improvável que os pedaços de plástico fossem oriundos do esfaqueamento. "Eu estava sentada no tribunal, escutando", relembra Val, "e ele estava errado. Nós tínhamos outro caso de homicídio no laboratório na mesma época com quatro facas. Três das quatro tinham quebrado exatamente do mesmo jeito no cabo".

O especialista em plástico tinha examinado um evento dinâmico de vida e morte, aço e osso, plástico na carne, em um ambiente irreal de laboratório. Para Val, esse cenário está repleto de problemas. "O homicídio não é uma experiência replicável. Todos eles são únicos."

O tempo todo alegando inocência, os irmãos Reed foram condenados a um mínimo de dezoito anos de prisão. Quando os tiraram do tribunal, eles sorriram e agradeceram ao juiz, enquanto a mãe de Hoe, Maureen, chorava na área destinada ao público.

Não muito tempo depois da condenação deles, o juiz Weir absolveu Sean Hoey no caso do atentado à bomba em Omagh e o teste de LCN foi posto em minuciosa análise. Embora seu uso tenha sido novamente aprovado pelo Ministério Público britânico em janeiro de 2008, tanta dúvida havia sido semeada que, no dia 20 de outubro de 2009, os Reed recorreram ao Tribunal de Apelação. O advogado deles argumentou que Val Tomlinson passou dos limites quando especulou no primeiro julgamento de que maneira o DNA dos irmãos tinha parado nos pedaços de plástico recolhidos no local do crime.

Na audiência de apelação dos irmãos Reed, em outubro de 2009, o tribunal ouviu o testemunho de Bruce Budowle, um ex-cientista forense do FBI. Budowle argumentou que o teste de DNA LCN era falho por natureza e que seus resultados nem sempre eram reproduzíveis. "A segurança dele ainda não foi aferida", disse Budowle. Ele aceitou que os pedaços de plástico eram das facas dos assassinos, mas o DNA dos Reed podia ter sido o resultado de uma transferência secundária — isto é, eles podiam ter encostado em alguém que depois encostou nas facas.

170   A ANATOMIA DO CRIME

Além de ter conhecimento das últimas teorias baseadas em pesquisa, cientistas forenses como Val devem valer-se de um banco de dados acumulado com a experiência profissional para entenderem o que veem. Gill Tully diz: "Nos últimos anos, estão acontecendo julgamentos interessantes no Tribunal de Apelação, que têm realmente solicitado a cientistas forenses informações baseadas na experiência e não nas avaliações estatísticas, o que é um pouco bizarro para um cientista, embora dê para entender o lado de Vossas Senhorias." Porém, como Sherlock Holmes há muito já sabia: "Há uma forte familiaridade entre os delitos, e se uma pessoa tem os detalhes de mil deles na ponta dos dedos, não desvendar o milésimo primeiro será algo estranho." O testemunho de Val, tanto sobre o despedaçamento dos cabos das facas quanto dos vestígios de DNA que eles continham, foi baseado em anos de experiência com provas. Eram dados e opinião; arte e ciência. E, por fim, o tribunal acreditou nela: embora a análise crítica tenha feito recomendações sobre validação externa, no fim, acharam o método robusto e confiável. Os três juízes na apelação dos irmãos Reed concluíram que as provas circunstanciais eram convincentes o bastante, por isso consideraram a incerteza ilógica e mantiveram a condenação. Eles acreditaram que a opinião profissional de Val sobre a forma como o DNA chegara ao plástico era "não só possível... mas imprescindível".

O processo contra os irmãos Reed possuía outras provas sólidas — como o fato de Peter Hoe ter humilhado David Reed ao derrubá-lo no chão com um soco fraco em um pub duas semanas antes do assassinato —, ao contrário do caso contra Sean Hoey, que se sustentava praticamente apenas no DNA LCN. Lições valiosas foram aprendidas sobre o papel do DNA nas investigações criminais como componente-chave de um caso. Na verdade, ele é apenas um componente. Mais lições como essa estavam por vir.

◆

MANCHAS DE SANGUE E DNA 171

Em 2011, uma mulher foi brutalmente estuprada no Plant Hill Park, em Manchester. O DNA extraído da vítima com um cotonete ligava o crime a Adam Scott, um rapaz de 19 anos de Plymouth, que foi devidamente preso. Ele ficou encarcerado em uma ala segregada para estupradores e pedófilos, e os presidiários o agrediam verbalmente, mas ele afirmava categoricamente que estava a centenas de quilômetros, em Plymouth, na noite do crime, e que jamais tinha sequer colocado os pés em Manchester.

Depois de quatro meses e meio na cadeia, descobriram que Adam Scott tinha sido uma desafortunada vítima de contaminação laboratorial cruzada. Alguns meses antes, ele tinha se envolvido em uma "briga de cuspes" em Exeter, depois da qual a polícia recolheu sua saliva com um cotonete. Cientistas colocaram o cotonete em uma bandeja no laboratório da LGC Forensics e ele foi reusado na vítima de estupro de Manchester. Os registros do celular de Scott confirmaram que seu telefone estava em Plymouth quando o estupro aconteceu.

Andrew Rennision, da Agência Reguladora de Ciência Forense do governo, disse: "A contaminação foi resultado de erro humano cometido por um técnico que não seguiu procedimentos básicos de descarte de bandejas plásticas usadas num processo de extração de DNA validado." O caso de Adam Scott ecoou o estranho caso do "Fantasma de Heilbronn", uma serial killer aparentemente super-humana cujo DNA foi encontrado em cenas de roubos e assassinatos na Austrália, França e Alemanha nos anos 1990 e 2000. Em 2009, quando o DNA apareceu no corpo queimado de um refugiado na Alemanha, as autoridades chegaram à conclusão de que o "fantasma" era o resultado de contaminação laboratorial: os cotonetes usados para a coleta de DNA não eram certificados para esse propósito e, por fim, descobriram que eles pertenciam à mesma fábrica, que empregava várias mulheres do Leste Europeu que se encaixavam no perfil de DNA do "fantasma".

Assim como uma impressão digital real, uma impressão genética por si só não pode ser o suficiente para assegurar uma condenação. De acordo com Gill, "o DNA não mente. É uma pista excepcional e

172 A ANATOMIA DO CRIME

uma prova também excepcional, mas há interação humana no processo [de extração do perfil]. Ou seja, a margem de erro é excepcionalmente baixa, mas não é zero... O DNA não deve ser uma maneira preguiçosa de se deixar de fazer uma investigação".

◆

Se, em alguns casos, a polícia tenha se apoiado totalmente no DNA como verdade absoluta, em muitos outros ela se viu pronta para solucionar casos tanto novos quanto antigos graças às oportunidades proporcionadas por ele. Se o DNA encontrado na cena de um crime não gera nenhum resultado quando o verificam no banco de dados nacional, isso não significa o fim da linha. Porque o sangue conta mais do que a história de apenas uma pessoa.

A busca por DNA familiar foi desenvolvida no Serviço de Ciência Forense por Jonathan Whitaker quando ele reexaminou um macabro caso arquivado. Em 1973, três garotas de 16 anos foram estupradas, estranguladas e desovadas em bosques perto de Port Talbot, em South Wales. Após uma investigação exaustiva que envolveu duzentos suspeitos, a polícia não prendeu ninguém. Então, em 2000, Whitaker usou as amostras retiradas do local do crime vinte e oito anos antes para gerar o perfil do DNA do suspeito. Ele inseriu o perfil no banco de dados nacional, mas não encontrou nada. Então, um ano depois, surgiu-lhe uma ideia interessante. Poderia haver no banco de dados um parente com perfil similar? Ele solicitou autorização para fazer a busca e encontrou um perfil com 50% de compatibilidade. O criminoso se encontrava no banco de dados por roubo de carros, mas Jonathan Whitaker estava convencido de que sua árvore genealógica continha um criminoso muito mais hediondo. Joseph Kappen, falecido de câncer no pulmão dez anos antes — o pai do ladrão de carros —, tornou-se o principal suspeito. Conseguiram uma autorização de exumação e Whitaker pôde analisar o DNA dos dentes e do fêmur. Era compatível e, embora o criminoso não pudesse ser punido, o triplo homicídio foi, enfim, solucionado.

MANCHAS DE SANGUE E DNA   173

O primeiro caso não arquivado solucionado com busca familiar aconteceu em 2004. Michael Little estava passando com seu caminhão por baixo de um viaduto quando alguém jogou um tijolo lá de cima, que quebrou o vidro e atingiu seu peito. Ele conseguiu parar o caminhão em um acostamento antes de sucumbir a um ataque cardíaco fatal. Quando os cientistas inseriram o DNA LCN retirado do tijolo no banco de dados, não obtiveram resultado algum, mas uma conexão familiar os levou a Craig Harman, que admitiu o crime e foi condenado a seis anos de cadeia por homicídio culposo. Para o detetive inspetor chefe Graham Hill, da Polícia de Surrey, só conseguiram a condenação por uma razão: "Para mim, não há dúvida de que sem essa técnica inovadora o crime teria permanecido sem solução."

Após a condenação de Harman, Alec Jeffreys disse que as buscas por DNA familiares levantavam questões de liberdade civil "potencialmente bem espinhosas". A resposta deve ser proporcional ao crime, com o equilíbrio certo ente os direitos civis individuais e a necessidade de se identificar um criminoso. A busca por DNA familiar com propósitos forenses permanece ilegal na maioria dos países. Nos EUA, ela só é legal na Califórnia e no Colorado, ainda que um vestígio encontrado em um pedaço de pizza jogado fora tenha gerado uma busca por DNA familiar que ajudou a encontrar o "Grim Sleeper",* um serial killer e estuprador que aterrorizou Los Angeles do final dos anos 1980 ao início dos anos 2000. No Reino Unido, o DNA familiar só é usado em investigações de homicídio e estupro. Desde a condenação de Harman, ele já levou a polícia a suspeitos em 54 crimes graves — e gerou 38 condenações.

◆

---

* *Grim* em português, significa "sombrio", e *sleeper*, "aquele que dorme". O apelido do criminoso se deu por causa da pausa de quatorze anos nos quais ele ficou sem cometer nenhum crime, de 1988 até 2002.

174   A ANATOMIA DO CRIME

Questões éticas persistem. Troy Duster, um sociólogo da Universidade de Nova York, chama a atenção para o fato de que, tendo em vista que a taxa de encarceramento de negros nos EUA é oito vezes maior do que a de brancos (por razões sociopolíticas, inclusive suposto racismo por parte das autoridades), as buscas familiares geram uma probabilidade muito maior de ajudar a condenar criminosos negros. Os perfis de aproximadamente 2 em cada 5 homens negros no Reino Unido estão no banco de dados nacional de DNA, enquanto a relação de homens brancos é de aproximadamente 1 em cada 10. Nos EUA, por volta de 40% do perfil de DNA no banco de dados federal são de afro-americanos, que constituem 12% da população nacional. Estima-se que os perfis de DNA de latinos (aproximadamente 13% da população) em breve apresentarão a mesma distorção, principalmente devido a crimes envolvendo imigração.

Uma forma de gradualmente equilibrar o campo de jogo seria colher o perfil de *todo mundo*. O banco de dados nacional de DNA do Reino Unido já contém 6 milhões de perfis, uma proporção mais alta (10%) de cidadãos do que qualquer outro país do mundo. O DNA de todas as pessoas presas (sejam elas condenadas ou não por um crime) era mantido no banco de dados indefinidamente, até uma decisão do Tribunal Europeu dos Direitos Humanos, em 2008, forçar uma mudança. Em 2012-2013, os perfis de 1,7 milhão de pessoas inocentes foram excluídos do banco de dados. Alec Jeffreys afirmou categoricamente em 2009: "Minha opinião é muito simples [...] pessoas inocentes não devem estar no banco de dados. Tachá-las de futuros criminosos não é uma resposta proporcional à luta contra o crime."

Tendo em vista que muitos crimes são cometidos por criminosos reincidentes, o banco de dados nacional é uma ferramenta poderosa da polícia. Em 2013, 61% dos perfis de DNA encontrados em cenas de crime tinham correspondentes no banco de dados. O Ministério do Interior não tem registro de quantas dessas correspondências levaram a uma condenação, mas é uma ajuda significativa para as diversas forças policiais, algumas das quais defendem a obrigatoriedade de todas as pessoas terem o perfil de DNA no banco de dados.

MANCHAS DE SANGUE E DNA   175

No entanto, outras acreditam que isso levaria a uma elevação da quantidade de suposições equivocadas. Geralmente há DNA de várias pessoas na cena de um crime por razões inocentes, ainda mais agora que os cientistas conseguem produzir resultados a partir de quantidades minúsculas de matéria.

Esse cenário terrível, somado a questões de privacidade pessoal e ao enorme custo de cadastrar o perfil de 60 milhões de pessoas, é provavelmente o suficiente para que o assunto seja posto de lado por enquanto. Além disso, algumas pessoas se preocupam com a possibilidade de o cadastro obrigatório de perfis tornar mais fácil para os criminosos jogarem a culpa em pessoas inocentes. Um advogado de defesa certa vez levantou essa possibilidade para Val Tomlinson no tribunal, alegando que o DNA LCN de seu cliente havia sido plantado na cena por algum sujeito anônimo. Para provar isso, ele fez uma pergunta hipotética: "Se você fosse armar isso para alguém, como você agiria?"

"Não acho que eu poderia fazer isso", respondeu Val.

Na experiência de Val, a maior parte das armações fracassam em pontos básicos. "As crianças exageram quando estão tentando encobrir seus erros. Tendemos a achar que as pessoas que incriminam outras espalham sangue demais no lugar errado, ou deixam cacos de vidro no lugar, em vez dos dois estilhaços que era o que se esperaria que ficasse agarrado em um pedaço de tecido recuperado uma semana depois de um crime." Como qualquer ferramenta poderosa, o DNA pode ser usado da maneira incorreta. Mas, como sempre, a análise de pistas não é a simples recolha de material — o DNA de quem está ou não está ali —, envolve habilidades interpretativas dos cientistas que lidam com ela. Isso é o que deve — e em grande parte o faz — proteger os inocentes.

◆

É claro, nem todos os criminosos querem esconder suas identidades. Quando combatentes políticos ou terroristas cometem crimes, eles

176 A ANATOMIA DO CRIME

querem que o mundo saiba quem foi o responsável. Nos atentados de 11 de março de 2004 em Madri (*ver pág. 39*), o DNA e a política foram centrais para o caso desde o princípio. A data do ataque, três dias antes das eleições gerais, foi significativa. Imediatamente após as explosões, o governo em exercício alegou ter encontrado provas que apontavam para o grupo separatista basco ETA, talvez numa tentativa de suprimir a especulação de que os atentados eram consequência do envolvimento espanhol na Guerra do Iraque. Todavia, três dias depois, o autoproclamado "porta-voz militar da Al-Qaeda na Europa" Abu Dujana Al-Afghan reivindicou a responsabilidade. "Isso foi uma resposta aos crimes que vocês cometeram no mundo, e especificamente no Iraque e no Afeganistão [...]. Vocês amam a vida e nós amamos a morte."

Um mês depois, sete suspeitos prestes a sofrerem uma batida policial detonaram bombas em seu apartamento, causando a morte de quatro deles e um policial. Os cientistas não conseguiram, nos bancos de dados nacionais, nenhum perfil compatível com o DNA LCN encontrado no lugar (inclusive em uma escova de dentes). Um juiz ordenou que os cientistas usassem o DNA para determinar se os suspeitos que ainda estavam foragidos tinham ascendência norte-africana ou europeia. Isso ajudaria os investigadores a finalmente determinarem se os alvos deles eram membros da Al-Qaeda ou da ETA.

Porém, casamentos entre europeus do sul e africanos do norte, nos dois lados do Mediterrâneo, impossibilitavam a diferenciação com a tecnologia disponível na época. O geneticista forense Christopher Phillips desenvolveu uma tecnologia nova e foi capaz de concluir que um perfil de DNA, que não pertencia a nenhum dos homens mortos nem presos, "com certeza quase absoluta", pertencia a um norte-africano. Depois, uma busca por DNA familiar mostrou que ele pertencia a Ouhane Daoud, um argelino cuja impressão digital também foi encontrada em detonadores abandonados em um Renault Kangoo, perto do local das explosões.

Embora sua pesquisa fosse sobre etnia, Christopher Phillips também conseguiu deduzir "com 90% de previsibilidade" que o DNA

MANCHAS DE SANGUE E DNA 177

extraído de um cachecol encontrado em uma van usada nos atentados pertencia a uma pessoa de olhos azuis. Cada vez mais, os cientistas são capazes de discernir detalhes sobre a aparência física dos suspeitos a partir do DNA: vestígios deixados na cena de um crime podem descrever as pessoas quase com tanta precisão quanto uma testemunha ocular.

◆

Tudo começou com um cabelo ruivo. No início dos anos 2000, cientistas do Serviço de Ciência Forense descobriram que, se um gene (o receptor da melanocortina 4) é recessivo nos dois pais, o filho terá cabelo vermelho. Gill Tully é cautelosa em relação a implicações éticas envolvidas nessa maneira de se lidar com o perfil de DNA, mas, no geral, ela diz: "É necessário que usemos as coisas da maneira correta: quando estávamos desenvolvendo o teste do cabelo vermelho, alguns detetives da Escócia nos ligaram e falaram: 'Houve um tiroteio e descobrimos, com balística, de qual janela o tiro foi disparado. Encontramos algumas guimbas de cigarro lá e conseguimos extrair um perfil de DNA delas. Também temos uma testemunha ocular que afirma que um homem ruivo saiu correndo do prédio. Antes de começarmos a fazer uma operação gigantesca de recolha de DNA de indivíduos para ver se conseguimos encontrar a pessoa que fumou as guimbas de cigarro, você consegue ver para a gente se foi um homem ruivo que os fumou?' Não éramos capazes de fazer isso naquele estágio, mas é um exemplo bem bacana de como essas coisas podem ser usadas de maneira ética e apropriada para ajudar a direcionar uma investigação, e assim não se gastar muito dinheiro analisando guimbas de cigarro que são irrelevantes e que foram fumadas meses atrás."

A impressão genética é um indicador poderoso de culpa ou inocência, o maior de todos os avanços na ciência forense desde que William Herschel e Henry Faulds desenvolveram a impressão digital um ano antes. Grande parte da ciência forense tem base na interpre-

178 A ANATOMIA DO CRIME

tação subjetiva: como explorado no capítulo de impressões digitais deste livro, os especialistas às vezes são bons em encontrar padrões onde gostariam de enxergá-lo, assim como todos os serem humanos. Trata-se de uma habilidade útil para um investigador forense, desde que sua natureza intuitiva seja reconhecida e expressada no tribunal.

Embora o erro humano possa sempre se fazer presente, na sua forma mais simples, o DNA nos afasta da armadilha da tendência à subjetividade por meio da interpretação de dados empíricos, usando probabilidades objetivas que vêm sendo refinadas há trinta anos. Quando Gill tem DNA sem mistura da cena de um crime compatível com o de um suspeito, ela pode falar aos jurados com segurança que a "probabilidade de se chegar a esse perfil se ele fosse de outra pessoa seria de 1 em 1 bilhão. Essa é uma estimativa conservadora que um jurado médio consegue compreender. Falar em trilhões não vai significar nada". Mas a vida — e as cenas de crime — raramente é simples. Onde, como Gill aponta, "há DNA de duas pessoas misturados quase sempre é preciso fazer uma avaliação mais meticulosa da solidez da prova e olhar para a probabilidade de observar aquele conjunto em particular de picos misturados tanto pela perspectiva de a hipótese da promotoria ser verdadeira quanto pelo viés de a hipótese da defesa ser verdadeira".

Os cientistas forenses ainda têm muito a aprender sobre DNA. No momento, Val e Gill analisam bem menos de 1% do DNA de uma pessoa para julgar se ele é compatível com um perfil do banco de dados nacional. À medida que o processo vai ficando mais rápido e barato, "teoricamente poderíamos analisar o genoma inteiro de uma pessoa". As possibilidades são intermináveis, "mas há questões éticas e práticas muitíssimo significativas a serem respondidas antes de se poder fazer isso. Não queremos usar amostras forenses para gerar informação sobre a predisposição de pessoas para cometerem crimes". Essa é uma ideia profundamente inquietante. Já sabemos, por exemplo, da existência do "gene dos guerreiros" — presente principalmente em homens —, que está ligado ao comportamento violento e impulsivo sob estresse. Não queremos, no século XXI, vol-

MANCHAS DE SANGUE E DNA 179

tar ao *uomo delinquente*, ou "homem criminoso", proposto por Cesare Lombroso no século XIX, nem à disciplina vitoriana da frenologia, que diagnosticava uma predisposição para a criminalidade a partir de caroços no crânio. Um cenário terrível, sob qualquer perspectiva.

Contudo, se usada proporcionalmente, o futuro da impressão genética é mais empolgante do que assustador. No Reino Unido, há hoje equipamentos que conseguem analisar o DNA em menos de uma hora e meia, tornando possível verificar no banco de dados nacional o perfil de um suspeito em custódia antes que ele seja solto. Se a verificação encontra uma compatibilidade com perfis recolhidos em cenas de crimes não solucionados, a polícia capturou uma pessoa que cometia crimes com frequência. Gill explica: "Pessoas que assaltam casas com frequência, se são pegas, às vezes sabem que o DNA vai incriminá-las, então, quando são libertadas por falta de provas, cometem mais crimes para prover sustento para suas famílias durante o período em que estiverem presas. Depois eles pedem que todos os crimes sejam levados em consideração e pagam o tempo de condenação por eles concomitantemente. Há alguns casos importantes em que o DNA tinha o potencial de prevenir crimes graves, pois as pessoas ficaram sob custódia policial e depois foram libertadas e cometeram um crime grave. Se a polícia tivesse conseguido um resultado de DNA mais rápido, eles jamais teriam saído por falta de provas."

Neste momento, analisar as quantidades minúsculas de DNA encontradas em cenas de crime leva pouco mais do que uma hora e meia, mas "chegará a hora, e não falta muito, em que será possível identificar um suspeito, e não apenas identificá-lo, mas potencialmente ir até o endereço dele, antes de terminar de fazer a partilha dos equipamentos que acabou de roubar. Eles poderão então ser devolvidos às pessoas, bem como coisas que possuam valor sentimental e assim por diante. O potencial para se fazer isso de forma realmente rápida não está tão distante assim. Não vai demorar muito". Avisem ao assaltante para ficar esperto.

OITO

ANTROPOLOGIA

"Já vi muitas coisas estranhas, mas onde se verá coisa mais estranha do que isto? [...] Dois seguranças robustos levaram ao banco das testemunhas diversas caixas grandes, contendo os restos mortais de uma mulher: eles estavam em jarros, caixas de charuto, caixas de papel, baldes de lata. Havia fragmentos de ossos secos, filamentos mergulhados em soluções tenebrosas; excrementos e grânulos anômalos, pedaços de tecido rasgados [...] porém, ali, o tempo todo, sentavam-se professores circunspectos no banco das testemunhas, fazendo interpretações e descrições, até que, enquanto escutavam-nos, os ossos secos e os restos mortais ganhavam forma e vida, os trapos viravam vestimentas, as vestimentas ajustavam-se ao corpo."

Julian Hawthorne sobre o julgamento de
homicídio de Leutgert, em 1857

Somos todos fascinados pelo que a ciência forense pode fazer. Ela tende a gerar material sedutor para ficção policial e séries de TV empolgantes. Entretanto, às vezes ficamos tão presos no glamour da narrativa que esquecemos a enormidade de crimes que confrontam os investigadores no campo. Nenhum grupo de cientistas se depara mais com essa realidade estarrecedora do que os antropólo-

ANTROPOLOGIA   181

gos forenses. Guerras sangrentas e desastres naturais são sua linha de atuação; levar os mortos para casa é sua vocação.

Kosovo, 1997. Quando o século XX estava chegando ao fim, um dos conflitos mais cruéis destroçava os Bálcãs devido a questões étnicas e religiosas. Um lado demonizava o outro, enxergando o inimigo como sub-humano, como pragas que tinham de ser eliminadas para tornar a terra pura novamente. Trata-se de uma mentalidade que inevitavelmente leva a atrocidades, e isso era o que não faltava naquele lugar e época. Conversei com alguns dos investigadores que chegaram ao Kosovo depois que a guerra acabou — a sombra das coisas sobre as quais ainda não conseguem falar espreita por seus olhos.

Imagine só. Um trator com reboque descia as colinas do Kosovo. Ao volante, um fazendeiro que decidira que o combate estava se aproximando demais para o seu gosto. No reboque, todos os onze membros de sua família. Seus oito filhos, com idades variando de 1 a 14 anos, estavam apertados ao lado da mãe, da avó e da tia. O clima estava bom e o céu, limpo, e, apesar do medo que havia se tornado parte permanente de suas vidas, a família conversava tranquilamente.

Contudo, a tentativa de fuga para um local seguro os colocou em perigo. Em algum lugar ali perto, aguardava um inimigo munido com uma das mais letais armas com que as pessoas podem se deparar no campo de batalha — um lança-rojão. Uma criança consegue aprender a usá-lo em uma tarde, há vídeos no YouTube que mostram isso. É barato, eficaz, muito fácil de carregar e letal. Um ícone da guerra assimétrica, o sustentáculo das guerrilhas desde o Vietnã, a arma quase sempre destrói completamente o alvo.

Inadvertidamente, uma granada foi na direção da família e explodiu, destruindo o reboque e aniquilando todos, com exceção de um passageiro. O fazendeiro sobreviveu, mas uma de suas pernas ficou ferida na explosão. Em choque e desesperado, ele se arrastou para fora da linha de tiro. Depois de um tempo, sob o manto da escuridão, se arrastou até o local da explosão em busca dos outros onze membros de sua família, onde recolheu todas as partes ensanguentadas e quebradas dos corpos que conseguiu encontrar. Muçulmano devoto,

182   A ANATOMIA DO CRIME

ele foi impulsionado pela necessidade de enterrar a família assim que fosse possível. De alguma forma, apesar da tristeza e do trauma, conseguiu cavar uma cova rasa e enterrou os restos mortais.

Dezoito meses depois, a antropóloga forense Sue Black chegou ao Kosovo com a equipe forense britânica a fim de colher provas para o processo da ONU no Tribunal Penal Internacional para a ex-Iugoslávia, em Haia, o primeiro julgamento de crimes de guerra desde Nuremberg e Tóquio em 1945-1948. Até então, 161 pessoas tinham sido acusadas pelo tribunal. Setenta e quatro condenadas, e vinte ainda estavam sendo julgadas. O ex-presidente da Iugoslávia, Slobodan Milošević, morreu em 2006, antes que pudesse ser sentenciado por crimes contra a humanidade. O papel da equipe britânica no Kosovo foi exumar covas coletivas e investigar atos genocidas. (*Ver imagem 26 no encarte de fotos.*)

Quando Sue conheceu o fazendeiro, achou que era "o homem mais tranquilo e digno que já conheci". Sue e seus colegas procuravam provas contundentes de que não houve motivo para que ocorresse o ataque às pessoas no reboque. Mas salas de audiência distantes na Holanda não significavam muita coisa para o fazendeiro desolado. Ele queria vivenciar o luto da família adequadamente. Agradeceu à equipe por exumar os restos mortais dos seus parentes e explicou que aquela situação era muito dolorosa para ele, pois Alá não podia encontrar separadamente os indivíduos enquanto estivessem amontoados em uma vala coletiva. O fazendeiro pediu a Sue que desenterrasse os restos mortais e lhe entregasse onze sacos mortuários, para que pudesse enterrar cada um deles separadamente.

Ele não tinha como saber, mas uma das mais importantes especialistas em ossos infantis do mundo estava a serviço dele. Sue mandou todos embora, com exceção do técnico em raios X e do fotógrafo, e pôs doze lençóis ao lado da cova provisória. "Precisávamos do 12º porque eu sabia que haveria elementos que eu não conseguiria identificar com certeza. Também estava ciente de que ficaria muito tentada a colocar somente um pouquinho de cada um nos sacos e o pai se sentiria apaziguado. É claro, isso teria sido completa e absolutamente incorreto do ponto de vista moral. O mais importante, no entanto, é que isso também teria sido judicialmente inaceitável. Os nossos propósitos lá são forenses, não humanitários. Nosso trabalho é recolher, analisar e apresentar provas para que, quando formos ao julgamento, sejamos capazes de comprovar o que fizemos." Ela imaginou um perito da defesa abrindo um dos sacos mortuários e descobrindo que o material não era aquilo que deveria ser. Isso desacreditaria totalmente a promotoria.

Então ela deu início ao trabalho. Passados dezoito meses, a decomposição havia feito o seu trabalho e a maior parte do material com que teve que lidar era ósseo. Os adultos foram relativamente fáceis de distinguir uns dos outros porque eram maiores e estavam em menor quantidade. A identificação das oito crianças foi muito mais difícil. Sue separou os fragmentos de forma meticulosa. Depois de várias horas, ela tinha identificado as seis crianças mais jovens. O que restava eram dois conjuntos de membros superiores, que pertenciam aos gêmeos de 14 anos. "Não havia mais nada deles. Apenas úmeros e clavículas. Mas um dos conjuntos de membros superiores estava atado a uma roupa do Mickey Mouse. Falei para um policial: 'Pergunte ao pai deles qual dos meninos gostava do Mickey Mouse. Não pergunte qual dos gêmeos nem coisa alguma que possa servir de pista para ele. Se ele disser o nome de um dos gêmeos, aí sim poderemos separá-los.'" O policial retornou com a resposta do pai. O pai tinha falado o nome de um dos gêmeos. "Ele adorava o Mickey Mouse. A roupa é dele." Uma hora depois, Sue levou os sacos mortuários até o homem. "Aquilo era o que ele queria mais do que qualquer outra coisa. Entregar-lhe a família de volta era absoluta e completamente o mínimo que podíamos fazer levando em consideração o que ele havia passado."

Sue é a diretora do Centro de Anatomia e Identificação Humana da Universidade de Dundee. No centro de seu trabalho de campo está a recolha e identificação de restos esqueléticos. Eles são humanos? Qual é o sexo, a idade, o peso, a etnia? Quando a morte aconteceu? Por quê? Se um cadáver estiver intacto e não muito decomposto, um patologista talvez consiga responder a essas perguntas. Se não, é necessário um

184 A ANATOMIA DO CRIME

antropólogo forense para analisar não apenas os ossos, mas todos os "restos humanos" deixados para trás: cabelo, roupas, joias, qualquer um dos muitos itens que juntamos e usamos conosco todos os dias. Como veremos, até mesmo as imagens que deixamos para trás em foto ou vídeo são analisadas na busca de pistas que podem demandar anos de experiência para que sejam notadas. Ao longo de sua vida profissional, Sue rastreou os padrões secretos do corpo humano, desenvolveu técnicas pioneiras e extraordinárias para descobrir a identidade das pessoas e ensinou a uma quantidade enorme de anatomistas, antropólogos e médicos de que maneira o corpo humano é montado.

O conteúdo que ela ensinou aos seus alunos de graduação, as viagens de campo em que os levou e sua própria pesquisa foram todos profundamente influenciados pelo período de quatro anos que ficou no Kosovo pós-guerra. Sue afirma que foi um momento decisivo em sua carreira em parte porque, enquanto trabalhou lá, pôde compartilhar conhecimento e experiência com várias equipes forenses nacionais. Entre elas estavam a Equipe Argentina de Antropologia Forense, que foi pioneira na aplicação de sua expertise em casos de abuso de direitos humanos nos anos 1970 e início dos 1980.

◆

Entre os anos de 1976 e 1983, a Argentina foi governada por uma ditadura militar que agiu de maneira violenta e repressora contra aqueles que considerava de esquerda ou subversivos, um conflito nomeado pelos criminosos de *"Guerra Sucia"* ou "Guerra Suja". Em Buenos Aires e outras cidades, civis foram sequestrados em áreas públicas ou arrancados de casa e levados para uma das trezentas prisões ao redor do país. Muitas pessoas foram brutalmente torturadas — homens, mulheres e crianças, sem distinção. Sobreviventes relatam que foram amarrados a grades de metal e eletrocutados. A gravidez não impedia a crueldade dos sequestradores. Outros foram dopados, vendados e jogados de aviões no Rio da Prata, entre a Argentina e o Uruguai, e seus corpos apareciam nas duas margens.

ANTROPOLOGIA 185

Quando não eram colocados em covas sem identificação ou na água, os corpos iam para os necrotérios registrados como: "sem nome". Um trabalhador relatou "corpos armazenados durante trinta dias sem nenhum tipo de refrigeração [...] nuvens de moscas e o chão coberto com uma camada de mais ou menos 10 centímetros de profundidade de larvas". Cerca de trinta mil civis foram vítimas da "Guerra Suja", e aproximadamente dez mil encontravam-se "desaparecidos". (*Ver imagem 27 no encarte de fotos.*)

Em 1984, após a queda da junta militar, juízes argentinos começaram a ordenar a exumação de corpos de covas anônimas e a identificação deles, para assim permitir que as pessoas tivessem ciência do que tinha acontecido com seus parentes desaparecidos e levar os assassinos à justiça. Os médicos do país que seguiam as ordens dos juízes tinham pouca experiência na análise de esqueletos e precisavam desesperadamente de ajuda. Em 1986, Clyde Snow, um experiente antropólogo forense que havia trabalhado no assassinato de Kennedy e nas vítimas do serial killer John Wayne Gacy, foi dos EUA para a Argentina com o objetivo de treinar os primeiros integrantes da Equipe Argentina de Antropologia Forense. "Pela primeira vez na história dos direitos humanos", explica Snow, "começamos a usar um método científico para investigar violações. Iniciamos de forma modesta, mas aquilo levou a uma verdadeira revolução na forma como as violações dos direitos humanos são investigadas. A ideia de usar a ciência na área dos direitos humanos começou aqui, na Argentina, e hoje é usada no mundo todo".

Snow reuniu um pequeno mas dedicado grupo de jovens argentinos e quase sempre os treinava no trabalho. Nos primeiros meses, ele relata como seus alunos caíram no choro nos locais das covas, e ele começou a bombardeá-los com um "mantra". "Se tiverem que chorar, chorem à noite." Depois de os antropólogos terem exumado e documentado um corpo, investigadores tentavam identificá-lo, comparando o perfil biológico com os registros médicos e dentários de pessoas que estavam desaparecidas. Nos últimos anos, antropólogos extraíram DNA dos ossos daqueles ainda não identificados e

186 A ANATOMIA DO CRIME

os ligaram a parentes vivos. Em 2000, sessenta esqueletos haviam sido identificados, e outros trezentos ainda estavam sob investigação: uma proporção minúscula do total, mas um começo. Um dos identificados foi Liliana Pereyra, raptada quando voltava caminhando do trabalho para casa, no dia 5 de outubro de 1977. Ela posteriormente foi torturada, estuprada e assassinada pelos sequestradores. Quando Liliana desapareceu, estava grávida de cinco meses. No julgamento de nove líderes militares em 1985, Clyde Snow testemunhou sobre a identidade de Liliana e disse no tribunal que "de muitas maneiras, o esqueleto é a melhor testemunha de si mesmo". Os ossos de Liliana Pereyra, em conjunto com vários outros esqueletos, ajudaram a condenar seis dos réus.

A equipe argentina trabalhou em mais de trinta países, exumando covas coletivas e treinando outras pessoas para conduzirem suas próprias investigações forenses. Eles treinaram a Fundação de Antropologia Forense da Guatemala, criada para investigar violações de direitos humanos durante a guerra civil de trinta anos. Trabalharam com a Comissão da Verdade e Reconciliação na África do Sul após o apartheid. Também colaboraram com a equipe de geólogos cubanos em 1997 para identificar os restos mortais de Che Guevara na Bolívia. O que sabiam para confirmar sua identidade era que ele havia sido baleado nas pernas, nos braços e no tórax em 1967, e que teve as mãos cortadas por soldados bolivianos. Os antropólogos que procuraram os restos mortais dele encontraram sete corpos em duas covas. Um dos corpos estava com uma jaqueta azul e, no bolso dela, a equipe encontrou uma pequena quantidade de tabaco para cachimbo, fumo que um piloto boliviano de helicóptero tinha dado a Guevara pouco antes de sua morte. A identificação foi confirmada pela arcada dentária. Trinta anos após a execução, levaram Che Guevara de volta para Cuba, onde foi recebido como herói. (*Ver imagem 28 no encarte de fotos.*)

O conhecimento que puderam compartilhar no Kosovo ajudou outras pessoas como Sue Black a expandir seu conhecimento e suas técnicas, o que formou a base para os avanços da disciplina pelo mundo. A própria Sue trabalhou em diversas situações, como em

ANTROPOLOGIA   187

Serra Leoa, Iraque e Tailândia, após o tsunami de 2004, além de dar cursos extensivos em programas de treinamento no Reino Unido.

E até hoje as atrocidades que requerem sua expertise seguem acontecendo. Em janeiro de 2014, um desertor sírio de codinome "Caesar", que alega ter sido fotógrafo da Polícia do Exército, recolheu ilegalmente 55 mil fotos de 11 mil cadáveres de homens que supostamente foram detidos quando lutavam contra a ditadura de Assad. O regime questionou a legitimidade das fotos, alegando que um grupo de oposição as falsificara. Pediram a Sue que examinasse as fotografias e confirmasse sua autenticidade. Ela as descreveu como "o pior exemplo de violência com o qual me deparei em trinta anos de ciência forense". Enquanto as atrocidades do Kosovo envolviam principalmente tiros e o tsunami foi um ato da natureza, essas fotos revelavam uma tortura sistemática. Os corpos possuíam sinais de inanição, estrangulamento e eletrocussão. Haviam sofrido espancamentos, queimaduras e tiveram os olhos arrancados. Perguntaram a Sue se as provas de tortura eram convincentes e se as mortes justificavam investigações adicionais. A resposta dela para as duas perguntas foi: "Sem a menor sombra de dúvida, sim."

◆

Felizmente, a maior parte do trabalho do antropólogo forense não envolve investigação de tortura nem de genocídio. Eles quase nunca são convocados à cena do que é conhecido como "evento de fatalidade em massa" — desastres naturais, acidentes de trem, os atentados ao metrô de Londres em 2005. Na verdade, a maioria de seus casos tem uma escala muito menor. Porém, com a mesma carga de importância que aqueles acometidos por essas fatalidades individuais.

John e Margaret Gardiner moravam em Helensburgh, na costa oeste da Escócia, a uma hora de carro de Glasgow. John era um ex-marinheiro mercante cuja habilidade de pensar grande só era compatível com a de fazer dívidas. Em outubro de 2004, John des-

188 A ANATOMIA DO CRIME

velou seu último plano para ficar rico rápido: construir cozinhas de luxo. Margaret não ficou impressionada pelo esquema e deixou isso bem claro.

Em seu escritório alguns dias depois, ela recebeu uma ligação do atendente do banco, dizendo que havia um problema com a solicitação de empréstimo de 50 mil libras que ela fizera. A notícia a surpreendeu porque Margaret não havia feito nenhuma solicitação de empréstimo. E ela tinha plena consciência de que jamais solicitara um empréstimo na vida. No decurso da conversa, ficou claro que John persuadira outra mulher a se passar por Margaret e preencher o formulário em nome dela. Isso foi a gota d'água para Margaret. Ela disse aos colegas que estava indo resolver as diferenças com seu marido e saiu para mandá-lo embora de casa. Nunca mais foi vista com vida.

Quando as pessoas perguntavam onde a esposa estava, John dava respostas rápidas e evasivas. Mas a única coisa que ele não conseguia explicar era por que ela havia repentinamente parado de ligar para os pais idosos, coisa que fazia toda noite. Quando prestaram queixa de desaparecimento à polícia, uma equipe forense foi enviada até a casa por ter sido considerada uma questão grave. No banheiro, os peritos encontraram um pouco de sangue na base da torneira da banheira. Sangue de Margaret. Eles enfiaram um endoscópio até o sifão no cano da pia e encontraram uma lasca de esmalte de dente. Verificaram a máquina de lavar roupas, colheram material ao redor da porta e encontraram mais sangue de Margaret.

Mas nada disso significava que Margaret estava morta. Ela podia ter tropeçado e caído no banheiro, lascado o dente, se cortado, depois colocado as roupas ensanguentadas na máquina de lavar. Contudo, os peritos estavam determinados a fazer um trabalho meticuloso. Retiraram o filtro da máquina de lavar e encontraram um minúsculo fragmento de cor creme, com meros 4 milímetros de espessura e 1 centímetro de comprimento. Não tinham certeza, mas acharam que podia ser osso. Eles podiam ter decidido triturá-lo até virar pó e enviá-lo para teste de DNA.

ANTROPOLOGIA 189

Felizmente decidiram que, antes de se fazer um teste que destrói a prova, é importante aplicar todas as técnicas disponíveis que a preservem.

Então eles levaram o fragmento para o Centro de Anatomia e Identificação Humana, onde Sue Black o identificou não somente como um pedaço de osso qualquer, e sim a asa esquerda do esfenoide. Essa parte do osso fica na têmpora, e logo abaixo dela fica a ramificação vital de uma importante artéria. Sem esse pedaço do osso, Margaret Gardiner teria sangrado até a morte. Não tinha possibilidade alguma de ela estar viva.

Uma prova tão minúscula transformou em absurdas as invenções de John. Quando confrontado com o incontestável fragmento, ele logo deu à polícia uma nova versão dos acontecimentos. Margaret irrompera furiosa pela porta, disse ele. O bate-boca tomou proporções físicas. Margaret se livrou das garras do marido, mas ele a perseguira. Ela saiu correndo da casa. Tropeçou no degrau do alto da escada. Bateu a cabeça no chão do pátio. Sangrou exageradamente. John levou a mulher para o banheiro, o que explicava o sangue encontrado lá. Depois percebeu que tinha sangue na blusa, então a enfiou na máquina de lavar. Ele a lavou no ciclo frio com detergente não biológico, preservando assim o DNA do fragmento, que devia ter ficado preso nas fibras de sua blusa. A história era compatível com as provas. Depois, John contou à filha que tinha envolvido Margaret em um lençol e a jogado no rio. Ainda que o corpo de Margaret Gardiner jamais tenha sido encontrado, com base naquele pequeno fragmento de osso que continha o DNA dela, o marido foi condenado por homicídio culposo.

◆

Muito antes de a ciência formal da antropologia ser usada em casos do século XXI como no homicídio culposo de Margaret Gardiner, um interesse por ossos desempenhou um papel importante em um processo judiciário. O caso em questão dizia respeito a um oficial do século XIII

190 A ANATOMIA DO CRIME

cuja história estava presente no manual do legista chinês, *The Washing Away of Wrongs* (1247). Um homem havia matado um rapaz e tomado suas posses. Muito tempo depois, o crime foi descoberto. O criminoso confessou que tinha espancado o rapaz e o jogado em um lago. O corpo foi encontrado no lago, mas a carne já havia apodrecido e restavam apenas os ossos. Um oficial de patente alta achou que os ossos podiam pertencer a outra pessoa. Ninguém ousou contradizer seu julgamento, e não puderam instaurar o inquérito.

No entanto, algum tempo depois, outro oficial revisou os relatórios e notou que um parente tinha descrito o rapaz "com peito de pombo". O oficial foi dar uma examinada no esqueleto. De fato, as costelas da vítima encaixavam-se em um ângulo agudo. Um novo inquérito foi instaurado. A confissão do assassino foi validada e ele finalmente foi punido por seu crime.

Todavia, apesar desse sucesso remoto, o episódio aconteceu muitos séculos antes de a ciência dos ossos ser formalmente usada nos tribunais. A primeira ocorrência registrada da presença de um antropólogo num julgamento foi em 1897, nos Estados Unidos. George Dorsey era um etnógrafo especializado em ameríndios, e em 1894 ele foi a primeira pessoa a receber o título de Ph.D. em antropologia pela Universidade de Harvard. Um de seus professores foi Thomas Dwight, conhecido também como "o pai da antropologia forense", que abriu portas para os primeiros avanços da disciplina e conseguiu analisar a variabilidade dos esqueletos humanos com uma exatidão nunca antes vista. Na época do julgamento, a paixão de Dorsey pela coleta de artefatos, especialmente esqueletos, o levou a expedições pelas Américas do Norte e Sul, e ele regressou com uma grande quantidade de múmias incas do Peru.

Em 1897, Dorsey foi atraído por um caso que estampou as primeiras páginas dos jornais durante semanas. Adolph Leutgert tinha emigrado da Alemanha para Chicago em 1866, com 21 anos e sem um centavo no bolso. Assim como John Gardiner, ele era um homem de grandes ambições. Diferentemente de Gardiner, sabia lidar com dinheiro. Por quinze anos ele teve empregos ocasionais em curtumes

ANTROPOLOGIA 191

e ajudando em mudanças até conseguir economizar 4 mil dólares —
o suficiente para montar uma fábrica e criar a A. L. Leutgert Sausage
& Packing Company. As salsichas da fábrica logo começaram a ser
distribuídas por toda a cidade e para outras localidades, rendendo a
Leutgert o título de "Rei das Salsichas de Chicago".

Logo antes de abrir a fábrica, o corpulento empresário da salsicha tinha se casado com uma mulher delicada e atraente chamada
Louisa. Porém, o casamento estava longe de ser o sonho americano.
Adolph começou a dormir com outras mulheres. Rumores de que ele
espancava a esposa começaram a se espalhar.

No dia 1º de maio de 1897, o casal saiu para uma caminhada. Mas
apenas Adolph retornou. Ele disse à família da mulher que ela havia fugido com outro homem, mas ninguém acreditou. Eles foram à
polícia, que fez uma busca meticulosa que acabou levando à fábrica
de salsicha. Uma testemunha ocular contou a eles que tinha visto
Adolph e a esposa entrarem na fábrica às 22h30, na noite do desaparecimento. O vigia noturno corroborou essa história. Mais do que
isso: o sr. Leutgert tinha dado a ele uma incumbência e disse-lhe que
podia tirar o restante da noite de folga.

Ao andar pela fábrica, a polícia sentiu um cheiro estranho vindo
de um tonel grande usado para defumar salsichas. Ao olharem dentro do tonel, os policiais viram uma borra no fundo e um deles disse
que ela tinha um "cheiro repugnante [...] de algo morto", e decidiram
investigar mais.

"Retiraram uma tampa do lado de fora, perto do fundo, e espalharam alguns panos de chão [...] no piso diante da boca do tonel. À
medida que o líquido saía, um sedimento viscoso e vários pequenos
pedaços de osso ficaram nos panos. Depois examinaram o tonel e,
no fundo, ao lado de outros fragmentos de osso, encontraram dois
anéis de ouro simples, colados um no outro e cobertos por uma
substância viscosa cinza-avermelhada; o menor era um anel prote-
tor, o maior, uma aliança, e na superfície interna dela estava gravado
'L.L.'." Posteriormente foi confirmado que se tratava da aliança de
Louisa Leutgert, um presente do marido. Dentro de uma fornalha,

192 A ANATOMIA DO CRIME

a polícia também encontrou fragmentos pequenos que pareciam ser de osso e um pedaço queimado de espartilho. À luz de provas tão contundentes, Leutgert foi preso.

O julgamento aconteceu no tribunal do condado de Cook, em meados do mesmo ano, envolto numa atmosfera de entusiasmado interesse público. George Dorsey e alguns de seus colegas do Field Museum, em Chicago, testemunharam para a promotoria. Dorsey disse que os ossos encontrados na fornalha eram humanos e que entre eles havia ossos de pé, dedos da mão e do pé, caixa torácica e crânio de mulher. Outra testemunha afirmou que o lodo encontrado no tonel continha hematina, uma substância química gerada pela decomposição da hemoglobina, presente no sangue humano.

Uma terceira testemunha disse que, antes do desaparecimento de Louisa, Adolph gastara centenas de libras na compra de lixívia — um produto cáustico que pode ser usado com propósitos muitíssimo variados como curar carne, limpar fornos e fazer metanfetamina —, substância que ele tinha gradualmente acrescentado a um tonel em que processava a salsicha. Adolph afirmou em seu testemunho que a lixívia era para limpar a fábrica. A promotoria contestou, dizendo que a lixívia é altamente alcalina, boa para dissolver objetos grandes.

O primeiro julgamento levou a um impasse no corpo de jurados: eles estavam tão longe de chegar a um acordo que quase trocaram socos na sala em que deliberavam sobre o veredito. Mas Leutgert não tinha se safado. No ano seguinte, houve outro julgamento. George Dorsey testemunhou de novo. E, dessa vez, Leutgert foi declarado culpado de assassinar a esposa.

George Dorsey deixou uma boa impressão quando subiu ao banco das testemunhas. Como apontou o *Chicago Tribune*: "Ficou evidente que a única preocupação dele foi apresentar a verdade exata da maneira que ele a conhecia, sem nenhum exagero, sem malícia [...] seu conhecimento era [...] bem sistematizado, bem controlado, muito consistente, preciso e abrangente." Em contrapartida, o especialista da defesa, William H. Allport, humilhou-se quando, ao testemunhar, afirmou que um osso de cachorro era de macaco. Para abafar as risadas do júri,

ANTROPOLOGIA 193

ele prevaricou, dizendo que "existe uma classe de macaco-cachorro". Porém, fora da sala de audiência, Dorsey enfrentou tantas críticas de outros anatomistas sobre a maneira como conduziu o caso — inclusive do rancoroso Allport, que zombou da possibilidade de "identificar uma mulher a partir de quatro fragmentos de ossos do tamanho de ervilhas" — que abandonou inteiramente a ciência forense. Porém, a cobertura da imprensa tinha, pela primeira vez, sem dúvida alguma, colocado a antropologia forense no mapa para o público em geral.

◆

A antropologia forense é um campo relativamente novo em sua forma moderna. No início do século XX, a análise de restos esqueléticos avançou com passos lentos e graduais. Mas, ainda sim, avançou.

Aleš Hrdlička nasceu na Boêmia (hoje parte da República Checa) e emigrou em 1881, aos 13 anos, para os EUA, onde desenvolveu um interesse obsessivo pela origem humana. Assim como George Dorsey, Hrdlička estudou os povos indígenas da América do Norte. Aos 30, ele partiu para uma expedição de cinco anos pela América do Norte, em que estudou esqueletos. Suas conclusões o levaram a uma teoria original: o povo da Ásia Oriental já tinha viajado pelo Estreito de Bering e colonizado a América do Norte aproximadamente doze mil anos antes. Desde então, esse conceito tornou-se um lugar-comum para a ciência, graças, em parte, ao teste de DNA. Porém, além das origens humanas, ele ficou igualmente interessado pela origem da maldade humana e estudou as características antropomórficas de americanos criminosos e "normais", para descobrir se as medidas dos malfeitores eram diferentes. Em 1939, ele foi capaz de afirmar: "O crime não é físico, é mental."

A expertise de Hrdlička não passou despercebida. Nos anos 1930, o FBI se perguntou se essa ciência ainda nova podia ajudar a solucionar casos arquivados e o contatou em busca de ajuda. Hrdlička atuou como consultor em mais de 35 casos do FBI, determinando a identidade de restos esqueléticos, a idade deles e se tinha ocorrido

194 A ANATOMIA DO CRIME

algum crime. Hrdlička levou mais organização para a antropologia forense e desenvolveu uma abordagem sistemática para ela. Quando morreu, J. Edgar Hoover, o diretor do FBI, louvou sua "extraordinária contribuição à ciência da detecção de crime". Ao mesmo tempo que ajudava nessas investigações, Hrdlička também estava preparando a próxima geração de antropólogos forenses, dando aula no Smithsonian Institute.

Assim como o momento determinante na carreira de Sue Black foi com o trabalho no genocídio nos Bálcãs, algumas das maiores descobertas da antropologia forense no século XX vieram dos acontecimentos mais trágicos. Um dos mais talentosos aprendizes de Hrdlička, T. D. Stewart, trabalhou em um depósito na cidade japonesa de Kokura, identificando os mortos na Guerra da Coreia. A tarefa foi particularmente difícil por causa dos efeitos de armas explosivas modernas no corpo humano. Os restos mortais chegavam em enormes caixas cheias de ossos; portanto, o processo era árduo e de cortar o coração. Mas Stewart agarrou a oportunidade que lhe foi dada: teve acesso a um inigualável e gigantesco conjunto de amostras de ossos humanos. Ele deu início a uma meticulosa catalogação de medidas e foi gradualmente construindo um banco de dados que permitia prognosticar altura, peso e idade aproximados a partir de restos esqueléticos.

Outra antropóloga que deu uma vasta contribuição à sua área foi Mildred Trotter, que, em 1947, tinha começado a trabalhar no Serviço Americano de Registro de Covas, no Havaí. Insatisfeita com os dados que já tinha para prognosticar altura e idade — que datavam cinquenta anos e eram da França —, começou a fazer as próprias medições, usando ossos de soldados mortos na Segunda Guerra Mundial. Atualmente, o Laboratório Central de Identificação do Exército dos EUA ainda é o maior laboratório de identificação humana do mundo, e as medições de Stewart e Trotter continuam sendo usadas.

As lições aprendidas no Havaí se espalharam para o exterior e serviram de informação para outros antropólogos forenses dedicados

ANTROPOLOGIA 195

à identificação dos mortos. A instrução está no coração do que Sue Black foi pioneira, no Centro de Anatomia e Identificação Humana, em Dundee. Em 2008, o centro criou um serviço de e-mail para a polícia que funciona 24 horas por dia, e seu objetivo é responder à questão "Este osso é humano ou não?" em menos de dez minutos. O número de consultas aumenta no verão, quando as pessoas cavam em seus jardins ou saem para caminhar no interior.

Responder a essa pergunta vital pode ser muito difícil. Os efeitos do clima em uma região e de animais saprófagos podem dispersar e destruir esqueletos, deixando às vezes apenas um único osso para trás. As costelas de ovelha ou de veado são muito parecidas com as dos humanos, e confundi-las é fácil. Os pequenos ossos e dentes de crianças também são similares aos desses animais. E, tendo em vista que são numerosos — crianças têm aproximadamente oitocentos ossos antes de se fundirem e somarem 209 na idade adulta —, podem ser facilmente dispersados por uma ampla área numa região rural (Clyde Snow estima que o esqueleto de uma criança tenha apenas 46 ossos "encontráveis").

Em 2012, o serviço do Centro de Anatomia e Identificação Humana atendeu a 365 casos envolvendo ossos. Um por dia. Mas quantos desses ossos eram de fato humanos? "Noventa e oito por cento não eram", explica Sue Black. Mas mesmo um resultado negativo é de grande ajuda. "Falamos para a polícia não dar início à investigação do homicídio da Vaquinha Mimosa, porque não chegarão muito longe com ela."

Mas há sempre os 2% que um dia já pertenceram a uma pessoa que estava viva e respirava. E é aí que as habilidades de um anatomista ou antropólogo entram em ação. Para identificar que osso estão olhando, eles primeiro têm de medir o tamanho e a grossura, em seguida analisar as sutis saliências, ranhuras e reentrâncias que definem a função de cada um dos nossos ossos. Dependendo do osso, é possível determinar o sexo: homens tendem a ter ossos mais largos e robustos do que as mulheres. Eles também têm uma abertura em forma de coração na pelve em comparação com a circular das mu-

196 A ANATOMIA DO CRIME

lheres, que é por onde elas dão à luz. Os crânios dos homens tendem a ser maiores também, com mandíbulas mais quadradas que a das mulheres.

Alguns anos atrás eu estava com Sue Black na sala dela quando um policial entrou, segurando uma sacola de papel com um osso que ele havia encontrado na praia perto de Kirkcaldy, onde cresci. Sue pôs as luvas e tirou o osso da sacola com uma teatralidade exagerada. Todos nós conseguíamos ver que era um maxilar com alguns dentes que continuavam se agarrando a ele com teimosia. "É humano", afirmou Sue solenemente. Eu estava convencida de que era uma conclusão encenada para me impressionar. Um osso humano encontrado na praia em que eu costumava brincar quando criança. Mas não, Sue insistiu. Ela ficou com pena de mim e explicou: "Não há nada aqui que interesse à polícia. Esse osso é muito velho. O seu dono está morto há muitíssimo tempo. Há tempo demais para que tenha alguma importância jurídica. A gente recebe esse tipo de coisa o tempo todo."

Um encontro com o maxilar de um estranho é algo que a maioria das pessoas acharia repulsivo. Essa palavra não existe no vocabulário profissional de Sue Black. Nem nojento, repugnante, enjoativo. O corpo humano com todas as suas glórias e ignomínias é seu local de trabalho e Sue leva a ele uma competência calma que não deixa espaço para que se sinta enjoo facilmente. Ela diz que qualquer desconforto prolongado que pudesse ter tido em relação a sangue, carne e osso foi dissipado no seu primeiro trabalho — aos 12 anos, ela trabalhava meio turno em um açougue. Sue lembra-se de lá ser tão frio que "quando um caminhão de fígado chegava direto do abatedouro, a gente costumava apostar corrida até a parte de trás dele, porque lá conseguíamos pelo menos dar uma esquentadinha nas mãos". As coisas que costumam afastar as pessoas da anatomia não a incomodaram. Mas o que a atraiu em primeiro lugar?

Não foi, a princípio, a vontade de levar criminosos à justiça. No fundo, ela é uma pesquisadora obcecada por tentar entender os mistérios do corpo humano. Só mais tarde percebeu como essa com-

ANTROPOLOGIA   197

preensão poderia desvendar os mistérios sobre a destruição que nós humanos acarretamos uns aos outros. Como graduanda de anatomia e primeira mulher da família a ir para a universidade, Sue Black pensava que dissecar pessoas era "a mais grandiosa experiência de humildade". Ela as via como pessoas que tinham se oferecido como manuais corporais que os cientistas podiam estudar minuciosamente para fazerem descobertas que beneficiariam outras pessoas. Sue decidiu que sua primeira pesquisa seria sobre identificação de ossos e logo viu a rapidez com que aquilo poderia ser aplicado na prática.

Seu primeiro caso envolveu a identificação de um piloto de ultraleve que caiu na costa leste da Escócia. Ela estava apreensiva em relação a como seria sua reação ao ver o corpo do piloto, porém, diante da realidade, o necessário distanciamento clínico se apoderou dela. Sue solucionou aquele caso e decidiu que poderia seguir carreira na área.

O trabalho a deixa cara a cara com o tipo de questões que a maioria das pessoas relega para as atividades de lazer. "Todos nós gostamos de um bom mistério", diz ela. "Todos nós gostamos de um bom crime. Todos nós lemos livros e assistimos aos programas porque temos uma curiosidade inata sobre o corpo humano e sua anatomia. Podemos usar essa curiosidade para resolver um problema, e o problema é 'Quem é essa pessoa?', 'O que é isso?', ou seja, consegui uma combinação maravilhosa, pois quando estou trabalhando com anatomia é onde me sinto mais em casa. Eu a estou aplicando a um problema no mundo que realmente precisa ser abordado e estou satisfazendo a curiosidade humana ao mesmo tempo."

◆

No início, o trabalho forense de Sue Black era voltado para a identificação de vítimas. Uma identificação bem-sucedida ajuda a decretar a ocorrência de um crime e possibilita a investigação. Porém, a investigação de um crime diz respeito a muitas outras coisas além da vítima. A questão central é descobrir o responsável pelo ato criminoso. Esse tem sido o centro da ficção policial desde as origens do gênero

198 A ANATOMIA DO CRIME

no século XIX. Os bons cientistas, assim como os bons detetives, desenvolvem novas tecnologias para solucionar problemas específicos. Se essas técnicas são bem-sucedidas, elas podem ser aplicadas a casos similares. Para Sue Black, o desbravar de novos caminhos sempre foi uma força motriz. Sempre que pode, ela se dedica com afinco a ampliar o alcance e escopo da antropologia forense. Nos últimos anos, ela tem passado menos tempo desvendando as identidades das vítimas do que condenando os vitimizadores.

Nick Marsh, chefe de fotografia da Polícia Metropolitana, trabalhou com Sue no Kosovo, onde se tornaram tanto amigos quanto confidentes profissionais. Depois que voltou para o Reino Unido, ele se deparou com um caso aparentemente perdido em sua unidade de fotografia. Uma garota de 14 anos tinha ido à polícia alegando que o pai estava abusando dela à noite. A menina já tinha contado à mãe, que não acreditou. Ela sabia que precisava de provas. Como tinha um bom conhecimento de tecnologia, sabia que uma webcam, no escuro, passaria a gravar com luz infravermelha. A garota montou a câmera, apontou-a para a cama e apertou "gravar".

Ela levou o vídeo para a polícia. O problema aparentemente insolúvel com o qual Nick Marsh se deparou foi o de que ele conseguia ver que houve abuso, mas, como a câmera capturava uma imagem muito estreita, o rosto do criminoso não aparecia. Sem um rosto ou outra marca óbvia de identificação, o vídeo não seria o suficiente para condenar o pai.

Então Nick procurou a única pessoa que achava que poderia ajudá-lo. Quando assistiu ao vídeo, Sue disse: "Foi uma das coisas mais aterrorizantes que já vi. Senti minha nuca toda arrepiar. Aproximadamente às 4h15 da manhã, duas pernas aparecem na imagem da câmera e ficam ali. Dá para ver o lugar em que a garota está deitada na cama. Ela está de pijama e é a região de suas nádegas que conseguimos ver. Ele só fica parado ali — eu sei que é 'ele' por causa das pernas muito, muito peludas — e depois, muito lentamente, estende o braço e põe a mão debaixo das cobertas."

Assim como Nick, Sue achou que seria impossível identificar o agressor. Mas, com um olhar mais atento, ela percebeu que a luz infravermelha tinha revelado o sangue desoxigenado do criminoso, deixando destacadas as veias superficiais de seu antebraço. Ela já sabia que o traçado de veias superficiais variava muito. Quanto mais afastadas do coração, mais óbvia a diferenciação entre elas, então as veias nas mãos e nos antebraços são as mais individualizadas que o nosso corpo tem. Mas identificar alguém com base nesses traçados seria algo que a ciência forense faria pela primeira vez. Sue sugeriu que fotografassem o antebraço direito do pai. As veias correspondiam perfeitamente com as do homem no vídeo.

Quando o caso foi para o tribunal, a defesa questionou a admissibilidade da prova de Sue. O juiz concordou que não existia histórico algum de análise de traçados de veias. O corpo de jurados foi dispensado para que a defesa e a promotoria apresentassem seus argumentos sobre se a prova poderia ou não ser usada. O juiz perguntou a Sue o que ela planejava dizer. Nesse momento, ela se deu conta de que deveria ter fotografado *os dois* braços do pai para demonstrar como as veias nos antebraços diferem, ainda que no mesmo indivíduo. Com o objetivo de convencê-lo, ela pediu ao juiz que virasse as duas mãos para cima e olhasse para as diferenças nas próprias veias. Ele perguntou se aquilo provava de forma irrefutável que o criminoso era o pai. "Não", respondeu ela com toda a franqueza. "Não fiz pesquisas suficientes para ter certeza de que esse traçado de veias não é compatível com o de outra pessoa no mundo." A defesa estava desesperada para invalidar a prova. A decisão ficou a cargo do juiz. No fim das contas, considerou a prova admissível, com base na experiência anatômica de Sue em relação à variação humana, mas o fato de o perito levado pela defesa ser um analista de imagem e não um anatomista ajudou, além de ele ter irritado o juiz por não desligar o telefone celular.

Sue foi para o banco de testemunhas. A defesa apresentou seus argumentos. A garota foi interrogada. O júri deliberou e retornou com

200 A ANATOMIA DO CRIME

um veredito que Sue não estava esperando: inocente. Preocupada com a possibilidade de ter ultrapassado os limites, Sue pediu ao promotor para confirmar com o júri se a ciência não os tinha convencido. Fosse o caso, a análise de traçado de veias como técnica forense teria de ser modificada ou abandonada. O júri disse que o problema não foi com a ciência. Ela fazia sentido para eles. Os jurados chegaram ao veredito de "inocente" não por desacreditarem na ciência, mas por não acreditarem na garota — ela não tinha chorado o bastante.

Em vez de se desesperar com a leviandade dos jurados, Sue começou a investir na ciência, de modo que ela fosse mais bem aplicada no combate a reações puramente emocionais nas salas de audiência. Desde que o Centro de Anatomia e Identificação Humana começou a treinar policiais de todo o Reino Unido para a identificação de vítimas de desastre, Sue decidiu transformar a maior parte do que via em uma oportunidade única. Ela fez todos os quinhentos policiais que estava treinando ficarem só de roupas íntimas. Em seguida, a equipe dela tirou fotos, com infravermelho e luz visível, de pés, braços, coxas, costas, abdomens, peitos, braços, antebraços e mãos. Depois que essas fotos foram catalogadas e comparadas, elas compuseram uma base sólida para a técnica da análise de traçado de veias.

Por causa do gosto que os policiais têm por contar histórias e casos, a notícia sobre a expertise de Sue não parou em Nick Marsh. Ela chegou a uma quantidade muito maior de pessoas. Não levou muito tempo para outro oficial da Polícia Metropolitana pedir a Sue que o ajudasse em outro caso de pedofilia. Em 2009, a polícia tinha revistado a casa de Dean Hardy, um vendedor de móveis de Kent. Foram encontradas 63 fotos indecentes em seu computador. Algumas eram de garotas do Sudeste Asiático, com idades entre 8 e 10 anos. Todas estavam sendo abusadas por um homem ocidental. Os metadados presentes nos arquivos fotográficos informaram que elas haviam sido tiradas em 2005. A polícia conseguiu provar que Hardy viajara para a Tailândia em 2005 e o acusou de abusar das garotas. Ele negou.

Dessa vez, Sue Black instruiu que as duas mãos de Hardy fossem fotografadas. Ela as analisou meticulosamente. Identificou o traçado das veias. Encontrou uma pequena cicatriz na base de um dos dedos. Analisou o desenho das rugas nos nós dos dedos. Registrou as pintas. Depois, comparou suas constatações com a mão na foto. Elas eram compatíveis em todos os aspectos. A polícia confrontou Hardy, dizendo: "Há uma similaridade maior entre a sua mão esquerda e a mão nesta foto do que entre as suas mãos esquerda e direita." Em seguida eles perguntaram: "Esta mão é sua?" Diante de uma prova tão detalhada, dessa vez ele respondeu: "Sim."

Foi a primeira vez na história do Reino Unido que pintas e veias foram usadas na identificação de um criminoso. Pouco tempo depois, cineastas produziram um documentário sobre como pegar um pedófilo com base no trabalho de Sue com a Polícia Metropolitana para encurralar Dean Hardy. Quando o documentário foi exibido, quatro outras mulheres foram à delegacia e disseram que Hardy tinha abusado delas quando crianças. Hardy foi condenado a seis anos pelo abuso na Tailândia e a mais dez anos pelo abuso denunciado pelas vítimas do Reino Unido.

Passados alguns meses, naquele mesmo ano, Sue ajudou a reunir o conjunto de provas que condenou integrantes da maior rede de pedofilia da Escócia. Oito homens da área central da Escócia faziam, compartilhavam e recolhiam imagens abusivas. Um deles tinha 78 mil fotos no computador. Depois desse caso, Sue e sua equipe atualmente se envolvem em aproximadamente quinze casos de identificação de pedófilos por ano. O Centro de Anatomia e Identificação Humana se transformou na primeira opção para a polícia que precisa desse tipo de ajuda.

◆

Todavia, o centro em Dundee está longe de ser o único local em que descobertas da antropologia forense estão sendo empregadas na identificação do desconhecido. Na Universidade do Estado da Luisiana, Mary Manheim é a criadora e diretora de um laboratório conhecido como FACES (*Forensic Anthropology and Computer Enhancement Services*

202 A ANATOMIA DO CRIME

[Serviços de Antropologia Forense e Aperfeiçoamento Computacional]). Manheim se formou em literatura inglesa em 1981, antes de fazer uma mudança radical e se dedicar à antropologia. Desde então, já se envolveu em mais de mil casos nos EUA e escreveu três livros sobre eles: *The Bone Lady* [A senhora dos ossos] (2000), *Trail of Bones* [Rastros de ossos] (2005) e *Bone Remains* [Restos ósseos] (2013). Há décadas ela vai a todos os departamentos de polícia, delegacias regionais e necrotérios da Luisiana e insere informações em um banco de dados de pessoas desaparecidas. Esse banco de dados contém perfis biológicos de seiscentas pessoas desaparecidas e cento e setenta restos mortais não identificados, e um de seus objetivos é encontrar compatibilidades entre os dois. Hoje esse banco de dados está conectado a uma rede nacional a que pessoas em busca de entes queridos têm total acesso.

Manheim trabalhou num caso em que o corpo de uma mulher foi encontrado boiando nas águas profundas do Golfo do México, a 25 quilômetros ao sul de Grand Isle, Luisiana. Ela tinha sido baleada no peito, enrolada em uma rede de pesca e jogada na água com uma âncora de concreto: obviamente um caso de homicídio. Embora o corpo tivesse ficado na água durante algum tempo, ele estava bem preservado, em parte porque a rede havia impossibilitado que caranguejos e peixes se alimentassem dele. Como Manheim apontou: "Partes de corpos dependuradas com juntas que se movem atraem a vida marinha e geralmente são as primeiras a desaparecer: as mãos, os pés, a cabeça."

Identificaram o corpo com o código 99-15 e o enviaram ao FACES. Manheim achou que ele era um candidato perfeito para o programa e para sua equipe, e não demorou a conseguir produzir uma imagem que simulava a mulher viva. Manheim mediu o crânio: seus olhos próximos um do outro, a sobremordida e as órbitas oculares ovais indicavam que, em relação à raça, ela era uma "típica europeia branca". Ela estava usando um colar de turquesa e diamantes com formato de borboleta. Análises do esqueleto revelaram que ela tinha fraturas antigas nas pernas e artrite no joelho direito, e por isso devia mancar. Tinha tirado o siso, provavelmente com um dentista norte-

ANTROPOLOGIA   203

-americano. Pela medição dos ossos e análise da pele, conseguiram estabelecer altura, peso e idade aproximados. O corpo 99-15 tinha entre 1,57m e 1,65m, idade entre 48 e 60, peso entre 56kg e 61kg. Inseriram a informação no banco de dados do FACES e, em outubro de 2004, o 99-15 foi identificado como uma mulher de 65 anos que havia desaparecido no Missouri em janeiro de 1999. A análise acertou na mosca, apesar de terem calculado para baixo a idade.

Qual deve ser a sensação que um antropólogo forense tem quando consegue identificar uma pessoa? Depois de ter passado tanto tempo comunicando-se em silêncio com os mortos, como será compartilhar um momento com uma pessoa viva que teve seus piores medos confirmados? Mary Manheim sabe. "A identificação de um corpo é dolorosa para os membros de uma família, mas essa resolução os ajuda a seguir em frente", diz ela. Horas intermináveis gastas pensando no parente desaparecido e no que ele podia estar sofrendo passam a ser investidas nas próprias vidas.

◆

Ainda há uma identificação que Sue Black almeja fazer. Ela nasceu em Inverness, no norte da Escócia, e até hoje é assombrada por um desaparecimento que aconteceu lá. Em 1976, Renee MacRae saiu de carro de sua casa na cidade com os dois filhos no banco traseiro. Ela deixou o mais velho na casa do ex-marido e seguiu com Andrew, de três anos, na direção de Kilmarnock, onde pretendia visitar a irmã.

Nem Renee nem Andrew foram vistos de novo. Naquela noite mesmo, o BMW azul dela foi encontrado vazio e em chamas no acostamento na estrada principal para o sul, a A9. Nada foi recuperado do carro queimado, exceto um tapete manchado com o sangue de Renee. O ex-marido dela foi interrogado e a identidade de seu amante secreto, revelada. Uma busca intensiva foi feita, abrangendo mais de quinhentas casas, garagens, dependências na cidade, mas não revelou nenhuma pista. Nada parecia aproximar a polícia de descobrir o destino de Renee e seu filho.

204   A ANATOMIA DO CRIME

Em 2004, passava na Escócia um documentário de televisão chamado *Unsolved*. Ele despertou uma nova onda de interesse no misterioso desaparecimento. Um policial aposentado procurou as autoridades e alegou que houvera a insinuação de que os corpos de Renee e Andrew podiam ter sido desovados em uma pedreira perto da A9. Sue Black foi chamada para escavar a pedreira em uma operação de busca minuciosa pelos restos mortais das vítimas. Levaram duas semanas para remover 20 mil toneladas de terra da pedreira e cortar 2 mil árvores. A operação custou mais de 100 mil libras. Só encontraram ossos de coelho, dois pacotes de batata chips e algumas roupas masculinas.

Apesar do fracasso da operação, Sue Black recebeu uma carta da irmã de Renee, que ela guardará para sempre. "Eu só quero a minha irmã em casa", escreveu ela. "Eu já sei que ela está morta. Aceito que ela está morta. Toda vez que alguém começa a procurar por ela, fico com esperanças, e toda vez que não a encontram, afundo ainda mais no luto." De acordo com a experiência de Sue, as pessoas que não conseguem encontrar um membro da família — seja no Kosovo, na Argentina, Tailândia ou no Reino Unido — jamais superam isso. Saber disso é o que continua a motivá-la a seguir em frente com a sua missão de levar os mortos para casa.

"Quando damos alguma notícia", diz Sue, "ela é sempre ruim. 'É o seu filho'; 'É a sua esposa'; 'É a sua filha'. Só que a má notícia está tingida com uma ternura que diz 'pelo menos agora você sabe, pode enterrar o corpo e começar o processo de luto. Você nunca vai se esquecer disso, mas pode começar a seguir em frente'."

NOVE

RECONSTRUÇÃO FACIAL

"Espanta-me como a Natureza consegue achar espaço
Para tantos contrastes estranhos em um só rosto humano."

William Wordsworth, "A Character" (1800)

Esqueça as impressões digitais e o DNA. O que nos torna reconhecíveis individualmente, é claro, são os nossos rostos. A natureza, a nutrição e as circunstâncias se combinam de maneira única em cada um de nós, criando um conjunto de características que é a chave de identificação para todos que nos conhecem. Uma vez ou outra, todos nós fomos enganados pelo formato de um corpo similar, pelo jeito de andar ou pelo cabelo de um estranho, mas quando eles se viram ou chegam perto o suficiente para que vejamos o rosto, logo percebemos nosso erro. Mas a morte rouba o rosto de nós. Nossa carne se decompõe, a natureza nos despe, deixando somente os ossos, e o crânio debaixo da pele não significa nada para as pessoas que nos conheciam e amavam.

Felizmente, há um pequeno grupo de cientistas cujo trabalho é dedicado a devolver o rosto aos mortos. Richard Neave estabeleceu a técnica de reconstrução facial a partir de restos esqueléticos na Universidade de Manchester. Ele fez parte de uma equipe reunida em 1970 para estudar as múmias egípcias armazenadas no Museu

206　A ANATOMIA DO CRIME

de Manchester e, em 1973, com gesso e argila, ele reconstruiu os rostos de dois egípcios de 4 mil anos, Khnum-Nakht e Nekht-Ankh, conhecidos como "Dois Irmãos". "Desde o início", escreveu Neave, "me esforcei para não recorrer apenas à intuição — àquilo que se referiam, de maneira irritante, como 'licença artística'". Em vez disso, ele determinou o formato dos rostos usando a espessura média dos tecidos de um acervo de cadáveres de 1898, calculada pelo anatomista suíço Julius Kollmann.

Neave desenvolveu uma grande habilidade em modelar músculos do rosto e do crânio, o que gerava uma treliça sobre a qual seria acomodado o restante da carne e da pele. Depois de refinar suas habilidades na área arqueológica, ele se voltou para o trabalho forense, participou de mais de vinte casos envolvendo restos mortais não identificados e obteve uma taxa de sucesso de 75%.

Um de seus casos mais desafiadores começou, paradoxalmente, com um cadáver sem cabeça. O corpo de um homem usando nada além de cueca foi descoberto em 1993 sob os arcos da ferrovia na estação Piccadilly de Manchester. Apesar dos esforços da polícia, a identidade dele permaneceu um mistério.

Três meses depois, um homem caminhava com seu cachorro em um parque em Cannock, Staffordshire, a 120 quilômetros de Manchester. De repente, o cão começou a cavar e continuou freneticamente até chegar a uma cabeça decepada. Ela tinha sido despedaçada em mais de cem pedaços. Depois, ficaram sabendo que ela tinha sido destroçada com um facão. Exames de DNA a ligaram ao torso sem cabeça de Manchester, mas isso ainda não aproximou nem um pouco a polícia da identidade da pessoa. A princípio, parecia improvável que o rosto pudesse ser reconstruído. Faltava uma quantidade significativa de osso, sobretudo a crucial parte do meio do crânio. A polícia supunha que o assassino teve a intenção de tornar o reconhecimento da vítima de sua odiosa agressão impossível. Mas Richard Neave colou meticulosamente o que sobrou do crânio e o moldou com gesso, preenchendo as frestas usando toda a sua habilidade, seu

RECONSTRUÇÃO FACIAL 207

conhecimento e sua experiência. Quando o jornal *The Independent* publicou uma foto da cabeça de argila de Neave, 76 famílias procuraram as autoridades achando que haviam reconhecido o rosto.

A polícia recolheu fotografias e informações daquelas famílias e começou a comparar os rostos dos parentes desaparecidos com o crânio. Foram eliminando um por um da lista e, demorando para encontrar um rosto compatível, começaram a achar que o assassino tinha sido bem-sucedido. Finalmente, chegaram ao último nome. Tinham dado pouquíssima prioridade a Adnan Al-Sane porque não havia nada no corpo nem no crânio sugerindo que a vítima não fosse caucasiana. Mas os detalhes eram compatíveis. Finalmente, a polícia soube quem era a vítima.

Adnan Al-Sane era um empresário kuwaitiano de 46 anos que morava em Maida Vale, na região oeste de Londres. Era de uma família abastada e fizera fortuna administrando um banco em seu país natal, antes de se aposentar com apenas 38 anos. Fora visto pela última vez um dia antes de encontrarem seu corpo decapitado, jantando no Britannia Hotel, na Grosvenor Square, no centro de Londres. A arcada dentária e impressões digitais recolhidas no apartamento de Al-Sane confirmaram sua identidade. A autópsia revelou que ele tinha engolido um dente durante a agressão que o matou, mas a cabeça fora despedaçada depois de morto. Até hoje, o caso não foi solucionado e a motivação para o assassinato é um mistério. Mas pelo menos a família sabe do destino dele.

◆

Richard Neave ajudou a revelar as bases científicas da reconstrução facial, reconstruindo a noção de que ela seria mais uma arte do que uma disciplina científica de fato. Ele passou sua carreira trabalhando e dando aula na Universidade de Manchester, onde transmitia seu conhecimento para a próxima geração, grupo do qual fazia parte Caroline Wilkinson, hoje professora de reconstrução craniofacial na Universidade de Dundee.

208 A ANATOMIA DO CRIME

Um dos casos mais significativos de Caroline começou de modo quase tão improvável quanto o de Al-Sane. Certo dia, em agosto de 2001, um banhista se deparou com a parte do corpo de uma garota em uma praia do Lago Nulde, na Holanda. Nos dias seguintes, outras partes foram encontradas em diferentes locais ao longo da costa holandesa. Depois, um pescador encontrou um crânio perto de um cais, a 128 quilômetros do Nulde. O rosto estava tão mutilado que não era possível identificá-lo. Os investigadores, desnorteados, entraram em contato com Caroline, torcendo para que ela concordasse em reconstruir o rosto.

Contudo, quando a polícia holandesa lhe contou que a vítima tinha entre 5 e 7 anos, ela ficou apreensiva em aceitar o caso. Sentiu-se relutante em parte pelo fato de sua própria filha ter 5 anos na época. Porém, mais significativa do que sua resposta emocional era sua sensatez profissional.

Naquela época, anatomistas tinham dúvidas sobre a possibilidade de reconstruir o rosto de crianças com a mesma precisão que os de adultos porque os rostos juvenis são pouco desenvolvidos e carecem de clareza. Mas Wilkinson tinha se especializado em reconstrução facial juvenil durante sua pesquisa de doutorado. Ela acreditava que podia contribuir com algo útil para a investigação. Reprimiu a apreensão e analisou o crânio deteriorado que a polícia holandesa mandara. Ao examinar os ossos, Caroline se deu conta de que a garota morta tinha algumas características incomuns: um nariz grande e largo — diferente dos narizes arrebitados que a maioria das crianças com 5 anos tem — e uma separação grande entre os dentes da frente. De imediato ela conseguiu identificar que aquele era um rosto diferenciado.

No geral, é mais incomum reconhecer crianças desaparecidas por fotos do que adultos, mesmo que tenham mais cobertura da mídia, porque seus rostos em formação são mais parecidos uns com os outros. Apenas 1 em cada 6 crianças desaparecidas é encontrada porque alguém ligou para as autoridades depois de ver sua foto, de acordo com o Centro Nacional de Crianças Desaparecidas e Explo-

RECONSTRUÇÃO FACIAL 209

radas, que divulga milhares de imagens de crianças desaparecidas toda semana nos EUA.

Mas Caroline tinha esperança de que aquela garota fosse uma das identificadas. Ela usou toda a sua habilidade para fazer um modelo de argila do rosto da menina de Nulde. Fotografias do resultado foram divulgadas em jornais e na televisão pela Europa. Depois de uma semana, a criança tinha sido identificada como Rowena Rikkers, de Dordrecht, de 5 anos e meio.

Após a identificação, uma história hedionda foi desvendada. Nos últimos cinco meses de sua curta e trágica vida, Rowena tinha sido fisicamente abusada pelo namorado da mãe, com o conhecimento desta. Ela passou os dois últimos meses trancada numa gaiola de cachorro. Depois da morte, o corpo foi picotado e espalhado na Holanda pelas duas pessoas que, acima de tudo, deveriam cuidar e proteger a menina. Eles foram localizados na Espanha e condenados por seus crimes. Foi a primeira vez que se usou uma reconstrução facial para solucionar um crime na Holanda — e, sem o trabalho de Caroline, a morte de Rowena jamais teria sido solucionada, e os criminosos sairiam impunes.

◆

A ideia de reconstruir rostos não é nova e nem sempre está relacionada com homicídios. Ela floresceu do desejo de se conectar com pessoas mortas visualizando-as, e as pessoas vêm fazendo isso há muitíssimo tempo. Em 1953, a arqueóloga Kathleen Kenyon encontrou crânios em Jericó de 7.000 a.C., e eles estavam envoltos por um trabalho de argila cuidadoso, com conchas nas órbitas, imitando olhos. Ela ficou impressionada com a beleza dos crânios. "Cada cabeça tinha uma personalidade individual, e parecia muito que estava olhando para retratos reais." Os artistas do Oriente Médio antigo tinham usado argila para modelar a essência física da identidade de seus ancestrais — seus rostos — para assim superarem a morte.

210   A ANATOMIA DO CRIME

O rosto sempre foi carregado de significado. William Hogarth, um artista do século XVIII, chamou o rosto de "índice da mente". E não se pode negar que os rostos revelam as nossas emoções e reações — eles riem, choram, demonstram medo, alívio, se assustam, entretêm. O menor dos movimentos dos músculos faciais pode revelar agressão ou afeição: basta pensarmos na sutil diferença entre um franzir de testa motivado pela perplexidade ou pela raiva. Com apenas 5 semanas de idade, os bebês já conseguem distinguir o rosto da mãe. E 2,5% das pessoas crescem e se tornam "super-reconhecedores", capazes de identificar quase todos os rostos que já viram na vida. Nós conseguimos ver em um rosto certos elementos-chave da nossa humanidade — gênero, idade, saúde geral, por exemplo. No entanto, a capacidade de enxergar o rosto de alguém não nos torna leitores de mentes, como Shakespeare destaca: "Não há arte que desvele a construção da mente por meio da face." Uma coisa que definitivamente não conseguimos afirmar a partir do rosto de uma pessoa é se ela é uma criminosa. (*Ver imagem 29 no encarte de fotos.*)

O criminologista do século XIX Cesare Lombroso, entretanto, discordava disso. Lombroso mediu os rostos de 383 infratores da lei e publicou um livro, *L'uomo delinquente* [O homem criminoso], em 1878, no qual atribuía aos criminosos "maxilares grandes, maçãs do rosto altas, arcadas supraciliares proeminentes, linhas solitárias na palma das mãos, tamanhos extremados das órbitas oculares e orelhas em forma de alça". Estudos posteriores das medições do próprio Lombroso mostraram que suas conclusões eram absurdas. As provas não respaldavam a teoria, que se respaldava apenas nos preconceitos do próprio Lombroso e em suas opiniões infundadas.

Porém, o "lombrosianismo", como passou a ser chamado, era um conceito sedutor, e não raro pediam a seu criador para testemunhar em julgamentos, por mais que seu trabalho gerasse opiniões divididas. Ele ficou indignado quando um júri ignorou sua recomendação de condenar um homem por homicídio, apesar da falta de provas concretas. Embora Lombroso tenha identificado "uma fisionomia similar à de um criminoso em todos os aspectos", inclusive "orelhas

RECONSTRUÇÃO FACIAL 211

salientes, rugas precoces e [um] olhar sinistro", o que seria suficiente para condená-lo "em um país menos compassivo com criminosos", o júri não se convenceu. Ele também era criticado por alguns cientistas da época, mas, apesar desses contratempos, suas ideias nunca foram influentes. As pessoas o escutavam porque instintivamente buscavam significado para os rostos.

◆

Lombroso abordou a questão de maneira errada. Porém, de certa forma, ele estava no caminho certo. Para solucionar crimes e desenterrar segredos do passado, é necessário que cientistas e pesquisadores prestem muita atenção à fisionomia humana. Na visão de Caroline Wilkinson, "Qualquer reconstrução facial produzida sem a compreensão de anatomia facial e antropologia seria, na melhor das hipóteses, ingênua, e, na pior, inteiramente imprecisa". Pintores e escultores há muito sabem que compreender como os músculos faciais se ligam uns aos outros e se movimentam pode melhorar a precisão de seu trabalho, levando a um profundo interesse pela dissecação e anatomia. Leonardo da Vinci dissecou trinta cadáveres não refrigerados em sua vida, superando "o medo de viver na companhia desses homens mortos, desmembrados, despelados e terríveis de se observar". Esses trinta cadáveres deram origem a uma série de desenhos anatômicos surpreendentes, inclusive de um crânio cortado transversalmente, o que proporcionou às representações pictóricas de rostos humanos posteriores de Leonardo um realismo mais profundo.

O brilhante escultor siciliano do século XVII, Giulio Zumbo, nunca viu os desenhos de crânios não publicados de Leonardo, mas conseguiu melhorar a compreensão de como os rostos se relacionam com seus crânios de uma maneira diferente. Em parceria com um cirurgião francês, ele usava cera em um crânio real, deixando a "pele" aberta para revelar os músculos. O modelo colorido de um rosto meio decomposto repleto de larvas saindo das narinas tinha uma similaridade assombrosa com o de uma pessoa real.

212 A ANATOMIA DO CRIME

No século XIX, quanto mais compreendíamos o funcionamento do corpo humano, mais rigorosa se tornava a ciência da reconstrução facial. Faltava aos médicos anteriores princípios anatômicos estabelecidos com os quais trabalhar, então começaram a criá-los. Anatomistas e escultores alemães e suíços se uniram para interpretar a relação entre o rosto e o crânio.

Em 1894, em Leipzig, arqueólogos exumaram um esqueleto que acreditavam ser de Johann Sebastian Bach. Pediram ao anatomista Wilhelm His que comprovasse essa crença. Ele abordou a questão de forma original: apropriou-se de 24 cadáveres masculinos e quatro femininos, e colocou pedaços de borracha em pontos de referência dos rostos. Em seguida, começou a espetar uma agulha embebida em óleo em cada uma das borrachas — que representavam o nível da pele — e enfiá-las no rosto até chegarem ao osso. Depois ele tirava a agulha e media a distância da ponta da agulha até a borracha. Essa foi a primeira medição da espessura de tecido mole. Ele fez a média dessas medições e, em seguida, com a ajuda de um escultor, começou a colocar argila sobre o crânio de acordo com o resultado de sua pesquisa com os cadáveres. O modelo resultante desse processo é extraordinariamente similar às representações contemporâneas de Bach.

Apesar de o valor científico da reconstrução de Bach ser atrapalhado pela familiaridade do trabalho de Wilhelm His com as imagens contemporâneas do compositor, a técnica da agulha com borracha desenvolvida por ele teve um valor duradouro; as medições permaneceram extraordinariamente consistentes e são usadas até a atualidade, embora as pessoas que trabalham com reconstrução facial achem que, nos últimos anos, os rostos no mundo ocidental ficaram mais gordos. Em 1899, Kollmann e o escultor Büchy usaram a técnica para reconstruir o rosto de uma mulher do período neolítico que ficou conservado perto de um lago em Auvernier, na Suíça. A mulher é considerada a primeira reconstrução facial científica porque Kollmann baseou seu modelo em muitas medições de tecido mole, feitas em 46 cadáveres masculinos e 99 femininos da região —

RECONSTRUÇÃO FACIAL 213

a mesma medição de tecido que Richard Neave usaria nos anos 1970 para reconstruir os rostos dos Dois Irmãos.

O século XX avançava e o mesmo acontecia com as técnicas de reconstrução facial. O antropólogo Mikhail Gerasimov desenvolveu o que é hoje conhecido como "Método Russo", que despende muita atenção para a estrutura muscular e pouca para a medição da espessura do tecido. Ele modelava os músculos no crânio um por um e, depois, os cobria com uma fina camada de argila, que representava a pele. Gerasimov reconstruiu mais de duzentos rostos arqueológicos — inclusive o de Ivan, o Terrível — e participou de 150 casos forenses. Em 1950, fundou o Laboratório de Reconstrução Plástica na Academia de Ciência Russa, em Moscou, que continua tendo uma grande importância e contribuição para o campo.

Avanços na tecnologia médica geraram avanços importantes no campo da reconstituição facial. Raios X e tomografias computadorizadas de pessoas vivas são fontes de dados extraordinárias. Até os anos 1980, todas as medições eram feitas em cadáveres, o que, inevitavelmente, levava a algumas imprecisões. As paredes das células começam a se decompor imediatamente após a morte, o que faz fluido escorrer para o fundo da cabeça, e o rosto perde rotundidade. Além disso, segundo Betty Gatliff, que trabalha com reconstrução facial: "Quando pessoas morrem, elas não morrem sentadas, elas morrem deitadas. O tecido mole se desloca." Modelos de rostos vivos em três dimensões sempre foram o Santo Graal para os reconstrutores, e as tomografias fornecem medições de espessura mais aceitas. Como resultado, a reconstrução facial é hoje mais precisa — e consequentemente mais confiável — do que jamais foi.

◆

Investigadores contatam artistas forenses quando encontram um crânio que não é identificado com as pistas na cena do crime, quando os arquivos da pessoa desaparecida e as provas forenses como DNA e arcada dentária não os levaram a lugar algum. Se os investigado-

214 A ANATOMIA DO CRIME

res não sabem para quem estão olhando, esperam que alguém da população saiba. Foi assim com Rowena Rikkers e Adnan Al-Sane. Um rosto reconstruído é uma ferramenta de reconhecimento, algo que impulsiona a memória. A rigor, ele não é "forense" porque a reconstrução propriamente dita não tem peso no tribunal. Só depois que as famílias entram em contato com a polícia que o procedimento forense de identificação começa.

Mas por que um rosto tem a aparência que tem? Como ele se tornou essa ferramenta de identificação? Tendemos a classificar um rosto como uma ferramenta social, e é por isso que, quando queremos dispensar alguém de modo desrespeitoso, dizemos à pessoa para falar com a mão, porque o rosto não está escutando, ou viramos a cabeça para o lado. Na verdade, os rostos se desenvolveram e chegaram ao formato que têm primeiramente por uma questão de utilidade. Ter um par de olhos na frente da cabeça nos dá campos de visão sobrepostos e, portanto, percepção em profundidade. Os lábios e o maxilar evoluíram perfeitamente para que mastiguemos, engulamos, respiremos e falemos. Ter uma orelha em cada lado da cabeça nos ajuda a localizar a origem do som. Mas também há outros elementos. Semelhanças familiares reforçavam lealdades tribais nas comunidades primitivas, bem como nas dinastias posteriores como a dos Habsburgo, famosos pela malformação do maxilar.

O formato do rosto depende dos vinte e dois ossos do crânio. O formato complexo desses ossos e, em menor grau, dos músculos ligados a eles explicam as variações de um rosto para o outro. Compreender a miríade de variações que esses ossos e músculos podem produzir é o ponto de partida da reconstrução facial.

Para deduzir o formato e a proeminência dos olhos de uma pessoa, artistas forenses prestam atenção na profundidade da órbita ocular e no formato da testa. O formato dos lábios e a forma como se encontram são descobertos a partir do tamanho e da posição dos dentes. As orelhas e os narizes apresentam uma dificuldade, porque a cartilagem se decompõe depois da morte. A única coisa que se pode saber em relação às orelhas é onde elas ficavam e se tinham lóbulos, ainda que, em vida, todo par de orelhas seja tão singular quanto uma impressão digital. É difícil dizer se um nariz era pequeno e arredondado, romano ou muito arrebitado, como o de um porco. Mas o osso do nariz fornece aos anatomistas uma quantidade surpreendente de informações sobre o "nariz mole" que fica sobre ele. Por exemplo, o pedaço de osso pontudo — a espinha nasal — na parte de baixo do osso do nariz geralmente tem uma ponta. Se tiver duas pontas, isso faz o nariz se separar levemente na extremidade.

Reconstruções faciais baseadas em crânios têm de funcionar sem os importantes diferenciadores de cor de cabelo e olhos, pelo menos até então. Recentemente, geneticistas descobriram como identificar dezenove cores de olhos diferentes a partir do DNA. Porém, conseguir essa informação custa caro, e passa do orçamento destinado à reconstrução, mesmo em uma investigação de homicídio. O DNA também pode fornecer a cor do cabelo, contudo, ainda que o custo desse processo esteja dentro do orçamento, isso não seria de grande utilidade para os artistas. Caroline Wilkinson explica: "Tirei fotografias de todos os meus alunos esse ano. Somente dois deles têm a cor natural do cabelo. Tenho 48 anos e acho que a maioria dos meus amigos não faz ideia da verdadeira cor do meu cabelo. Nem eu me lembro mais." Então a maioria dos artistas contornam esse problema. Eles deixam o cabelo (e as imprevisíveis orelhas) de seus modelos levemente indistintos. Ainda assim, os resultados gerais são excepcionais, geralmente devido à precisão da espessura do tecido mole que a tomografia computadorizada tem proporcionado. Quanto mais um modelo chega perto de representar um rosto real, maior a chance de alguém reconhecer seu amado. A eficácia de uma semelhança grande ficou clara em um extraordinário caso de 2013 em Edimburgo.

◆

No dia 24 de abril, Philomena Dunleavy foi da cidade em que morava, Dublin, para Edimburgo. Era uma mulher pequena, tímida, de 66 anos, que tinha ido visitar o filho mais velho, Seamus. Os dois

216   A ANATOMIA DO CRIME

começaram a botar o papo em dia no apartamento de Seamus, na rua Balgreen. Ele contou do emprego novo na rede de bondes de Edimburgo. E Philomena tentou lhe contar as novidades sobre o restante da família. Mas Seamus estava estranho: primeiro estava distraído, depois ficou agitado.

Philomena ficou assustada. Ela disse ao filho que ia dar uma volta por Edimburgo, mas, em vez disso, foi à Delegacia de Portobello. Lá, perguntou a um policial onde poderia se hospedar em um lugar barato. Ela disse: "Não quero passar a noite com o meu filho enquanto ele estiver tendo um episódio." Alguns dias depois, Seamus ligou para o pai em Dublin, avisando que a mãe estava a caminho de casa. Ela nunca chegou.

No dia 6 de junho, um instrutor de esqui de 24 anos saiu para dar uma volta de bicicleta na reserva natural de Corstorphine Hill. Fazia calor e ele decidiu parar e procurar um lugar para se sentar ao sol durante um tempo. Estava empurrando a bicicleta por uma trilha estreita quando viu dentes brilhantes reluzindo para ele da terra. Os dentes estavam nos restos mortais de uma cabeça decepada. A maior parte da carne já havia apodrecido, mas as moscas apaixonadas por carniça ainda se encontravam ali.

Da cova rasa que os dentes brilhantes acabaram por revelar, a antropóloga forense Jennifer Miller desenterrou duas pernas decepadas e um tronco humano, os quais ela atribuiu a uma mulher de aproximadamente 60 anos. A cientista percebeu que os dentes brilhantes eram resultado de um tratamento dentário caro. Uma das joias que ela encontrou no cadáver era um tradicional anel de Claddagh. Munida dessa pequena quantidade de informações, a polícia passou semanas fazendo buscas em listas de pessoas desaparecidas.

Por fim, pediram a Caroline Wilkinson que fizesse uma reconstrução facial, o que ela fez, com a ajuda de tomografias 3D do crânio e depois completando-o com o tecido mole digitalmente. A imagem resultante desse processo foi distribuída a forças policiais de toda a Europa e mostrada no *Crimewatch*, programa do canal britânico BBC. O apresentador do programa também mencionou o anel de Claddagh, o que deu ainda mais certeza a um membro da família em Dublin de que aquela na TV era Philomena. A semelhança da imagem de Wilkinson era de uma precisão impressionante. A arcada dentária não deixou dúvidas em relação à identificação do corpo.

Alguns dias depois, Seamus foi preso e acusado pelo assassinato da mãe, o que ele negou.

O júri não acreditou nele. Pelo contrário, aceitou a proposição da promotoria de que Philomena havia voltado ao apartamento de Seamus algum tempo depois de falar com a polícia e lá morrera. O patologista identificou lesões nos pequenos ossos do pescoço (o que geralmente significa estrangulamento), ferimentos na cabeça e costelas quebradas. Seamus cortara a cabeça e as pernas dela com uma serra, mas era impossível saber se esses ferimentos tinham sido feitos antes ou depois da morte. Um jornalista do *Herald Scotland* levantou uma possibilidade muito mais perturbadora. "Philomena Dunleavy podia ainda estar viva, porém inconsciente, quando o filho começou a arrancar suas pernas." A verdadeira circunstância de sua morte permanecerá para sempre um mistério.

O que se sabe é que Seamus depois colocou os restos mortais desmembrados da mãe em uma mala e a levou para Corstorphine Hill. Fez uma cova rasa com uma pá e a desovou ali. Como os peritos sempre nos dizem, assassinar é fácil em comparação com a dificuldade de se desovar um corpo com eficácia. Apenas dois meses depois, o corpo dela emergiu e, com ele, as pistas vitais que levariam à condenação de Seamus. O promotor disse que se tratava de "um caso em que as provas se encaixaram perfeitamente". Em janeiro de 2014, Seamus Dunleavy foi condenado por homicídio, em grande parte pelo trabalho de Caroline Wilkinson.

◆

Não há garantia de que a identificação de uma vítima ocorrerá com tanta rapidez. No dia 18 de novembro de 1987, uma guimba de cigarro incendiou uma lixeira debaixo de uma escada rolante de madeira

218 A ANATOMIA DO CRIME

na estação de trem mais movimentada de Londres, a King's Cross. O fogo aumentou de intensidade, até que a escada estourou e soltou uma bola de fogo de 600° C, que foi até a bilheteria no andar de cima.

Centenas de pessoas ficaram presas no complexo de túneis que ligavam as seis linhas de metrô da King's Cross. Algumas subiram pela escada rolante até o andar de cima para fugir da fumaça preta e foram queimadas vivas. Outras espancavam as portas, na tentativa de entrar nos trens que não paravam. Quando os bombeiros finalmente conseguiram apagar o incêndio, 31 cadáveres foram encontrados.

Durante os dias e as semanas seguintes, a polícia conseguiu identificar trinta entre os mortos. Mas a identidade de um homem de meia-idade continuava desconhecida. Richard Neave ficou responsável pela reconstrução do rosto do homem, que havia ficado terrivelmente queimado pela explosão. Ele encontrou alguns pedaços de tecido ao redor do nariz e da boca que o ajudaram a presumir o formato daquela parte do rosto. Além disso, forneceram-lhe um abrangente dossiê com a altura, a idade e o estado de saúde da vítima.

Pediram ajuda à Interpol e chegaram a fazer interrogatórios na China e na Austrália. A reconstrução do rosto feita por Neave apareceu em todos os maiores jornais do Reino Unido e centenas de pessoas ligaram, na esperança de que se tratasse de alguém do seu círculo de conhecidos. Mas não obtiveram nenhum resultado positivo. Nesse meio-tempo, o corpo foi enterrado em uma sepultura no norte de Londres com a seguinte identificação: "UM HOMEM DESCONHECIDO".

Em 1997, Mary Leishman, uma escocesa de meia-idade, procurava informações sobre o pai desaparecido, Alexander Fallon. Quando a esposa morreu, em 1974, a vida de Fallon desmoronou. Ele não conseguiu encarar a vida cotidiana. Vendeu a casa e acabou dormindo pelas ruas de Londres, em meio a milhares de outros sem-teto praticamente anônimos. Mary e a irmã começaram a se perguntar se a vítima desconhecida do incêndio na King's Cross podia ser seu pai, mas não estavam esperançosas. Na época do incêndio, ele tinha 73 anos e 1,68 metro, ao passo que a autópsia estabelecera que o homem morto tinha entre 40 e 60 anos e 1,58 metro. Mas o cadáver tinha sido uma pessoa que fumava muito, assim como Alexander Fallon, e, também como ele, tinha um clipe de metal dentro do crânio, consequência de uma cirurgia no cérebro. Quando Mary Leishman estava em busca de informações, a polícia achava que o corpo era de outro homem desaparecido, Hubert Rose, por isso nem consideraram a hipótese que ela sugerira. Mas então, em 2002, celebraram uma missa em memória das vítimas no 15º aniversário do incêndio. A ocasião estimulou Mary Leishman a procurar a polícia novamente.

Em 2004, mostraram fotografias do pai de Mary Leishman a Richard Neave, que vasculhou seus registros antigos e encontrou fotos do crânio da vítima misteriosa e o modelo de argila que ele mesmo fizera. Comparou fotos frontais e de perfil e imediatamente viu as similaridades: ambos tinham maçãs do rosto proeminentes, lábios finos e espaços entre os olhos similares, as mesmas rugas de riso dos cantos da boca, e até mesmo o queixo era parecido, apesar de o homem na foto ter um nariz muito mais bulboso do que o de seu modelo. Com a corroboração posterior feita pela arcada dentária e pelo neurocirurgião que inserira o clipe de metal, a última vítima do desastre na King's Cross foi finalmente identificada como Alexander Fallon — dezesseis anos após sua morte.

O modelo que Richard Neave fez motivou Mary, filha da vítima, a procurar informações. E foi esse o único propósito para o qual ele havia sido feito. Uma cadeia de outros fatores, inclusive uma prova documental, ajudou na identificação e demandou uma traumática exumação. Como Mary Leishman disse: "Uma coisa que nos dá certeza agora de que meu pai foi vítima do incêndio é o fato de termos descoberto, com a ajuda da polícia, que nenhum benefício social foi sacado em nome dele depois do dia do incêndio. Se o meu pai estivesse vivo, seria o primeiro de qualquer fila na possibilidade de receber dinheiro." (*Ver imagem 30 no encarte de fotos.*)

220 A ANATOMIA DO CRIME

Se o incêndio na King's Cross acontecesse hoje, o rosto de Alexander Fallon seria reconstruído por computador. A reconstrução facial digital não substituiu a feita com argila — Caroline Wilkinson ainda ensina esta a seus alunos em Dundee —, mas hoje em dia 80% das reconstruções faciais forenses são feitas no computador.

Primeiro, Caroline faz a tomografia do crânio em três dimensões, geralmente com um tomógrafo, e depois insere o modelo resultante em um programa de edição de imagem. Em seguida, escolhe um dos vários modelos de músculos básicos e reveste o crânio com ele. Depois, manualmente ajeita os músculos — clica, arrasta, clica, arrasta —, com base no mesmo padrão de espessura que usa quando trabalha com argila. A reconstrução facial com computador é mais rápida do que com argila porque, tendo os modelos, ela não precisa começar sempre pelos esboços. Mas a diferença não é tão grande assim. Leva-se muito tempo para acrescentar pele, olhos e cabelo e para dar a eles a textura adequada.

Mas há outras vantagens em se usar o computador além da velocidade. Caroline pode variar elementos como tom da pele e cor do cabelo, depois imprimir uma dezena de possibilidades para os investigadores observarem. A tomografia em três dimensões permite ao reconstrutor enxergar ferimentos no crânio, tal como marcas de marteladas, com mais nitidez do que a modelagem com gesso. Com a modelagem precisa do ferimento e da arma, é possível fazer um modelo do ocorrido bem como do rosto, o que pode ser mostrado na audiência em um momento posterior. Se alguém reconhece uma reconstrução e fornece a foto de um ente querido desaparecido, artistas podem escaneá-la e sobrepô-la ao crânio. Essa é a versão digital da técnica usada pela primeira vez para incriminar o dr. Buck Ruxton nos Jigsaw Murders de 1935 (ver pág. 64).

Profissionais que trabalham com modelagens craniofaciais não usam computadores somente para criar um rosto como ele já foi um dia, mas também como ele pode estar no presente, especialmente no caso de pessoas desaparecidas. O processo de "progressão de idade" pode ser significativamente automatizado. Nossas orelhas crescem

RECONSTRUÇÃO FACIAL   221

à medida que envelhecemos, num ritmo mais ou menos previsível, e existem algoritmos para calcular a flacidez e o inchaço básicos de um rosto que envelhece. Contudo, a imagem da progressão da idade depende muito do instinto e da experiência do artista, que olha para sequências de fotos de pessoas envelhecendo e identifica tendências gerais. O artista usa fotos de irmãos mais velhos como um guia, adapta a imagem para que reflita o tipo de vida que um sujeito pode ter levado e acrescenta vestuário e pelos faciais. Para Caroline Wilkinson, "As coisas mais difíceis de definir são cor da pele, cor do olho, o quanto estão magras ou gordas, e se têm rugas". (*Ver imagem 31 no encarte de fotos.*)

A procura por pessoas desaparecidas também pode ser dificultada por mudanças que não têm relação alguma com o envelhecimento e que podem ser resultado de técnicas simples, como deixar os pelos faciais crescerem, por exemplo. Radovan Karadžić é um ex-político sérvio--bósnio acusado de crimes de guerra em 1995 pelo Tribunal Penal Internacional para a ex-Iugoslávia. Entre outras atrocidades, Karadžić foi acusado de ordenar o massacre de Srebrenica, no qual 8 mil bósnios foram mortos. Depois dessa acusação, o "Carniceiro da Bósnia" desapareceu, raspou o cabelo, deixou a barba crescer, passou a usar uma túnica de sacerdote e a viver de modo itinerante, vagando de mosteiro em mosteiro.

Caroline Wilkinson teve a função de fazer uma imagem com a progressão do envelhecimento de Karadžić. Ela conseguiu o formato perfeito do rosto dele, mas subestimou a barba. O ex-político tinha se mudado para Belgrado e começado a usar cabelo comprido sempre preso em um rabo de cavalo e óculos quadrados grandes, e a se esconder atrás de uma enorme barba branca. Ele se autointitulou "Dabić, o explorador espiritual", se disfarçava de especialista em energia quântica humana, trabalhava em uma clínica de medicina alternativa e dava palestras públicas. Mas as imagens com a progressão do envelhecimento de Karadžić deram um ímpeto novo à caça a ele. Em 2008, um ano após Caroline ter enviado a imagem às forças de segurança sérvias, ele foi preso e extraditado para Haia, onde foi julgado.

◆

222 A ANATOMIA DO CRIME

Computadores ajudam artistas forenses a identificar criminosos menos hediondos também. Eles analisam filmagens de câmeras de segurança e as comparam com imagens do suspeito. Quando os criminosos não cedem e não confessam ao verem sua imagem borrada no vídeo — embora isso geralmente aconteça —, é difícil provar de modo conclusivo que são eles. Mesmo quando a filmagem é de alta qualidade, a identificação visual de um rosto desconhecido não é um dos procedimentos mais confiáveis. A comparação de imagem facial computadorizada pode oferecer uma alternativa mais confiável. Um dos métodos é o posicionamento de uma imagem do vídeo sobre uma foto do suspeito, embora isso possa ser complicado se o criminoso não estiver olhando diretamente para a câmera, o que eles tendem a não fazer. Outra técnica que tem sido usada nos tribunais do Reino Unido nos últimos quinze anos é a fotoantropometria. Ela faz a comparação de distâncias e ângulos proporcionais entre pontos específicos em duas imagens faciais. Porém, a técnica não é perfeita. Mesmo quando pedem ao suspeito para tirar uma foto com o mesmo alinhamento que a pessoa no vídeo, há um complexo conjunto de variáveis a serem ajustadas, como distância e ângulo da câmera e posição da cabeça.

Vimos como os artistas forenses identificam os mortos a partir de seus crânios, pessoas desaparecidas por meio de fotos e pessoas procuradas pela justiça a partir de filmagens. Outro aspecto significativo do trabalho é retratar pessoas procuradas com base em relatos de testemunhas oculares. Historicamente, este era o trabalho do desenhista técnico-pericial, que traduzia uma quase sempre instável lembrança da testemunha no desenho de um suspeito. Contudo, nos anos 1980, pesquisadores da Universidade de Kent ajudaram a desenvolver um método alternativo conhecido como E-FIT (*Eletronic Facial Identification Technique* [Técnica de Identificação Facial Eletrônica]). As forças policiais ao redor do mundo hoje usam o E-FIT, que aparece frequentemente na mídia. Para fazer um E-FIT, a testemunha ocular analisa uma amostra de rostos gerados por computador e escolhe aquela que mais se parece com a pessoa que viu. Em seguida, mostram a ela outro

RECONSTRUÇÃO FACIAL   223

grupo, com uma quantidade menor de rostos. Dessa forma, a imagem é refinada até que se chega a uma representação relativamente próxima da pessoa de quem a testemunha se lembra.

A reconstrução facial começou com uma maneira de nos colocar frente a frente com a nossa história — e ainda a usamos com esse propósito. Em 2012, ossos foram encontrados debaixo de um estacionamento em Leicester. Suspeitaram que eles eram de Ricardo III, o último rei da Inglaterra pertencente à dinastia Plantageneta, que morreu na Batalha de Bosworth Field — ocorrida perto desse local em 1485 —, e foi enterrado em uma igreja da região.

A Sociedade Ricardo III montou uma equipe para investigar os restos mortais. Cientistas começaram a analisar amostras de DNA e a fazer tomografias computadorizadas do crânio em três dimensões. Enviaram o crânio digitalizado para Caroline Wilkinson, que passou a trabalhar na construção do rosto do rei, evitando olhar retratos existentes para que o processo científico não ficasse contaminado. Ela e a equipe modelaram os músculos e a pele usando estereolitografia, um processo computadorizado em que um raio laser em movimento constrói uma estrutura, camada por camada, com polímero líquido que endurece com a iluminação a laser.

Quando os resultados do DNA chegaram e se mostraram compatíveis com o de um descendente do rei, Caroline finalmente comparou seu modelo com os retratos. A similaridade era extraordinária, o nariz arqueado e queixo proeminente. "Não parece o rosto de um tirano", disse Philippa Langley, da Sociedade Ricardo III. "Sinto muito, mas não parece. Ele é muito bonito. É como se pudéssemos falar com ele, ter uma conversa com ele neste exato momento."

Caroline tem orgulho de seu trabalho com Ricardo III. "Nossos métodos de reconstrução facial passaram por testes cegos muitas vezes usando sujeitos vivos, e sabemos que aproximadamente 70% da superfície do rosto tem menos de 2 milímetros de erro", diz ela. Para atingir esse nível de precisão, Caroline reconhece o trabalho e a contribuição de todos os profissionais de reconstrução facial que a antecederam, de Giulio Zumbo a Wilhelm His e Richard Neave. Todavia,

224 A ANATOMIA DO CRIME

é sua própria obsessão artística pela observação que a ajuda a fazer isso com tanta eficiência. Ela descreve a si mesma como uma pessoa "com quem é muito chato sair porque, quando estou assistindo a um filme, fico o tempo todo falando: 'Nossa, olha as orelhas dele, olha o nariz dele, que nariz maravilhoso', e todo mundo reclama: 'Cala a boca e assiste ao filme!' Quando estou no trem, costumo pegar meu telefone e tirar fotos sorrateiramente. Pego meu iPad, finjo que estou lendo alguma coisa e tiro uma foto. Eu sou terrível. Também compro livros de fotografia sempre que viajo para o exterior, principalmente por causa do meu trabalho arqueológico. Os lugares que visito têm livros de fotos que não consigo pela internet. Então, se vou ao Egito, tento comprar um livro de fotografia com rostos egípcios, e assim por diante. Por isso que hoje tenho um ótimo banco de dados de rostos que serve de informação para o que fazemos".

E é o acesso a essa gama tão ampla de rostos de todo o mundo que torna os artistas forenses do presente artistas-anatomistas mais úteis do que Leonardo da Vinci poderia ser. É a aplicação da ciência no mundo da representação artística que torna possível para os mortos nos contarem um capítulo a mais de sua história.

DEZ

COMPUTAÇÃO FORENSE

"O advento da internet complicou muito a escrita de mistérios porque há muito mais informação disponível, tanto para o detetive quanto para o leitor. O leitor não está disposto a permanecer interessado por muito tempo em um detetive idiota o bastante para não dar o primeiro passo óbvio em qualquer pesquisa: entrar na internet para colher informações."

Jeffrey Barlow, Berglund Center for Internet Studies

Angus Marshall e a esposa são cientistas forenses. Pessoas em jantares presumem que eles passam a maior parte do dia no necrotério dissecando corpos. Shirley Marshall logo as decepciona explicando que seu trabalho com DNA é quase totalmente feito em laboratório. Angus as decepciona ainda mais: "O único momento em que corto algum pedaço de carne é quando estou fazendo o jantar ou mexendo no meu carro, e no segundo caso é por acidente."

Na escola, Angus entrou para o clube de rádio para aprender eletrônica. Certo dia, uma professora de matemática levou um microcomputador para mostrar à turma. "Aquilo levou à criação do clube de computadores e decretou a minha ruína. Não vejo a luz do dia direito desde 1983."

Depois de se formar na faculdade, Angus começou a trabalhar com ciência da computação. Na Universidade de Hull, ele foi locado no

226   A ANATOMIA DO CRIME

Centro de Informática, cujo nome é irresistível para os hackers. Um deles conseguiu eliminar a conexão com a internet de todo o campus principal da universidade. Angus rastreou o hacker, identificou seu IP e localizou seu endereço em uma rua de Amsterdã. Essas ocorrências parecem representar um início de carreira bem humilde, mas Angus estava orgulhoso dos resultados de sua obstinada investigação e emitiu um relatório dela para a Sociedade Britânica de Ciência Forense. Assim, quando algum caso mais grave e perturbador surgisse, saberiam para quem ligar.

Jane Longhurst, de 31 anos, morava em Brighton e era professora de alunos com necessidades especiais. Seu cabelo castanho na altura do ombro estava sempre impecável. Todos a conheciam como uma pessoa gentil e alegre, especialmente os amigos na orquestra local, em que tocava viola. No início da manhã de sexta-feira, dia 14 de março de 2003, Jane, como sempre, deu um beijo de despedida em seu namorado Malcolm.

Quando Malcolm voltou, à noite, ela ainda não estava em casa, e logo ele ficou preocupado. Jane era responsável. Avisava às pessoas seus planos para que não ficassem preocupadas. À meia-noite, ele estava tão preocupado com a ausência dela que ligou para a emergência. De início, trataram o desaparecimento de Jane como um caso comum, mas, depois de cinco dias, o passaram para investigação de homicídio. O banco informou que nenhuma das contas de Jane havia sido movimentada desde sexta-feira. E a operadora de telefone afirmou que o aparelho de Jane estava desligado porque não tinha se comunicado com os transmissores nenhuma vez.

Após um mês de buscas que envolveram setenta policiais e numerosos apelos feitos em jornais, o corpo de Jane foi encontrado no dia 19 de abril. Ela havia sido desovada e incendiada em uma reserva natural arborizada em West Sussex. Uma pessoa que passava pela área viu as chamas e chamou os bombeiros. O militar que encontrou o corpo notou que havia uma meia-calça de nylon apertada no pescoço de Jane. Os peritos que analisaram o local acharam um fósforo e um galão de gasolina.

COMPUTAÇÃO FORENSE 227

Jane teve de ser identificada pela arcada dentária. Quando examinaram o corpo, os dois patologistas notaram que a meia-calça estava tão apertada no pescoço que cortara a pele e causara sangramento. Alguns dias depois, a polícia prendeu Graham Coutts, um vendedor de porta em porta de produtos de limpeza, e o acusou pelo homicídio. Ele era guitarrista, namorava a melhor amiga de Jane e a conhecia havia cinco anos.

Coutts foi confrontado pelos relatórios do patologista e pelo vestígio encontrado no corpo, mas não disse nada a princípio. Por fim, ele admitiu ter matado Jane. Havia combinado de levá-la para nadar no centro de lazer da região, foi o que contou à polícia, porém, em vez disso, voltou com ela ao apartamento para tomarem um chá. Lá, ele enrolou a meia no pescoço de Jane para um ato de asfixia erótica consensual, e foi apertando-a gradualmente enquanto se masturbava. Depois que atingiu o orgasmo, Coutts olhou para o corpo e notou — "horrorizado" — que estava sem vida. Então a colocou em uma caixa de papelão e a levou para a casa de ferramentas no quintal.

Onze dias depois do desaparecimento de Jane, a polícia foi à casa de Coutts. Em busca de pistas, estavam tentando interrogar todo mundo que a garota conhecia. Ele decidiu naquele momento que tinha que levar o corpo para um depósito da Big Yellow Storage,* pelo qual ele pagava para ter acesso 24 horas por dia. Nas três semanas seguintes, Coutts visitou o corpo de Jane nove vezes. Quando o mau cheiro da decomposição ficou forte demais, ele a levou para outro lugar. No dia 17 de abril, transportou o corpo para a reserva natural, onde ateou fogo nos restos mortais.

Na revista do depósito, a polícia encontrou o celular, a bolsa, a jaqueta e o maiô de Jane, além de uma camisa de Coutts com o sangue dela. Também encontraram uma camisinha com o sêmen dele e o DNA dela do lado de fora. Revistaram a casa dele e apreenderam dois computadores. Com a Unidade de Crimes Cibernéticos da Polícia,

---

* Famosa empresa de *self storage*, um serviço de armazenamento de bens através de aluguéis de espaços, do Reino Unido. [N. do T.]

228 A ANATOMIA DO CRIME

Angus Marshall trabalhou neles, lutando contra sua própria reação emocional às coisas hediondas das quais Coutts tinha sido acusado.

No julgamento, a defesa argumentou que Coutts era culpado somente de homicídio culposo, e chamou o patologista forense Dick Shepherd para depor (*ver pág. 78-84*). Ele disse que em atos de asfixia erótica é possível que alguém morra rapidamente, em um ou dois segundos, em consequência da inibição de um nervo craniano chamado vago. A patologista da promotoria, Vesna Djurovic, negou essa possibilidade e argumentou que na verdade leva-se de 2 a 3 minutos para uma pessoa morrer de estrangulamento — tempo suficiente para Coutts saber exatamente o que estava fazendo.

Uma das ex-namoradas de Coutts testemunhou, dizendo que ele a estrangulara parcialmente em muitas ocasiões durante o relacionamento de cinco anos que tiveram. Dois ex-namorados de Jane relataram que tinham vidas sexuais comuns com ela. Quando interrogado pela promotoria, Coutts admitiu que tinha um fetiche por pescoços femininos e que aquela era a primeira vez que ele e Jane se envolveram em um ato sexual.

Para Angus, o caso estava muito difícil, tanto emocional quanto profissionalmente. Ele foi jogado de um caso de um "incidente de hacking um tanto trivial para um homicídio muito sórdido. Nunca vou me esquecer daquele processo". O caso foi responsável por uma mudança em sua carreira. Deu-lhe a oportunidade de ver o tipo de coisa que as pessoas acham que podem fazer com impunidade e de depois tentar destrinçar essa impunidade. Foram abundantes as lições que aprendeu: "Fui interrogado por dois advogados. Eles estavam tendo problemas com os conceitos e não faziam as perguntas do jeito certo. Então o juiz interferiu porque ele conhecia as questões técnicas bem melhor do que eles."

Infelizmente, o juiz fez uma pergunta a Angus sobre o uso dos *cookies* — os pedacinhos de dados que ficam armazenados no computador e se comunicam com os sites que a pessoa acessa novamente. Aquilo assustou o júri. "Eles começaram a passar bilhetes para o juiz,

COMPUTAÇÃO FORENSE 229

querendo saber como podiam se proteger, como podiam esconder suas atividades na internet de seus cônjuges e de outros membros da família." Depois que o juiz reestabeleceu a ordem, Angus deu continuidade à apresentação de suas provas.

Ele encontrou mais de oitocentas imagens pornográficas nos dois computadores de Coutts, sendo que 699 delas eram de mulheres estranguladas, sufocadas ou enforcadas. Numa delas, um Papai Noel estrangulava uma garota. Além de encontrar as imagens, Angus havia montado uma linha cronológica das atividades de Coutts na internet. Ele acessava sites de pornografia violenta, como *Necrobabes, Deathbyasphyxia* e *Hangingbitches*. A frequência dos acessos tinha aumentado nas semanas anteriores à morte de Jane, quando também começou a pagar mensalidades de sites como *Club Dead* e *Brutal Love*. Os acessos e downloads chegaram ao auge no dia anterior à morte de Jane e nos dois dias antes de o corpo dela ter sido encontrado em chamas.

Graham Coutts foi condenado por homicídio e sentenciado à prisão perpétua. Angus se lembra de o juiz ter feito um comentário sobre a importância das "provas recolhidas no computador, que demonstravam seus padrões normais de atividade e o total desaparecimento desse padrão no dia do assassinato". Desde esse caso, Angus transformou a composição da linha cronológica em prioridade.

Criminosos violentos costumam deixar rastros digitais sobre os caminhos doentios que suas mentes percorrem. Será que a internet os estimula a pegar esses caminhos? Na internet, existem aproximadamente 100 mil sites de morte, disseminando imagens e vídeos de assassinato, canibalismo, necrofilia e estupro a qualquer momento. Os governos do Reino Unido e dos EUA tomaram algumas atitudes para combater esses tipos de sites — embora ambos tenham feito isso de maneira mais branda do que a Islândia, que tentou banir totalmente a pornografia na internet.

Por mais vigilantes que sejam as autoridades, o problema persiste, porque, quando um site é bloqueado, ele ressurge com outro

230 A ANATOMIA DO CRIME

domínio, quase imediatamente. Chegar ao cerne da questão e aos produtores de pornografia violenta exige um nível de organização e cooperação internacional que até hoje não foi atingido. Há pessoas que argumentam que sites de pornografia violenta só existem porque há demanda. A relação entre os sites e o apetite ainda precisa de pesquisa e esclarecimento, mas chamá-la de menos do que recíproca parece um engano. Independentemente de se essas imagens na internet causam comportamento extremo ou apenas espelham a realidade, não há dúvida de que criminosos sexuais as usam para alimentar suas próprias fantasias.

Na noite de 26 de maio de 2013, Jamie Reynolds, de 23 anos, enviou uma pequena mensagem de texto: "Estou animado. Não se atrase." Ele havia pedido a Georgia Williams, de 17 anos, filha de um detetive da polícia, que fosse à casa dele em Wellington, Shropshire, posar com algumas roupas para um projeto fotográfico. Reynolds não lhe contou que estava planejando o projeto havia meses.

Quando Georgia chegou, ele lhe deu um sapato de salto alto, uma jaqueta e um short de couro. Tirou algumas fotos e pediu que ela subisse em uma lixeira de reciclagem vermelha no patamar da escada. Ao redor do pescoço da garota, Reynolds colocou um laço, que amarrou na portinhola para o sótão. Ele tirou uma foto. Nesse momento, de acordo com a polícia que a viu depois, Georgia parecia "feliz" e "complacente". Em seguida, ele chutou a lixeira de baixo da garota. Um hematoma encontrado na lombar dela levou um patologista a crer que ele a tinha forçado para baixo com o joelho para acelerar o sufocamento. Depois disso, violou sexualmente o corpo.

Analisando o computador de Reynolds, a polícia achou dezenas de imagens montadas. Ele tinha tirado a cabeça de garotas inocentes no Facebook e as colocado em corpos envolvidos em pornografia brutal. Eles acharam 72 vídeos com pornografia violenta, quase 17 mil imagens e 40 histórias fantasiosas escritas por Reynolds. Uma delas se chamava "A surpresa de Georgia Williams". Reynolds tirou fotos da sua vítima antes, durante e depois da agressão. O promotor

COMPUTAÇÃO FORENSE   231

pediu que o material não fosse mostrado abertamente durante o julgamento, que fosse visto apenas pelo juiz, devido à sua natureza perturbadora. Reynolds foi condenado à prisão perpétua por um ato que o pai de Georgia chamou de "hediondo e além da compreensão".

◆

O uso global do computador pessoal e dos smartphones fez com que pessoas como Graham Coutts e Jamie Reynolds cedessem às suas fantasias pervertidas com mais facilidade. No entanto, a maioria das pessoas usa a internet para fazer coisas relativamente inócuas (ainda que a reação do júri à explicação de Angus sobre os *cookies* possa sugerir o contrário). Os criminosos também usam a internet para fazer coisas comuns. Eles mandam e-mails para a família e fazem compras on-line. Entretanto, quando percorrem caminhos ilegais, deixam pegadas que peritos em informática como Angus percebem com mais clareza do que esses criminosos conseguem imaginar.

A torrente atual de aparelhos pessoais começou como uma goteira. No início dos anos 1980, peritos em informática ajudavam a polícia a investigar principalmente violação de direitos autorais, como crianças fazendo cópias de cartuchos para usarem em seus Ataris — e atividades financeiras fraudulentas. A capacidade de armazenamento de discos rígidos era tão pequena na época que os peritos quase sempre conseguiam examinar todos os arquivos de um disco até encontrar o que precisavam para assegurar uma condenação. "Os computadores eram equipamentos relativamente burros no início", conta Angus. "As complexidades, as interações que temos hoje, não existiam."

Até meados dos anos 1990, os computadores eram conectados com linha discada, usando o *bulletin board system* (um software percursor da rede mundial de computadores). As pessoas usavam o *bulletin board* para falarem com outros *geeks* sobre problemas técnicos que estavam tendo ou para conseguir ajuda para zerar um jogo. Havia

232 A ANATOMIA DO CRIME

alguns renegados explorando as possibilidades de usar seus recém--adquiridos poderes para o mal, mas a maioria das pessoas só estava entusiasmada com as possibilidades. Para estar envolvida naquilo, a pessoa necessitava de uma quantidade significativa de conhecimento técnico e tinha de montar sozinha boa parte do equipamento.

No entanto, o poder da computação continuou a crescer exponencialmente. Quando a Microsoft lançou o Windows 95, ela abriu a rede mundial de internet para as pessoas comuns. Nesse momento, a polícia começou a levar a computação forense a sério, pois se deu conta, assim como Angus, de que "os criminosos tendem a ser muito bons na adoção de tecnologia nova". Em 2001, o ministro do Interior Jack Straw criou a Unidade Nacional Britânica de Crimes de Alta Tecnologia. Ele disse na inauguração: "Tecnologias novas trazem benefícios enormes para o usuário correto, mas também oferecem oportunidades para criminosos, desde envolvidos em fraude financeira a pedófilos." A Unidade Nacional de Crimes de Alta Tecnologia assumiu os crimes novos que a revolução digital tornou possíveis, como *hacking*, e crimes antigos que ela facilitou, como o *stalking*.

Em 2006, a unidade nacional foi substituída por unidades regionais. Hoje, na cena do crime, o policial no comando da investigação decide se precisa de alguém da unidade de crimes de alta tecnologia para analisar o material digital. "Da mesma forma que acontece com o DNA", explica Angus, "quando eles têm relatos de testemunhas oculares, impressões digitais e tudo mais, geralmente não precisam da análise cara. Mas em situações envolvendo perseguição ou aliciamento, eles precisam acionar a unidade de crimes de alta tecnologia". Quando a unidade não tem a capacidade ou a expertise para analisar vestígios digitais, o responsável pela investigação convoca um profissional externo, como Angus, por exemplo. A essa altura, "o trabalho de rotina já foi feito. Na maior parte dos casos, os investigadores querem respostas imediatas para problemas difíceis, então eu improviso e invento técnicas novas à medida que vou trabalhando".

Um exemplo dessa abordagem improvisada aconteceu em um julgamento recente de abuso infantil. O homem — vamos chamá-lo

COMPUTAÇÃO FORENSE   233

de David — foi alvo de várias acusações de pedofilia. Sua estratégia de defesa foi desacreditar a testemunha-chave, sua enteada, "Sarah". David alegou que não tinha sido ele quem fizera sexo com a menina de 14 anos, e sim os garotos com quem ela estava tendo conversas sexuais no Facebook. Como prova para sustentar sua alegação, David produziu dados com um *keylogger* que havia instalado no computador de Sarah. *Keylogger* é um programa oculto que grava sorrateiramente as atividades do usuário do computador. Toda vez que Sarah digitava alguma coisa ou clicava em algo no navegador da internet, o *keylogger* fazia uma captura de tela. David baixava periodicamente essas capturas. No tribunal, ele apresentou algumas dessas imagens que continham uma conversa indecente pelo Facebook entre Sarah e um amigo adolescente, "Fred". Mas os dois adolescentes negaram veementemente que a conversa tivesse acontecido.

Com muito mais frequência, Angus investiga a vida digital de suspeitos do que de supostas vítimas. Porém, nesse caso, a melhor maneira de corroborar ou invalidar o testemunho de David era examinar o computador de Sarah. Ele não encontrou nenhuma prova da conversa com Fred, mas isso não significava que ela não havia acontecido. "Via de regra, hoje em dia o Facebook não deixa vestígios em discos rígidos. Tudo acontece no navegador", explica Angus. Embora ele tenha encontrado um *keylogger* instalado no computador, as capturas de tela da suposta conversa não estavam presentes lá. Mas isso não provava nem uma coisa nem outra, porque os *keyloggers* em geral apagam as capturas depois que reúnem certa quantidade para evitar que o disco rígido trave.

No entanto, o próprio Facebook mantém registro de todas as conversas, ainda que os usuários as tenham deletado, e Angus pensou em pedir à empresa os históricos de Sarah e Fred. Contudo, isso seria algo que ficaria muito próximo da interceptação de comunicação e vigilância, e, para tanto, ele precisaria de autorização devido à Lei de Regulamentação dos Poderes de Investigação (2000). Sendo assim, a Facebook Inc., sem dúvida, pediria tempo para analisar a solicitação. Angus teria de esperar seis meses ou mais para conseguir o que precisava.

234 A ANATOMIA DO CRIME

Então ele pediu a Sarah as informações de usuário dela, entrou na conta e não encontrou nenhuma conversa com Fred. É claro, ela podia tê-las deletado. Mas o que ela não tinha como fazer era excluir alguém completamente de sua lista de "amigos". Não havia nem sinal de Fred nos "amigos" de Sarah, nem nos amigos "excluídos", nem nas "solicitações de amizade". Usando o login de Fred, Angus não encontrou vestígio algum de conversa nem de amizade com Sarah. Na conta de Sarah, Angus encontrou, sim, registros de conversas mais brandas com outros garotos, das quais David havia tirado capturas de tela. Parecia que o acusado havia enfiado algumas fotos falsas entre as verdadeiras. Mas Angus estava bem familiarizado com o princípio de que ausência de prova não é prova de ausência.

No fim, Angus escreveu para o juiz relatando não ter condições de afirmar com certeza o que havia acontecido. Era teoricamente possível que Sarah e Fred tivessem tido a conversa indecente em perfis falsos com a aparência idêntica à dos deles. Assim como era possível David, que era um bom fotógrafo amador, ter forjado as capturas de tela. Para conseguir uma visão satisfatória do que acontecera, Angus precisava examinar os computadores de David e ver se ele tinha manipulado as fotos com um programa de edição gráfica.

A essa altura, o juiz tinha que tomar a decisão. Devia continuar com o julgamento? Ou devia suspendê-lo e manter o júri isolado durante mais uma semana enquanto Angus examinava o computador de David? Ele decidiu prosseguir. O júri ouviu os testemunhos restantes das vítimas e a explicação de Angus. Apesar de sua prova ser inconclusiva — e ele certificou-se de deixar isso claro para o júri —, ela apontou para a possibilidade de David ser um mentiroso manipulador. O júri deliberou e o declarou culpado. Ele está cumprindo vinte anos de prisão.

◆

COMPUTAÇÃO FORENSE   235

Como o caso do *keylogger* mostra, quanto mais as pessoas usam as funções, cada vez maiores, disponíveis nos aparelhos digitais, mais difícil fica para os peritos em informática fazerem seu trabalho. Enquanto alguns cientistas forenses são capazes de responder a perguntas diretas "Esse sangue pertence ao sr. A ou ao sr. B?", pessoas na área de especialidade de Angus têm de julgar a autenticidade de provas, montar linhas cronológicas de atividades on-line e off-line e avaliar a validade de álibis. Pessoas sem a mistura certa de imaginação e cautela não precisam nem se candidatar a cargos na área.

Angus adora o trabalho por ser um desafio intelectual. "Estou sempre aprendendo alguma coisa nova. Não só chovendo no molhado e fazendo a mesma coisa entra dia, sai dia, mas sim resolvendo problemas." A pior coisa para ele é quando suas investigações não dão em nada. "Eu não conheço ninguém na área que, quando se depara com um serviço que não dá resultado, para. Continuamos a sondar e sondar e sondar porque deve ter alguma coisa, sempre tem, e é muito difícil aceitar que fizemos tudo que podíamos e chegamos ao limite."

Antes de Angus poder trabalhar, ele precisa de algo com que trabalhar, e consegui-lo pode ser uma dor de cabeça. "Para reunir provas contra uma maçã podre, você não pode entrar chutando a porta de uma empresa e apreender o computador de todos os empregados. A ação tem que ser proporcional." Pôr as mãos no equipamento para que Angus trabalhe é a função da polícia. Ela tem de justificar o mandado de busca para que ele então possa confiscar aparelhos digitais do bolso da calça ou da sala da casa de um suspeito.

Quando um aparelho é encontrado na cena de um crime, geralmente está coberto de impressões digitais e DNA. Mas os pincéis magnéticos que os peritos usam para passar o pó e expor impressões digitais emitem campos eletromagnéticos que podem destruir provas dentro do aparelho. Por essa razão, os peritos aprenderam a pôr os aparelhos cuidadosamente em sacolas plásticas antiestáticas e, em seguida, os mandam para os peritos em informática. "De vez em quando, ainda vemos aparelhos serem enviados para unidades erradas", conta Angus. "Já vi telefones celulares serem mandados para a

236 A ANATOMIA DO CRIME

unidade responsável pelo sistema de câmeras de segurança porque os detetives queriam as fotos. Já vi policiais pegarem um celular — isso é muitíssimo raro hoje, mas eu já vi — e começarem a fuxicar eles mesmos para ver o que havia no aparelho."

Assim que um aparelho não contaminado chega à unidade de crimes de alta tecnologia, de acordo com Angus, "a não ser que seja um serviço de prioridade muito alta, como o caso de um homicídio ou de pessoa desaparecida, ele vai ficar parado em um depósito por aproximadamente seis meses, porque há uma quantidade enorme de trabalho a ser feito". O aparelho que chega a Angus hoje em dia raramente é uma secretária eletrônica, impressora ou fax. Geralmente é um computador, smartphone ou tablet. Esses aparelhinhos têm uma detalhada (ainda que parcial) foto da vida de uma pessoa. Estragá-los pode ser o mesmo que estragar a justiça. "A regra número um é sempre, o máximo possível, *preservar*", informa Angus. Assim como para peritos em informática, essa é a regra de ouro para os outros peritos e para os civis que querem fornecer provas que sejam admissíveis. Na prática, isso geralmente significa que os peritos em informática farão uma cópia do conteúdo de uma máquina que investigarão, na intenção de preservar o original.

Quando a expressão "computação forense" foi usada pela primeira vez, em 1992, dizia respeito à recuperação de dados de computadores para serem usados em investigações criminais. Em um dos primeiros casos de Angus, o diretor de uma empresa tinha acusado diretores anteriores de fraude e pegou o disco rígido principal da empresa como prova. Ele tinha mandado o disco para o conserto, onde ficou duas semanas, o guardou em casa por uma semana e, por fim, o entregou a uma empresa de computação forense para que ela o examinasse. Angus relatou ao juiz que aquela cadeia de custódia de prova não era boa o bastante. Ela tornou impossível saber se o empregado havia acrescentado, alterado ou rasurado arquivos em algum ponto da complicada jornada do disco rígido. Quando Angus se aproximava de trem da York Station a caminho do tribunal de Leeds, ele recebeu uma ligação informando-lhe que o juiz concordava com o relatório e

COMPUTAÇÃO FORENSE   237

que ele estava dispensado do caso. O perito desceu em York, foi para a plataforma do outro lado e voltou para casa, em Darlington.

"Às vezes eu tenho que quebrar a regra número um", afirma Angus. "É impossível copiar os iPhones e BlackBerries mais recentes. Tenho que instalar um software neles para conseguir as informações de que preciso. É aí que entra em jogo a regra dois: se não tem como copiar os dados do aparelho, vai ter que alterá-los, então tem que saber muito bem o que está fazendo e de que vai ser capaz de explicar. As anotações contemporâneas são uma beleza." Se um investigador descuidado abre um arquivo, o horário fica registrado no próprio arquivo. Isso impede a criação da linha cronológica e, como os advogados adversários adoram mencionar no tribunal, altera fundamentalmente o arquivo.

Quando Angus tem uma cópia imaculada do disco rígido, ele usa um software desenvolvido especialmente para examinar arquivos tanto ativos quanto deletados. De discos rígidos de computadores e smartphones, Angus consegue recuperar quase todas as fotos, os vídeos e as mensagens deletados, exatamente como um detetive das antigas conseguia recuperar a impressão daquilo que foi escrito a lápis e apagado em uma carta.

Em celulares, Angus vê as mensagens de texto, as últimas ligações e chamadas perdidas. Mensagens de texto às vezes mostram o que criminosos estavam dizendo um ao outro por volta da hora em que um delito era cometido. Mensagens de texto individuais também podem fornecer provas cruciais. Na manhã do dia 18 de junho de 2001, Danielle Jones, de 15 anos, desapareceu perto de sua casa em East Tilbury, Essex. Suspeitas rapidamente recaíram sobre seu tio, Stuart Campbell, e ele foi preso quando investigadores encontraram uma bolsa de lona verde em seu loft, contendo um par de meias brancas manchado com uma mistura do sangue dele e de Danielle.

Campbell alegou que havia ido a uma loja de material de construção em Rayleigh, a meia hora de distância de carro, quando Danielle desapareceu. A polícia examinou o telefone celular de Campbell e encontrou uma mensagem enviada do telefone de Danielle naquela manhã.

238 A ANATOMIA DO CRIME

OI STU, BRIGADA POR
SER TÃO LEGAL, VC É O
MELHOR TIO DE TDS!
FALA P MAMÃE QUE
EU SINTO MTO, AMO VCS D+
BJS DAN

Mas quando a polícia apurou os registros fornecidos pelas operadoras de telefonia, descobriu que os telefones de Danielle e de Stuart estavam dentro do estreito alcance do mesmo transmissor de celular quando o telefone de Campbell recebeu a mensagem.

Malcolm Coulthard, um especialista em linguística, levou ao tribunal que Danielle costumava escrever mensagens com letra minúscula. Também percebeu que em outra mensagem no telefone de Campbell, enviada pouco antes da primeira, "o que" tinha sido abreviado como "uq", mas Danielle sempre digitava "oq". Ficou nítido que a mensagem havia sido plantada e que a prova fabricada de Campbell tinha implodido. Apesar da operação de busca de 1,7 milhão de libras feita pela Polícia de Essex não ter tido sucesso em encontrar o corpo de Danielle, seu tio agora passa a vida atrás das grades.

Localizar com precisão vítimas e suspeitos no momento de um crime traz benefícios óbvios para os investigadores. iPhones modernos e celulares Android registram seus movimentos espontaneamente, tornando possível traçar um mapa detalhado de onde o celular de alguém esteve — e, por suposição, onde também esteve a pessoa. Essa possibilidade de rastreamento de localização pode ser desativada nas configurações do smartphone, mas muitas pessoas não sabem disso. O iPhone 5S tem um chip de localização especializado que funciona mesmo sem bateria. Usuários já relataram que os iPhones continuaram a rastrear seus movimentos durante quatro dias depois que o telefone desligou por falta de bateria. A justificativa da Apple para a geração dos dados de localização é que eles a ajudam a melhorar o seu aplicativo de mapas e a gerar sugestões sobre o que

COMPUTAÇÃO FORENSE   239

os usuários podem fazer na região. Não é necessário dizer que a polícia também tem interesse nesses dados.

Mesmo que um usuário desligue o rastreamento de localização do telefone, os investigadores podem solicitar às operadoras registros para apurar uma área aproximada num determinado momento. Isso porque os celulares se comunicam constantemente com torres de telefone para encontrar sinal. Essas torres tendem a cobrir pequenas áreas, como aconteceu com Stuart Campbell em East Tilbury — e em um caso extraordinário na Escócia, em 2010.

◆

Na manhã de 4 de maio, Suzanne Pilley, de 38 anos, saiu para o trabalho de contadora para uma empresa de serviços financeiros na Thistle Street no centro de Edimburgo. Às 8h51 da manhã, ela foi filmada pelas câmeras de segurança saindo de um Sainsbury's, onde tinha comprado o almoço. Ninguém nunca mais a viu com vida depois disso. Ninguém com exceção de seu colega de trabalho David Gilroy, de 49 anos. Gilroy era casado, tinha filhos e estava tendo um caso com Suzanne havia aproximadamente um ano. Havia pouco tempo, ela decidira pôr um fim no relacionamento, pois já estava farta da natureza controladora de Gilroy e de seus ataques de ciúme.

No mês anterior ao desaparecimento de Suzanne, Gilroy a tinha bombardeado com mais de quatrocentas mensagens de texto e muitas de voz. Estava desesperado para manter o relacionamento e relutante em aceitar a rejeição. Em dois dias específicos, ele mandou mais de cinquenta mensagens, implorando para que reatassem. Um dia antes do desaparecimento, Gilroy enviou várias mensagens de texto e, em uma de voz, ele disse: "Estou preocupado com você."

Suzanne passara a noite antes de seu desaparecimento com um novo homem, Mark Brooks, o que fez Gilroy perder a cabeça. Ele matou Suzanne no porão do escritório onde trabalhavam e escondeu o corpo no vão da escada. Deu uma desculpa aos colegas — que mais

240   A ANATOMIA DO CRIME

tarde disseram que Gilroy "aparentava estar suado e tinha arranhões no pescoço e rosto" — para passar em casa de ônibus e pegar o carro. No caminho, câmeras de segurança filmaram-no comprando quatro purificadores de ar em uma farmácia. De volta ao escritório, Gilroy mudou seus compromissos, de modo que no dia seguinte tivesse que viajar 210 quilômetros de carro na direção do coração rural de Argyll para atender a uma escola cuja contabilidade era feita pela firma em que ele trabalhava. Ele empacotou o corpo de Suzanne e o colocou no porta-malas do carro.

Naquela noite, foi na apresentação da escola de um dos filhos e depois foi a um restaurante com a família. Enquanto isso, os pais de Suzanne, preocupados, denunciaram o desaparecimento da filha.

No dia 6 de maio, a polícia interrogou Gilroy. Notaram que ele tinha um corte na testa, um discreto hematoma no peito e arranhões com formato de curvas nas mãos, nos pulsos e antebraços. Gilroy disse que tinha se arranhado cuidando do jardim. Depois de certo tempo, o patologista forense Nathaniel Cary examinaria fotos desses ferimentos e afirmaria em seu testemunho que eles podiam ter sido feitos pelas unhas de outra pessoa, possivelmente em uma briga, e que já tinha visto arranhões similares em estranguladores. Disse ainda que não podia dar certeza porque Gilroy havia coberto os arranhões com maquiagem cor da pele. Mas admitiu, quando interrogado pelo advogado de defesa, que a versão de Gilroy sobre como se arranhou era possível.

Na época, a polícia suspeitou o bastante para apreender o celular e o carro de Gilroy. Quando a cientista forense Kirsty McTurk abriu o porta-malas do carro, notou que cheirava bem, como cheiro de purificador de ar ou produto de limpeza. Procurou provas no porta-malas, depois no vão da escada e no porão do escritório na Thistle Street. Não encontrou vestígios do DNA de Suzanne. Entretanto, quando cachorros treinados em farejar cadáveres foram levados ao porta-malas e ao vão da escada, eles deram "indicações positivas" da presença de restos humanos ou sangue. Um dos cachorros, um springer spaniel

COMPUTAÇÃO FORENSE   241

chamado Buster, havia localizado no passado um cadáver a quase 3 metros de profundidade dentro da água.

A polícia também encontrou vegetação e uma suspensão danificada na parte de baixo do carro de Gilroy. As câmeras nas margens da estrada foram inconclusivas, mas os detetives tinham certeza de que ele tinha pegado um desvio da estrada A83 Rest and Be Thankful, uma rota conhecida por suas belas paisagens, antes de retornar para casa.

Um perito em informática examinou o telefone de Gilroy. "Quando desligamos um telefone celular", explica Angus, "ele grava a última torre com que estava se comunicando, de modo que, quando for religado, possa encontrá-la rapidamente de novo". A caminho da escola em Argyll, Gilroy desligou novamente o celular entre Stirling e Inveraray. Foi nesse intervalo, a polícia acredita, que ele desovou o corpo.

Quando Gilroy foi a julgamento, as equipes de busca da polícia ainda não tinham encontrado o corpo de Suzanne. Entretanto, no dia 15 de março de 2012, David Gilroy foi declarado culpado por homicídio e tentativa de obstrução da justiça. O juiz, Lord Bracadale, autorizou a entrada de câmeras de TV no tribunal, transformando Gilroy no primeiro assassino condenado a ter sua sentença filmada para a televisão britânica. "Com calma e planejamento assustadores", disse Bracadale, "você se dedicou ao descarte do corpo, aparentemente em algum lugar de Argyll, e não fosse a admirável eficiência da investigação conduzida pela Polícia de Lothian e Fronteiras, você podia muito bem ter evitado a prisão e a instauração do processo". Ele sentenciou Gilroy a um mínimo de dezoito anos de prisão. Depois de ser ameaçado por presidiários na Prisão de Edimburgo, Gilroy foi transferido para a Shotts Prison, onde um presidiário quebrou seu maxilar no primeiro dia. (*Ver imagem 32 no encarte de fotos.*)

Boa parte da condenação de Gilroy está relacionada à sensibilidade dos investigadores ao lidarem com as pegadas digitais. Sem a análise que fizeram do telefone celular e das provas baseadas nas filmagens das câmeras de segurança, ele hoje provavelmente seria um homem livre. É raro assassinos serem condenados sem que o corpo

242 A ANATOMIA DO CRIME

da vítima tenha sido encontrado. Isso aconteceu com Stuart Campbell em parte devido aos respingos de sangue de Danielle que os investigadores encontraram no apartamento dele, e aconteceu com o traficante de drogas de Liverpool pego apenas devido ao DNA encontrado nos casulos das pupas das larvas que haviam se alimentado do cadáver da vítima (*ver pág. 71*). No caso de Gilroy, não houve DNA. Os arranhões no braço dele não seriam o suficiente. Ele foi condenado devido à atípica atividade no telefone celular e a vídeos e imagens de câmeras de vigilância na cidade e nas margens das estradas.

◆

Cabe a pessoas como Angus Marshall usar imagens e vídeos para incriminar infratores como David Gilroy. O trabalho de vez em quando é revelador e frequentemente metódico; pode levar tempo até que se consiga produzir uma imagem digital de determinada situação. Angus cria as próprias ferramentas para se ajudar. "Sou um cara esquisitão. Não uso nenhuma das ferramentas industriais padrão, elas me dariam os mesmos resultados que todo mundo consegue. A maioria dos programas que crio não são muito grandes nem complicados, eles só automatizam as coisas e permitem que eu durma de vez em quando." Assim que esses programas recuperam todas as fotografias e arquivos de vídeo de um determinado disco rígido, outro entra em cena e começa a tentar achar compatibilidades dessas imagens com as disponíveis no banco de dados de abuso infantil mantido pela polícia, organizando-as automaticamente de acordo com um dos cinco níveis de gravidade, que vão desde uma nudez relativamente inocente até bestialidades. "É triste, mas sempre acontece de algumas imagens não terem sido vistas antes e, nesse caso, uma pobre alma tem que sentar e classificá-las manualmente antes de inseri-las no sistema", conta Angus, com sua expressão cordial anuviando-se.

O banco de dados arquiva a origem de cada imagem, caso tal informação esteja disponível. Isso significa que os investigadores conseguem ligar consumidores de mídia ilegal aos seus criadores,

COMPUTAÇÃO FORENSE 243

como aconteceu no desmantelamento da maior rede de pedofilia da Escócia em 2005 (*ver pág. 201*). É um trabalho traumático, mas especialistas independentes como Angus — ou, geralmente, policiais — observam com bastante atenção fotos e vídeos de abusos, para recolher pistas sobre em que lugar do mundo eles foram feitos. "Podem ser coisas pequenas e discretas como o formato da tomada, o som da TV ou a língua que está sendo falada", explica Angus. "Dá para ter ideia do horário de acordo com o posicionamento do sol. Se há vítima de abuso neles, é possível estimar a idade delas e fazer uma busca comparando sua aparência com a de pessoas cadastradas no banco de dados de desaparecidos."

E há os metadados — informações impregnadas em imagens e arquivos de vídeo tirados com câmeras digitais e smartphones. Os metadados revelam informações úteis, desde a marca e o modelo do aparelho até a data e o horário em que a mídia foi gravada, se o criminoso tiver com o relógio do aparelho acertado. Embora softwares de manipulação de imagem e sites de compartilhamento de arquivos descomponham os metadados, eles geralmente ainda estão por ali e, com o software certo, é possível vê-los.

Aparelhos modernos inserem coordenadas de GPS nos metadados, tornando possível saber onde o fotógrafo estava. Isso quer dizer que peritos em informática podem solicitar registros às operadoras de celular para descobrir quais telefones estavam ativos em uma determinada área em um período específico. Coordenadas de GPS em metadados também têm ajudado a polícia a localizar criminosos em fuga, como demonstra o sensacional caso de John McAfee, um gênio da informática um tanto instável que vivia nas selvas de Belize.

McAfee era filho de uma inglesa que se apaixonou por um soldado norte-americano baseado no Reino Unido durante a Segunda Guerra Mundial. Quando criança, McAfee se mudou com os pais para a Virgínia. Aos 15 anos, seu pai abusivo e alcoólatra se matou com um tiro. O rapaz se tornou usuário de drogas, mas manteve um entusiasmo por programação de computadores e conseguiu manter empregos em instituições prestigiadas como a NASA. Por fim, resolveu empreender

244 A ANATOMIA DO CRIME

por conta própria e criou o antivírus McAfee, o primeiro software de prevenção de vírus disponível. Em 1996, ele vendeu sua participação na empresa por 10 milhões de dólares. Nessa época, como o próprio McAfee reconhece, as pessoas o conheciam como "o moleque paranoico, esquizofrênico e pirado do Vale do Silício".

Em 2008, com 63 anos, McAfee partiu para o sul e foi da Califórnia para Belize, onde tinha esperanças de usar a flora da selva para criar antibióticos novos que iriam, nas palavras dele, "interromper a habilidade das bactérias de se comunicar". Em 2012, a polícia fez uma batida no centro de pesquisa, alegando que era uma fábrica de metanfetamina. Todas as acusações foram posteriormente retiradas. (*Ver imagens 33 e 34 no encarte de fotos.*)

Mas o relacionamento entre McAfee e seu vizinho, o também norte-americano expatriado Gregory Faull, era horrível. Faull, proprietário de um bar com tema esportivo em Orlando, odiava os cachorros de McAfee. Ele enviou uma reclamação para as autoridades locais, na qual escreveu: "Esses animais fogem e saem correndo em bando. Três pessoas que moram aqui foram mordidas e três turistas, atacados." Depois de um tempo, McAfee encontrou quatro de seus nove cachorros envenenados e teve de atirar neles para livrá-los do sofrimento.

No dia 11 de novembro de 2012, uma doméstica encontrou Faull caído de barriga para cima no pátio de casa, com uma bala na cabeça. Quando a polícia foi à casa de McAfee interrogá-lo, ele se escondeu debaixo de uma caixa. Depois fugiu, disfarçado de vendedor maltrapilho. Mas ele continuou a atualizar seu blog e a dar entrevistas pela internet. "Modifiquei minha aparência de modo radical", escreveu ele. "É possível que eu pareça um assassino, infelizmente." Quando atravessou ilegalmente a fronteira da Guatemala, o editor-chefe da revista *Vice* decidiu seguir a vida em fuga de McAfee, e levou um fotógrafo consigo.

No dia 3 de dezembro, postaram, no site da *Vice*, uma foto de McAfee em frente a palmeiras, sob a presunçosa legenda: "ESTAMOS DO LADO DE JOHN MCAFEE AGORA, OTÁRIOS." Mas ela

COMPUTAÇÃO FORENSE   245

possuía metadados que mostravam as exatas latitude e longitude de McAfee. Ao se dar conta disso, o fotógrafo postou no Facebook que havia manipulado os metadados. Entretanto, isso era mentira e não demorou para que a polícia da Guatemala localizasse e prendesse McAfee. Ele então fingiu um ataque cardíaco para que seu advogado tivesse mais tempo. Juntos, os dois impediram a tentativa das autoridades guatemaltecas de deportar McAfee para Belize. Ele foi levado para Miami, onde foi solto. Em seguida, viajou para Montreal, no Canadá. A polícia de Belize ainda categoriza McAfee como uma "pessoa de interesse" no que diz respeito ao assassinato de Gregory Faull, mas não é um dos principais suspeitos.

McAfee está de volta ao Vale do Silício, onde desenvolve um dispositivo de 100 dólares chamado D-Central que, conectado ao computador, smartphone ou tablet, deixa a pessoa invisível na internet. "Se você não consegue ver algo, não consegue *hackeá-lo*, não consegue examiná-lo, não consegue espionar nada que esteja acontecendo dentro dele." A ideia é atraente para pessoas à luz dos vazamentos de Edward Snowden, e talvez ainda mais atraente para o próprio McAfee, dada a sua infeliz experiência com dados demasiadamente expostos.

◆

O D-Central é um aparelho radical para manter as comunicações privadas realmente privadas, um artifício que tanto criminosos que gostam de informática quanto as pessoas que cumprem a lei estão mais interessados do que nunca em usar. "Com certeza, as gerações mais novas tomam muito cuidado em relação às suas pegadas", conta Angus. "Falo com pessoas mais jovens há anos e elas estão cientes do quanto seus dados pessoais são bisbilhotados e explorados. Muitas delas têm uma solução simples para garantir que pessoas não consigam seus dados: elas mentem, criam contas falsas e deixam pegadas falsas." Algumas fazem isso para impedir que possíveis empregadores as vejam de topless ou bêbadas; outras

246 A ANATOMIA DO CRIME

porque não gostam da ideia de agentes do governo remexendo em seus dados; outros, ainda, porque querem manter suas atividades criminosas acobertadas.

Angus está insatisfeito com a intromissão da Agência Nacional de Segurança nos Estados Unidos, especialmente com a noção de prover segurança pública colocando a privacidade individual em perigo. "Costumávamos achar que o Leste Europeu era ruim. Nossos aliados estão ficando cada vez pior." Quando um departamento como a Agência Nacional de Segurança se intromete em sites como o Google Mail ou o Facebook, eles usam um programa automatizado que procura palavras-gatilho. Se você mandasse um e-mail para o seu amor dizendo "Você detona", Angus reconhece, "eles dariam uma olhada, provavelmente dariam uma risada, guardariam a piada para a festa de Natal, mas não fariam muita coisa além disso. Mas se você começasse a falar em construir ogivas nucleares, eles a analisariam detalhadamente". É óbvio que muitos dos criminosos mais sérios ficam longe de provedores como Gmail e Facebook.

Alguns deles também sabem que, se acessam a internet em seus smartphones ou tablets via aplicativos como o Facebook, deixam um rastro que Angus consegue encontrar. "Mas se for em um navegador num dispositivo móvel, não há rastro. Então temos que pedir à Facebook Inc., que nos entregue alguma coisa. O Twitter não fornece praticamente nada."

As grandes corporações californianas estão tentando fazer todo mundo colocar seus dados pessoais na "nuvem", o que ironicamente significa um depósito remoto nos Estados Unidos. A nuvem mantém dados pessoais atualizados em todos os aparelhos digitais do usuário, e isso torna mais fácil para as corporações extrair informações e explorar. Paradoxalmente, quanto mais acessível os dados são para o usuário e as corporações, mas escondidos eles ficam de pessoas como Angus.

O futuro, diz Angus, "é on-line e é na nuvem. Os aparelhos estão empurrando cada vez mais os dados para a nuvem, de modo que ela seja acessível de qualquer lugar. Isso dificulta a retirada de material

COMPUTAÇÃO FORENSE   247

de aparelhos, porque ele na verdade não está neles. Primeiro temos de identificar se conseguimos tecnicamente extrair os dados da nuvem e, em segundo lugar, se conseguimos autorização judicial para fazer isso". Atravessar fronteiras internacionais é tão difícil para um detetive hoje quanto era antes da computação em nuvem, mas a necessidade é muito maior.

Angus se lembra de um caso recente em que um juiz escreveu para uma empresa de mídia social fazendo duas perguntas sobre a confiabilidade do registro de dados de seus usuários. "Recebemos uma resposta muito simples dos advogados da empresa. Ela dizia primeiramente: 'Você escreveu para o escritório errado. Não escreva para nós nos Estados Unidos, escreva para Dublin.' E em segundo lugar: 'De acordo com os termos do tratado existente entre o Reino Unido e os Estados Unidos, não temos de responder às suas perguntas.'"

A computação em nuvem apresenta outras dificuldades para o perito forense. Um software como o Dropbox, que mantém arquivos sincronizados nos aparelhos, permite que os usuários rasurem e alterem arquivos em um aparelho a partir de outro aparelho em qualquer lugar do mundo. Angus chama isso de "um benefício gigantesco para o usuário final, mas, do ponto de vista investigativo, se uma pessoa fez uma alteração no computador em sua casa num lado do país e o laptop dela em outra casa do outro lado do país ainda está ligado, o Dropbox altera o conteúdo no laptop, e não sou capaz de dizer em que casa a pessoa estava".

Se feito deliberadamente, esse tipo de comportamento é conhecido como "antiperícia", e ele pode acontecer de diversas maneiras. Um exemplo simples é o de um criminoso que compra um telefone pré-pago alguns dias antes de cometer um crime, depois o joga fora imediatamente. Há todo tipo de técnicas antiperícia. Alguns programas permitem aos usuários alterar os metadados em arquivos, de modo que possam dar a impressão de que um arquivo foi criado em 1912 e acessado pela última vez em 2050. Outros fazem os programas usados pela perícia concluírem que os arquivos são de um tipo diferente. Dessa forma, um especialista pode ser induzido a achar que

248 A ANATOMIA DO CRIME

a imagem de uma criança sendo abusada era um arquivo de música em MP3. A habilidade de enxergar além dessas falcatruas depende da ingenuidade e da experiência dos peritos em informática. Assim como um criador de perfis psicológicos precisa se identificar com um criminoso para entender suas motivações e predizer suas ações, um perito em informática tem de estar por dentro de todos os avanços na área, para decifrar exatamente o que os criminosos conhecedores de informática são capazes de fazer.

Às vezes, os próprios peritos se envolvem em práticas antiperícia. Angus explica: "Tenho colegas que viajam pelo mundo e não levam tecnologia alguma. Eles compram um laptop e um celular novos em todos os países a que vão, depois os destroem e deixam lá." Fazem isso porque os funcionários de aeroportos em alguns lugares rotineiramente certificam-se de que as pessoas não estão divulgando a verdade sobre o que está acontecendo no país, ou levando pornografia para ele, ou instruções sobre como fazer bombas. Eles precisam de acesso a eles por um período extraordinariamente curto. "A única coisa que o pessoal do aeroporto tem que fazer é levar a pessoa para uma sala onde um funcionário do aeroporto de luva de borracha a mantém ocupada por meia hora mais ou menos", conta Angus. E isso é tempo suficiente para eles copiarem um disco rígido inteiro.

No caso de crimes cibernéticos como *hacking*, peritos em informática têm de brincar de pega-pega com os criminosos. O velho adágio continua sendo verdade: quando o cientista forense dá um passo, o criminoso dá outro. Impressões digitais fizeram os ladrões colocarem luvas. Câmeras de segurança fizeram os garotos colocarem capuz. Por isso, às vezes tecnologias antigas podem ser as melhores ferramentas antiperícia. Câmeras analógicas não guardam metadados em suas fotografias. Os *bulletin board systems* antigos ainda podem ser instalados no ciberespaço e passam despercebidos. "São muito fáceis de instalar mesmo", revela Angus. "O software antigo ainda está disponível por aí. O hardware está acessível. Não é necessário muita coisa e, sendo sincero, dá para a pessoa usá-lo em um telefone pré-pago, que é praticamente irrastreável."

COMPUTAÇÃO FORENSE   249

A prova concreta ainda é absolutamente crucial para solucionar a grande maioria dos crimes. "Nenhum dos casos dos quais participei foi montado exclusivamente com provas digitais", admite Angus. "A prova digital está corroborando outra coisa. Pode ser uma corroboração importantíssima, mas quase nunca ela é a única prova. Portanto, se não a encontrarmos, como eu disse antes, ausência de prova não é prova de ausência."

ONZE

PSICOLOGIA FORENSE

"Todo ladrão tem um estilo característico ou modus operandi *do qual raramente se distancia e do qual é incapaz de se livrar totalmente; às vezes essa característica é tão inconfundível que até o novato consegue identificá-la sem dificuldade, mas [...] somente um observador experiente, inteligente e fervoroso é capaz de distinguir traços, frequentemente delicados, embora idênticos, que caracterizam o roubo e desenvolver conclusões importantes a partir deles."*

Hans Gross, *Criminal Investigation: A Practical Textbook*
[Investigação criminal: um manual prático] (1934)

Cometer um crime não é apenas infringir a lei. Na maioria das vezes, a pessoa tem de estar disposta a cometê-lo. Com pouquíssimas exceções, um ato criminoso não pode ser punido sem *mens rea*, isto é, a "intenção criminosa". Em outras palavras, se um infrator da lei não sabia o que estava fazendo — porque ele é louco, digamos, ou está sob a influência de drogas alucinógenas —, ele receberá tratamento, em vez de punição pelo crime.

Embora a motivação esteja sempre presente nos textos e programas policiais, ela é a preocupação menos premente em uma investigação de homicídio real. Provas forenses concretas, meios e oportunidade são o foco desses inquéritos. Contudo, às vezes a motivação pode ser

PSICOLOGIA FORENSE   251

útil para indicar aos investigadores o local certo onde procurar provas materiais. Descobrir que uma criança desaparecida alegou abuso sexual pode transformar uma investigação de fuga em uma operação bem mais séria, por exemplo. Além disso, os jurados adoram a motivação porque ela os ajuda a compreender os acontecimentos que estão muito distantes da experiência de mundo deles.

A busca pela motivação é bem mais difícil quando um criminoso tem como vítimas várias pessoas fora do seu círculo imediato de convívio — as agressões feitas a "estranhos". As motivações de um serial killer podem ter raízes múltiplas, ser amorfas, desenvolvidas ao longo de uma vida inteira, ou existentes durante apenas um nanossegundo.

Psicólogos via de regra concordam que fatores fora do controle dos serial killers, como sua criação e hereditariedade, podem ter um efeito gigante na maneira como se portam quando adultos. Pesquisadores seguem várias teorias na tentativa de explicar por que alguns de nós crescem e se transformam em serial killers. Às vezes as respostas são profundamente chocantes.

O neurocientista americano James Fallon estudou os cérebros de vários serial killers condenados e descobriu que muitos deles possuíam uma atividade menor do que a da média nas áreas do lóbulo frontal ligadas à empatia, à moral e ao autocontrole. Numa tentativa de quantificar as diferenças entre eles e a população em geral, Fallon espalhou as tomografias dos cérebros deles em sua mesa e as misturou com tomografias que fizera dos membros da própria família. A tomografia que berrava "psicopata!" mais alto era a dele mesmo. O neurocientista pensou em sumir com o resultado perturbador, mas, em vez disso, decidiu bancar o bom cientista e investigar mais, fazendo um exame do próprio DNA. O resultado foi ainda mais inquietante. "Eu tinha todos os alelos que apontavam para um alto risco de agressão, violência e baixa empatia."

Muito preocupado a essa altura, Fallon analisou minuciosamente sua genealogia. Em ramos de sua árvore genealógica, encontrou sete supostos assassinos, entre eles o que serviu de fonte para esta famosa rima:

252 A ANATOMIA DO CRIME

Lizzie Borden took an ax,
Gave her mother forty whacks
When she saw what she had done
*She gave her father forty-one.**

Em busca de resposta para a sua falta de criminalidade, Fallon decidiu que devia a sua não violência ao amor de sua mãe e lhe agradeceu do fundo do coração. Em 2013, escreveu o livro *The Psychopath Inside* [O psicopata interior] no qual diz: "A biologia não é uma sentença de morte, mas ela gera na pessoa um grande potencial para esse tipo de coisa. Os genes carregam a arma e deixam a pessoa suscetível de se tornar um psicopata."

Assim como Fallon, os primeiros cientistas a se envolverem em julgamentos de crimes queriam identificar mentes anormais. Com formação médica, eles estavam interessados nas capacidades mentais de criminosos e em tentar diagnosticar "doenças da mente". Quando um homem acusado tem *mens rea*? Quando ele não é responsável por suas ações?

Quando a polícia se depara com crimes bizarros que não consegue compreender, busca a ajuda de psiquiatras e psicólogos que têm experiência com pacientes que sofrem de enfermidades mentais. A suposição quase sempre era de que autores desses crimes eram "loucos". Os procedimentos para atestar a insanidade criminal, que ainda são um teste fundamental em muitas jurisdições, foram estabelecidos em 1843, após o caso de Daniel M'Naghten, declarado inocente de uma acusação de homicídio com base em insanidade, depois de ele ter atirado e matado a secretária particular do primeiro-ministro Edward Drummond. As normas podem ser resumidas da seguinte maneira: "O réu sabia o que estava fazendo e, em caso afirmativo, tinha ciência de que aquilo era errado?"

◆

---

* Lizzie Borden pegou um machado/ Acertou a mãe quarenta vezes/ Quando viu o que tinha feito/ Acertou o pai quarenta e uma. [*N. do T.*]

PSICOLOGIA FORENSE 253

Às vezes, o ato criminoso parece deixar pouco espaço para dúvida. Em 1929, Peter Kürten, também conhecido como "O Vampiro de Düsseldorf", martelou, esfaqueou e estrangulou até a morte pelo menos nove crianças alemãs. Enquanto Kürten aguardava sua execução, Karl Berg, um eminente psicólogo, ganhou a confiança dele e o fez falar sobre os crimes. "O impulso sexual era muito presente em mim", disse Kürten, "ainda mais nos últimos anos, e era estimulado pelos próprios crimes. Por isso que eu sempre tinha vontade de encontrar uma vítima nova. Às vezes, quando estava estrangulando as vítimas, eu tinha um orgasmo, às vezes, não, mas aí o orgasmo vinha quando eu esfaqueava a vítima. Eu não tinha a intenção de me satisfazer com relação sexual normal, mas matando." A arma predileta de Kürten era uma tesoura. Ver o sangue se tornou ainda mais necessário para que atingisse o orgasmo. Esperançoso, ele chegou a perguntar a Berg se conseguiria ouvir o sangue saindo do torso depois que a guilhotina cortasse seu pescoço. (*Ver imagens 35 e 36 no encarte de fotos.*)

O mais chocante para as pessoas de Düsseldorf foi que o "vampiro" que aterrorizara sua cidade não tinha a aparência de um louco. "Ele era magro e relativamente bem-apessoado, tinha cabelo louro volumoso, sempre repartido de modo impecável, olhos azuis inteligentes", documentaram. Quando chegou ao tribunal no primeiro dia de julgamento, ele estava "usando um terno imaculado [...] e parecia um perfeito empresário bem-sucedido". Nada na aparência ou no comportamento dele denunciava o pesadelo que foi sua infância de violência, estupro marital e incesto. Mas ele parecia alheio à realidade nos extensos interrogatórios com Berg e em outros momentos da vida. Se não fosse assim, jamais teria conseguido fazer amizade com tantas vítimas. Ou seja, embora seus crimes parecessem sugerir loucura, não era tão fácil assim categorizar aquele sujeito.

Apesar da impossibilidade de definir precisamente uma mente criminosa da forma que Cesare Lombroso tentou fazer no século XIX, já na época do caso de Peter Kürten, criminalistas como Hans Gross sabiam da existência de variedade de mentes criminosas que podiam ser parcialmente interpretadas à luz das pistas deixadas na

254 A ANATOMIA DO CRIME

cena do crime. O comportamento cotidiano de um criminoso em série tende a ser consistente com seu comportamento criminoso de certa forma. Por exemplo, se um assassino sexual teve um parceiro antes, ele geralmente já abusou dele (Kürten abusara da esposa). Psicólogos forenses usam esse "princípio da consistência" para desenvolver perfis de criminosos em série, o que pode ajudar a polícia a direcionar as investigações.

Muito provavelmente, o primeiro "perfil criminal" foi escrito no ano de 1888 em meio a uma série de assassinatos em Whitechapel, no leste de Londres. Às 3h40 da madrugada no dia 31 de agosto, um carroceiro caminhava na Buck's Row quando, através da escuridão, distinguiu uma mulher deitada de bruços no chão, com a saia levantada até a barriga. O carroceiro se aproximou e tocou na mão dela, que estava fria. O único poste ficava na outra ponta da rua, e o carroceiro não conseguiu ter certeza se estava bêbada ou morta. Ele puxou a saia do vestido para baixo para cobrir-lhe as partes íntimas e saiu à procura de um policial.

O policial John Neil chegou à cena e viu sangue saindo da garganta da mulher. Tinha um corte de orelha a orelha, feito com violência suficiente para romper a medula espinhal. Quando levaram a mulher para uma "casa de mortos", o inspetor John Spratling levantou as roupas dela: os intestinos estavam despontando de um corte no abdômen que chegava ao esterno. Um repórter do *Reynolds' Newspaper* escreveu: "Ela foi estripada da mesma forma que se vê o gado no açougue." O patologista encontrou duas facadas nas genitálias da mulher e achou que o assassino "devia ter um conhecimento rudimentar de anatomia, porque atacou todas as partes vitais". Não demoraram a identificá-la: era Mary Ann Nichols, uma prostituta de 43 anos. A maior parte de seus pertences encontrava-se com ela — um lenço branco, uma escova e um espelhinho. (*Ver imagem 37 no encarte de fotos*).

Nos dois meses e meio seguintes, mais três prostitutas foram encontradas mortas nas ruas escuras de Whitechapel. Quando a quinta, Mary Jane Kelly, foi encontrada brutalmente assassinada em um quarto de pensão no dia 9 de novembro, a Scotland Yard ainda não estava nem perto de identificar o assassino, que a essa altura já tinha recebido o apelido de Jack, o Estripador. Desesperada, a polícia chamou o dr. Thomas Bond, cirurgião da divisão policial de Westminster para averiguar as habilidades cirúrgicas do assassino. O local em que Mary Kelly foi morta fez o estômago de Bond revirar de horror. Ele não achou o coração dentro do peito da moça. O Estripador o levara.

Depois, na calma de sua sala, Bond respirou fundo e tentou pensar detalhadamente naquilo que tinha visto. Em primeiro lugar, ele respondeu à principal pergunta feita pela polícia. Na verdade, ao contrário do que o primeiro patologista avaliara, ele concluiu que o assassino "não possui o conhecimento técnico nem de um açougueiro, nem de um abatedor de cavalos, nem de pessoa alguma acostumada a cortar animais mortos". Porém, Bond queria fazer mais do que atestar o que o Estripador *não era*. Queria dar à polícia um direcionamento sobre quem o Estripador *era*. Ele analisou os relatórios policiais e as anotações das autópsias de mais ou menos doze prostitutas assassinadas nos sete meses anteriores em Whitechapel, e concluiu que cinco delas definitivamente haviam sido mortas pelo mesmo homem. O Estripador atacava entre a meia-noite e às 6 horas da manhã, com uma faca comprida, numa área de 1,5 quilômetro quadrado em Whitechapel.

As ações além do homicídio propriamente dito — as chamadas "marcas registradas" — interessavam a Bond tanto quanto os detalhes básicos. O Estripador deixava as vítimas deitadas de barriga para cima de maneira degradante, com as pernas abertas, sem as vísceras, ou com elas para fora, e a garganta cortada. A cada novo assassinato, o grau de mutilação aumentava: um exemplo clássico de confiança que leva a um aumento no nível de violência. Ele tinha deixado quatro de suas vítimas na rua. Mas a última, Mary Kelly, tinha sido morta em um local fechado, onde teve mais tempo e privacidade para mutilá-la. Bond descreveu o Estripador como uma pessoa "sujeita a ataques periódicos de obsessão homicida e erótica", e prosseguiu formulando o que hoje tornou-se o famoso perfil do assassino:

256 A ANATOMIA DO CRIME

> Um homem que possui força física, muita frieza e ousadia. [...] A aparência do assassino é muito provavelmente a de um homem bem inofensivo, de meia-idade, que se veste de forma impecável e respeitosa. Imagino que tenha o hábito de usar uma capa ou um sobretudo, senão dificilmente teria passado despercebido nas ruas caso o sangue em suas mãos e roupas estivesse visível [...] com quase certeza, é uma pessoa solitária e de hábitos excêntricos [...] possivelmente vive entre pessoas respeitáveis que têm algum conhecimento de seu caráter e seus hábitos e que podem ter razões para suspeitar que ele às vezes não bate muito bem da cabeça.

Alguns elementos do perfil de Bond eram tênues — por que "provavelmente de meia-idade"? Ele ignorava outros fatos, tais como a inexistência de sêmen nas cenas dos crimes. Ainda assim, o relatório influenciou muitos policiais e gente do governo envolvidos na investigação. É claro, tendo em vista que a polícia nunca pegou Jack, o Estripador, não temos como saber a precisão do perfil de Bond. Contudo, a avaliação foi cuidadosa, preparada com palavras atenuantes importantes ainda usadas em perfis nos dias de hoje, como "provavelmente", "possivelmente", "talvez", e abordou questões relevantes como, por exemplo, de que maneira o Estripador fugia da cena do crime sem ser notado.

◆

A história recente daquilo que ficou conhecido como "perfil criminal" começou nos anos 1940, quando a Agência de Serviços Estratégicos dos EUA pediu a Walter Langer, um psiquiatra, que traçasse um perfil de Adolf Hitler. Depois da Segunda Guerra Mundial, Lionel Haward, um psicólogo que trabalhava na Força Aérea Britânica (e, depois, na Universidade de Surrey), traçou uma lista de características que nazistas do alto escalão deviam possuir, uma técnica que também foi usada pelo dr. James Brussel, comissário assistente de Higiene Mental do estado de Nova York nos anos 1950. Brussel morava em West Village, onde fumava cachimbo e se cansava de ler Freud. Ele não era nada modesto. O título de um de seus muitos livros é *Instant Shrink: How to Become An Expert Psychiatrist in Ten Easy Lessons* [Psicologia rápida: como se tornar um psiquiatra especialista em 10 aulas]. Seu melhor e mais conhecido trabalho com ciência forense foi o perfil que traçou do Mad Bomber de Nova York, cujo tempo de atuação foi de dezesseis anos.

No dia 16 de novembro de 1940, um trabalhador descobriu uma pequena bomba feita com um cano cheio de pólvora no peitoril de uma janela da companhia de energia Consolidated Edison, em Nova York. Enrolado ao redor dela, havia um bilhete escrito à mão: "PILANTRAS DA CON EDISON — ISTO É PARA VOCÊS." A bomba falhou. Dez meses depois, um dispositivo similar foi encontrado em uma rua a aproximadamente cinco quadras da matriz da companhia, também com um bilhete. Assim como a anterior, ela falhou.

Depois dos ataques japoneses a Pearl Harbor em dezembro de 1941, a polícia de Nova York recebeu uma carta com o seguinte conteúdo: "NÃO FAREI MAIS BOMBAS ENQUANTO A GUERRA DURAR — MEUS SENTIMENTOS PATRIÓTICOS ME FIZERAM TOMAR ESSA DECISÃO — NO FUTURO, LEVAREI JUSTIÇA À CON EDISON — ELES PAGARÃO POR SEUS ATOS VIS."

De fato, não houve explosões com bombas feitas de cano em Nova York até 1951. Porém, nessa época, o Mad Bomber começou uma nova ofensiva. Ao longo dos cinco anos seguintes, ele plantou pelo menos 31 bombas, principalmente em imóveis públicos, inclusive teatros, cinemas, bibliotecas, estações de trem e banheiros públicos. As bombas eram feitas com um pedaço de cano cheio de pólvora coberto por uma meia de lã, com um cronômetro de bateria de lanterna e relógio de bolso. Às vezes, alguém avisava a polícia por telefone; em outras ocasiões, a bomba não explodia; e, de vez em quando, bilhetes reiteravam que suas ações continuariam até a Con Ed ser levada à justiça.

258 A ANATOMIA DO CRIME

A primeira bomba explodiu em março de 1951, perto do Oyster Bar da Grand Central Station. No Loew's Theater, na Lexington Avenue, em dezembro de 1952, uma das "unidades" do Mad bomber feriu uma pessoa pela primeira vez. Em novembro de 1954, uma bomba enfiada dentro de um assento do Radio City Music Hall estourou em meio a uma plateia que assistia ao filme *Natal branco*, deixando quatro feridos. Mais seis pessoas ficaram machucadas em dezembro de 1956 por uma bomba no Paramount Theater, no Brooklin, onde 1.500 pessoas assistiam ao filme *Guerra e paz*. A cidade estava em polvorosa. O Departamento de Polícia de Nova York deu início à maior caçada de sua história. Acreditavam estar atrás de um rancoroso ex-funcionário da Con Ed. Mas peritos em impressão digital, especialistas em caligrafia e a unidade responsável por investigar casos envolvendo bombas não conseguiram afunilar mais essa suspeita.

O Departamento de Polícia de Nova York convocou Brussel. Ele analisou os registros de todos os casos, inspecionou as cenas dos crimes e os métodos que o criminoso usava e desenvolveu o que chamou de "retrato": "Ao estudar as ações de um homem, deduzo que tipo de homem deve ser." Brussel achou que o Mad Bomber devia ser um mecânico habilidoso, de descendência eslava, um católico praticante, morador de Connecticut, com mais de 40 anos, elegante, arrumado, asseado, sem barba, solteiro e possivelmente virgem. Empolgado com sua tarefa, Brussel percebeu que na caligrafia do criminoso havia "w" que lembravam dois "u" arredondados, parecidos com dois seios — ele, portanto, não devia ter passado do estado edipiano no desenvolvimento psicológico e provavelmente morava com uma figura materna, como uma parente mulher mais velha. Brussel achava que o criminoso estava paranoico, e concluiu com um prognóstico preciso: ele estaria usando um terno de abotoamento duplo quando a polícia o prendesse.

A pedido de Brussel, o perfil foi publicado no *The New York Times* no Natal de 1956. Essa foi provavelmente a sua maior contribuição para a captura do Mad Bomber. No dia 26 de dezembro, o *New York Journal-American* publicou uma carta aberta prometendo um julga-

PSICOLOGIA FORENSE   259

mento justo se ele se entregasse. O criminoso respondeu que não faria isso e listou suas queixas contra a Con Ed: "Eu sofri um acidente de trabalho. Os custos médicos e receitas de remédios chegaram aos milhares [...]. Não recebi nenhum centavo por uma vida de miséria e sofrimento."

Essa resposta levou Alice Kelly, uma funcionária da companhia, a verificar os documentos de registro dos empregados da companhia elétrica anteriores a 1940 — os quais a companhia dissera à polícia anteriormente que estavam destruídos. Neles, Kelly encontrou o arquivo de George Metesky, que trabalhou limpando geradores na Con Ed entre 1929 e 1931, e que tinha se ferido em um acidente na usina Hell Gate. Metesky havia inalado uma rajada de gás que, segundo ele, havia lesionado seus pulmões, levando-o a ter pneumonia e tuberculose. Ele foi demitido sem indenização, o que o levou a escrever novecentas cartas para o prefeito, o comissário de polícia e os jornais. "Nunca recebi sequer um cartão-postal de um centavo", diria ele depois. Analisando as cartas em que Metesky fazia suas reclamações, Kelly percebeu que várias delas continham "atos vis", a mesma expressão antiquada que o Mad Bomber tinha usado em seus bilhetes. (*Ver imagem 38 do encarte de fotos.*)

No dia 21 de janeiro de 1957, a polícia chegou ao endereço de Metesky em Westchester, Connecticut. Ele abriu a porta de pijama, que tinha acabado de vestir para passar o fim de noite com suas duas irmãs mais velhas. Elas disseram que George era um homem asseadíssimo, e que ia à missa com regularidade. Quando desceu novamente a escada depois de se vestir, ele estava com o blazer de abotoamento duplo fechado. O criminoso disse à polícia que nunca quis machucar ninguém e que tinha feito as bombas levando isso em consideração. Um médico declarou que Metesky sofria de transtornos mentais, portanto, era incapaz de ser julgado, e internaram-no no Hospital Estadual Matteawan, dedicado a criminosos mentalmente instáveis. Ele foi solto em 1973 e morreu vinte anos depois, aos 90 anos.

Apesar de o perfil de Brussel ter feito história, foi a busca meticulosa realizada nos arquivos por Alice Kelly, de posse das pistas nas

260   A ANATOMIA DO CRIME

cartas de reclamação que ele escreveu, que acarretou na prisão de Metesky. Porém, o perfil de Brussel foi saudado como uma obra de genialidade interpretativa, porque descrevia o criminoso corretamente como um católico eslavo paranoico que morava em Connecticut e usava um determinado tipo de terno. As deduções dele eram lógicas, não mágicas: bombardeios são um crime associado à paranoia; nos anos pós-guerra, bombas usadas como forma de protesto eram comuns no Leste Europeu; a maioria dos eslavos era católica; muitos eslavos moravam em Connecticut. E, na moda nos anos 1950, homens usavam blazers de abotoamento duplo fechados.

O aspecto mais espantoso do caso foi o Departamento de Polícia de Nova York ter levado dezesseis anos para localizar o Mad Bomber, mesmo com a quantidade de pistas que ele deixava em seus bilhetes: "NÃO ESTOU BEM, E POR ISSO FAREI A CON EDISON PAGAR." Malcolm Gladwell concluiu em um artigo publicado na *New Yorker*, em 2007, que "Brussel não chegou realmente a entender o que se passava na cabeça de Mad Bomber. Ele parece ter entendido apenas que, se a pessoa faz muitos prognósticos, aqueles que estavam errados serão rapidamente esquecidos. O *Hedunit** não é um mestre da análise forense. É um engodo." Mas não havia tantos detratores na época. Havia somente alívio. O perfil de Brussel foi importante para incentivar a polícia a convocar psicólogos e psiquiatras que providenciassem perfis em suas investigações de crimes graves.

Em 1977, o FBI deu início aos cursos de criação de perfil na sua academia em Quantico, Virgínia. Eles foram criados por Howard Teton, que reconhece James Brussel como "um verdadeiro pioneiro nesse campo", e que foi muito influenciado pelo que viu em seus casos bem-sucedidos. Um pequeno grupo de agentes do FBI viajava nos fins de semana para presídios, onde entrevistaram 36 estuprado-

---

* *Hedunit* seria algo como "ele é o culpado", uma espécie de certeza de quem seria o criminoso. Trata-se, provavelmente, de uma referência ao gênero literário policial convencional chamado de *whodunit*, cuja estrutura narrativa se baseia justamente na descoberta de quem é o responsável por um crime. [*N. do T.*]

res em série e serial killers. Eles queriam sustentar os futuros perfis em provas empíricas, e não em palpites e relatos sem comprovação. Essas pesquisas identificaram dois tipos de serial killer: o homem desorganizado que ataca as vítimas aleatoriamente, sem se preocupar com quem elas são, assassinando-as de qualquer maneira e deixando vestígios forenses; e o homem organizado, cujas vítimas correspondiam a uma fantasia pessoal específica. Ele fica o tempo que precisa com elas e muito raramente deixa vestígios forenses.

Classificar serial killers nessas categorias binárias é tentador — e persistente —, porém, é mais preciso inseri-los em um espectro. Enquanto alguns são sempre desorganizados, outros se tornam mais organizados com o tempo. Jack, o Estripador, por exemplo, ocupou-se de Mary Kelly, sua quinta e provavelmente última vítima, na privacidade de um quarto alugado, onde teve mais tempo para mutilá-la. E a intensificação nem sempre torna os assassinos mais organizados. À medida que a necessidade por violência e sangue aumenta, seus ataques podem se tornar mais desordenados e descuidados. Por causa de Hollywood, estamos muito acostumados a pensar em serial killers como enigmáticos, muito inteligentes, brancos e de classe média. Isso é em parte sustentado pelos dados: de acordo com as estatísticas, eles tendem a ter uma inteligência ligeiramente superior à da média, ser solteiros, brancos e (com algumas notáveis exceções) da classe operária ou média.

E como o cientista forense Brent Turvey destacou, "você tem um estuprador que ataca uma mulher no parque, puxa a camisa dela e a coloca sobre o rosto da vítima. Por quê? O que isso significa? Isso pode significar dez coisas diferentes. Pode ser que ele não queira vê--la. Pode ser que não queira que ela o veja. Pode ser que queira ver os seios dela, imaginar outra pessoa, imobilizar os braços dela — há todas essas possibilidades. Não se pode olhar para um comportamento isoladamente."

◆

262 A ANATOMIA DO CRIME

A maioria das pessoas não devia estar muito familiarizada com o conceito propriamente dito de criador de perfis criminais quando teve seu primeiro encontro com um. *O silêncio dos inocentes*, filme de 1991 inspirado no cativante romance de Thomas Harris, nos apresentou à agente do FBI Clarice Starling, interpretada por Jodie Foster. A agente trainee Clarice é selecionada para compor uma força-tarefa para cuidar do caso de um serial killer porque seus chefes acham que ela será capaz de conseguir a ajuda de Hannibal Lecter, um psiquiatra forense brilhante que está sendo incriminado por uma série de assassinatos canibalescos. Tanto o filme quanto o livro tecem uma intrincada rede de enigmas e pistas falsas que condensam as dificuldades de se traçar o perfil de um serial killer.

Os romances de Hannibal Lecter, escritos por Thomas Harris, foram os primeiros a se dedicar à ideia de um criador de perfis criminais, o que, desde então, se provou um campo fértil para os escritores de ficção policial, um grupo no qual me incluo. Para nós, entender a motivação dos nossos personagens é o ponto principal do que fazemos, e o psiquiatra forense nos oferece a figura fantasiosa perfeita — alguém que observa as pessoas com um olhar analítico e empático, mas que também consegue ser o herói.

Mas não fomos apenas nós, escritores, que ficamos intrigados pelas possibilidades da criação de perfis criminais. Em meados dos anos 1980, as forças policiais ao redor do mundo já estavam fascinadas pelos "criadores de perfis criminais" que o FBI vinha treinando. Eles ofereciam uma esperança nova para casos que pareciam já ter chegado a um beco sem saída.

Durante quatro anos, a Polícia Metropolitana tentou localizar um estuprador que atacava mulheres em Londres em atos violentos. Os ataques começaram em 1982, quando um homem de balaclava estuprou uma mulher perto da estação de metrô Hampstead Heath. Mais estupros no norte de Londres aconteceram em circunstâncias similares. No dia 29 de dezembro de 1985, o "Estuprador da Ferrovia" se tornou o "Assassino da Ferrovia", quando arrastou Alison Day, de 19 anos, para fora do trem, a amordaçou, amarrou, estuprou e estrangulou com um pedaço de corda.

A essa altura, a polícia tinha ligado o mesmo homem — que às vezes agia com um cúmplice — a quarenta estupros. Então uma menina holandesa de 15 anos, Maartje Tamboezer, foi atacada enquanto pedalava por uma mata próxima a uma estação em Surrey. Dois homens a arrastaram por quase um quilômetro antes de estuprá-la, estrangular com o próprio cinto e atear fogo no corpo. Apenas um mês depois, Anne Locke, uma apresentadora de TV local, foi raptada e assassinada ao sair de um trem no Brookmans Park, em Hertfordshire. A lista de suspeitos tinha tomado proporções inviáveis. Era necessário uma abordagem nova.

Em 1986, a Polícia Metropolitana entrou em contato com David Canter, um psicólogo ambiental na Universidade de Surrey. Eles tinham uma única pergunta: "Você consegue nos ajudar a pegar esse homem antes que ele mate de novo?"

Todos os ataques tinham acontecido à noite, em estações de trem ou em seus arredores. As vítimas, geralmente adolescentes, eram estupradas e depois, em três casos, garroteadas até a morte. Canter analisou as datas e os detalhes dos ataques e marcou a localização deles em um mapa. Ele sugeriu que os estupros tinham começado por oportunismo, mas, com o tempo, tornaram-se planejados. O psicólogo achava que o culpado cometeu os primeiros crimes na área com a qual era familiarizado, perto de casa, e depois se aventurou em locais mais distantes, onde não seria reconhecido. Com base em depoimentos de testemunhas e relatórios da polícia, Canter traçou um perfil da personalidade e do estilo de vida do agressor mascarado. Sugeriu que ele era casado, mas não tinha filhos (porque falava com algumas das vítimas normalmente antes de atacá-las), que tinha um trabalho que demandava um nível técnico mediano (com base na habilidade de planejar os últimos crimes), estava entre os 20 e os 30 anos (de acordo com relatos de testemunhas), e "provavelmente tinha histórico de violência contra mulheres, além de ser um sujeito bem detestável e conhecido por ser assim".

264 A ANATOMIA DO CRIME

Baseando-se no perfil de Canter, a polícia começou a procurar John Duffy, um carpinteiro que trabalhara na British Rail por algum tempo e que morava muito perto do local em que ocorreram os três primeiros ataques, em Kilburn. Duffy estava na lista de suspeitos da polícia porque havia estuprado a mulher, de quem estava separado, ameaçando-a com uma faca. Mas ele não era um dos suspeitos principais porque alguns policiais acharam que aquilo tinha sido "coisa de marido e mulher". Quando Canter afirmou que o estuprador da ferrovia devia ter um histórico desse tipo de violência, Duffy subiu na lista de suspeitos. A polícia o prendeu quando estava seguindo uma mulher no parque, e provas periciais o ligaram a dois dos homicídios e a quatro dos estupros. Ele foi condenado em fevereiro de 1988.

Treze dos dezessete pontos no perfil de Carter eram compatíveis com Duffy. Ele dissera que Duffy era baixo (ele tinha um 1,62 metro), provavelmente não se sentia atraente (tinha o rosto cheio de cicatrizes de acne), tinha interesse em artes marciais (passava muito tempo em uma academia de artes marciais e colecionava armas de kung fu) e guardava lembranças dos crimes (33 chaves da porta da casa das vítimas). Após a condenação de Duffy, tornou-se hábito das forças policiais do Reino Unido pedir a psicólogos para traçar perfis de criminosos em investigações de grandes crimes.

O único aspecto negativo do bem-sucedido processo contra Duffy foi o fato de seu cúmplice ter ficado solto. Durante quase dez anos, Duffy se recusou a falar dele. Mas a psicóloga forense Jenny Cutler acabou conseguindo extrair a informação do criminoso. Uma fonte disse: "Ele começou a gostar dela. Era um sujeito inadequado socialmente, em um ambiente masculino hostil. De certa forma, Duffy ficou impressionado com a psicóloga". Finalmente revelou o nome de seu cúmplice — o amigo de infância David Mulcahy. Os dois eram da classe operária irlandesa, tinham sofrido bullying na escola e acabaram se aproximado um do outro. Aos 13 anos, Mulcahy fora suspenso da escola por matar um ouriço a pauladas no parquinho. Alguns professores encontraram Mulcahy coberto de sangue com Duffy ao lado dele, rindo. Os dois cometeram o primeiro estupro

PSICOLOGIA FORENSE   265

juntos quando tinham 22 anos. No tribunal, durante o julgamento de Mulcahy, Duffy explicou: "A gente rodava por aí de carro. Chamávamos de 'caça'. A gente procurava uma vítima, encontrava e seguíamos ela. O David tinha uma fita com 'Thriller', de Michael Jackson. Para entrar no clima, a gente colocava a fita e cantava a música [...]. Era meio que de brincadeira, meio que por diversão. Deixava a gente mais animado [...]. Nós desenvolvemos um padrão criminoso — era muito difícil parar." Em conjunto com o teste positivo de DNA LCN, que não tinha sido possível fazer na época dos crimes, as provas eram incontestáveis. Em 1999, Mulcahy foi condenado por três homicídios e sete estupros, e Duffy, por outros dezessete estupros.

A informação mais útil no perfil de David Canter foi o prognóstico de onde os agressores moravam. Antes da condenação de Duffy, Canter era psicólogo ambiental. Depois do caso, ele se reinventou como "psicólogo investigativo" e dedicou boa parte de seu tempo à pesquisa e escrita sobre criação de perfil geográfico. Assim como os cidadãos cumpridores da lei tendem a retornar à mesma rua para fazer compras reiteradamente, a maioria dos infratores gostam de cometer os crimes nas mesmas áreas. Sentem-se mais seguros em locais que conhecem. Canter levantou a hipótese do círculo: se desenharmos uma circunferência que passe pelos locais dos dois crimes mais afastados uns dos outros, a casa do culpado provavelmente estará próxima do centro desse círculo. A pesquisa demonstrou que isso era verdade na maioria dos casos em que os criminosos atacaram mais de cinco vezes. Canter descobriu que um serial killer pode ser encontrado dentro de um triângulo formado pelos locais de seus três primeiros assassinatos, como foi no caso de Duffy. Ele desenvolveu um programa de computador chamado Dragnet que gera *hotspots*. Em vez de tentar marcar a casa do assassino com um "X", o Dragnet gera áreas em que ele provavelmente mora, diferenciadas por cores, da mais à menos provável.

A primeira vez que me deparei com o uso de algoritmos para localizar criminosos em série aconteceu por intermédio de Kim Rossmo, um detetive do Departamento de Polícia de Vancouver. Ele foi o pri-

266 A ANATOMIA DO CRIME

meiro policial do Canadá a receber o título de doutor em criminologia, e a pesquisa que produziu em sua tese o levou a desenvolver um programa que conseguia prognosticar onde criminosos em série moravam. Quando nos conhecemos, o programa encontrava-se em versão beta, e os investigadores que trabalhavam com assaltos de imóveis e vinham testando-o estavam maravilhados com os resultados. Fiquei tão impressionada pelo que vi que o usei como base de um romance, *Sombras de um crime*, publicado em 2000,* quando a ideia da criação de perfis geográficos ainda estava engatinhando. Anos depois, durante uma turnê de promoção de um livro nos Estados Unidos, liguei a TV certa manhã e vi Kim Rossmo dando uma entrevista na época dos ataques do Atirador de Washington. A vanguarda absoluta havia se tornado popular em poucos anos.

◆

Na época em que escrevi *Sombras de um crime*, já tinha publicado dois romances com o psicólogo clínico e criador de perfis criminais dr. Tony Hill. Quando tive a ideia para o primeiro livro, *O canto das sereias*, sabia que precisava de ajuda. No Reino Unido, fazíamos as coisas um pouco diferente do FBI e da Real Polícia Montada do Canadá. Nossos policiais não recebiam treinamento em ciências comportamentais; chamávamos psicólogos clínicos e acadêmicos para trabalharem ao lado de detetives experientes. Eu me dei conta de que não tinha a menor ideia de como isso funcionava na prática nem o que um criador de perfis fazia de fato. A pessoa que procurei para me ajudar foi o dr. Mike Berry e, embora eu tenha pilhado seus métodos de trabalho, vale a pena mencionar que a personalidade dele é diferente da do dr. Tony Hill em todos os aspectos!

Como David Canter, Mike Berry é um psicólogo que se envolveu com a criação de perfis criminais assim que a polícia do Reino Unido começou a levá-la a sério. Ele passou muitos anos em atividade,

---

* Pela Bertrand Brasil, o livro foi publicado em 2011. [*N. do E.*]

PSICOLOGIA FORENSE 267

envolvido em tudo que aparecia: tratava pacientes em hospitais de custódia e tratamento psiquiátrico antes de passar a lecionar psicologia forense na Universidade Metropolitana de Manchester. Atualmente ele trabalha em Dublin, na Faculdade Real de Cirurgiões da Inglaterra.

"Fiz meu treinamento clínico e assumi cargos em departamentos clínicos, período em que trabalhei com adultos, pessoas com dificuldade de aprendizagem e crianças, e também com neuropsicologia, antes de me dedicar a um período facultativo de seis meses em Broadmoor, onde trabalhei com Tony Black e outros colegas." Broadmoor é um hospital psiquiátrico de segurança máxima que, desde 1863, ano de sua abertura, alojou os criminosos mais perigosos da história da Inglaterra, incluindo Charles Bronson, Ronnie Kray e Peter Sutcliffe, mais conhecido como Estripador de Yorkshire. Anos depois, Mike foi transferido para o Hospital Ashworth, em Merseyside, onde trabalhou com alguns pacientes que demonstravam comportamento extremo.

Mike Berry começou a carreira na mesma época que David Canter e concorda que os primeiros trabalhos forenses de Canter foram providenciais tanto para levar dois assassinos à justiça quanto para impulsionar a arte da criação de perfis geográficos. Mas enxerga um revés: "Aquilo era bom demais. Decolou rápido demais. A imprensa tomou conhecimento dele e a polícia começou a sofrer muita pressão. A mídia dizia: 'Já se passaram sete dias e ainda não acharam ninguém? Quando vão chamar os especialistas?' Aquilo criou uma expectativa de que a polícia bateria na porta de um psicólogo e em duas horas ele solucionaria o caso."

◆

Então houve um caso que minou gravemente a confiança do público na criação de perfis criminais. No dia 28 de julho de 1992, a Polícia Metropolitana procurou Paul Britton, que fazia perfis criminais. Ela precisava de ajuda para pegar o autor de um crime hediondo cometido duas semanas antes em Wimbledon Common, sudoeste de Lon-

268 A ANATOMIA DO CRIME

dres. Rachel Nickell, uma modelo de 23 anos, olhos azuis e cabelo louro, tinha levado seu cachorro para a caminhada matinal com seu filho de 2 anos, Alex. Ela passava por uma área levemente arborizada quando um homem pulou em sua frente e a esfaqueou brutalmente 49 vezes. Em sua autobiografia *The Jigsaw Man* [O homem dos quebra-cabeças] (1998), Britton descreve como Rachel foi encontrada "na mais degradante posição que o assassino podia tê-la deixado, com as nádegas expostas de maneira proeminente [...] com um corte tão profundo na garganta que parecia que a cabeça quase havia sido decapitada". Alex estava desnorteado, mas não ferido. Quando uma pessoa saiu do meio das árvores e se deparou com o garoto, ele estava choramingando: "Mamãe, acorda."

Os peritos identificaram uma única pegada perto do corpo de Rachel, mas nada de sêmen, saliva nem cabelo que pertencesse ao assassino. Testemunhas oculares disseram ter visto um homem de aparência comum, com idade entre 20 e 30 anos, lavando as mãos em um riacho logo após o assassinato. O caso despertou um interesse tremendo na mídia e um grupo de mulheres da região ofereceu 400 mil libras para ajudar a polícia na investigação — ainda que ela não pudesse aceitar.

A polícia pediu a Britton para traçar um perfil do criminoso. Ele acreditava que o assassino era um estranho porque não iria querer arriscar que Alex o reconhecesse. Achou que "teria um histórico de relacionamentos fracassados e insatisfatórios, se é que teve algum [...]. Provavelmente sofria de alguma disfunção sexual, como disfunção erétil ou controle ejaculatório [...]". Devido à natureza frenética e desorganizada do ataque e por não ter tentado esconder o corpo, "ele teria inteligência e instrução não mais do que mediana. Se tivesse emprego, seria um trabalho braçal que não exigia qualificação. Provavelmente era solteiro e tinha um estilo de vida relativamente isolado, morando com um parente ou sozinho em uma quitinete ou em um apartamento de um cômodo. Ele teria hobbies e interesses solitários. Esses, de natureza incomum, podiam incluir um pequeno interesse em artes marciais e fotografia". No fim de seu relatório, Britton

PSICOLOGIA FORENSE   269

deixou uma advertência: "Na minha visão, é praticamente inevitável que essa pessoa vá matar outra jovem em algum momento no futuro como resultado de sua anormalidade e dos impulsos agressivos fantasiosos já descritos." Era, em muitos aspectos, um perfil genérico, que se encaixava em um número relativamente grande de homens.

Passado um mês do crime, a polícia tinha recebido mais de 2.500 telefonemas da população e estava ficando afundada na papelada gerada pelo caso. Eles usaram o perfil de Britton para diminuir a lista de suspeitos. Quando o programa *Crimewatch*, da BBC, exibiu uma reconstituição do assassino e uma versão editada do perfil, três pessoas diferentes ligaram para informar o nome de Colin Stagg, de 23 anos, que morava sozinho em um conjunto habitacional a pouco mais de um quilômetro do Wimbledon Common. Colin dissera a um vizinho que tinha caminhado pela área levemente arborizada dez minutos antes de Rachel ser morta.

Em setembro, quando a polícia foi ao apartamento de Stagg para prendê-lo e interrogá-lo, ela se deparou com um cartaz na porta: "Cristãos, fiquem longe, um pagão reside aqui." Do lado de dentro, encontraram revistas pornográficas e livros sobre ocultismo. Interrogaram Stagg durante três dias. Quando perguntaram que calçado estava usando no dia do homicídio, o rapaz falou que o tinha jogado fora dois dias antes de ser preso. Ele tinha se relacionado com poucas mulheres, mas em nenhuma das vezes conseguiu ficar excitado. Stagg contou à polícia que, nos dias seguintes ao assassinato, tinha ficado à toa no Wimbledon Common, completamente nu, somente de óculos escuros, abrindo as pernas e sorrindo para as mulheres que passavam. Stagg negava reiteradamente que tinha matado Rachel e que era o homem visto lavando as mãos no riacho ali perto.

Stagg se encaixava bem no perfil de Britton e tornou-se o principal suspeito da polícia. Mas não havia provas suficientes contra ele. Os policiais voltaram a procurar Britton para ver se ele tinha alguma sugestão que os ajudasse a montar o processo de acusação contra Stagg. Desenvolveram um estratagema: usar uma policial atraente disfarçada como isca.

270 A ANATOMIA DO CRIME

Britton orientou a policial, conhecida como "Lizzie James", em várias sessões individuais. O objetivo dela era fazer Stagg acreditar que ela estava aberta a coisas que outras pessoas não estavam e dar a ele espaço para falar do que quisesse. Por fim, ela devia dizer-lhe que, na adolescência, fora aliciada por um grupo de ocultismo que abusou dela e a obrigou a observar o homicídio sexual de uma moça e de uma criança. Desde que saíra do grupo, todos os seus relacionamentos com homens haviam fracassado porque nenhum deles fora potente ou dominador o suficiente para realizar suas fantasias.

Lizzie escreveu para Stagg, que respondeu imediatamente. Ela mandou uma foto de si e o número de correspondência entre eles só aumentou, com Lizzie sempre o encorajando a relatar suas fantasias.

> Você me pediu para explicar como me sinto com as cartas especiais que você me manda. Bom, primeiramente, elas me excitam muito, mas não consigo deixar de pensar que você está se reprimindo demais, se controlando quando na verdade quer explodir. Eu quero que você exploda, quero sentir você poderoso e avassalador, quero ser completamente dominada, indefesa e humilhada.

Stagg respondeu:

> Você precisa de um homem de verdade, que te foda bem pra cacete, e eu posso fazer isso [...]. Sou o único homem neste mundo que vai te dar isso. Pode deixar que você vai gritar de agonia quando eu abusar de você. Vou destruir sua autoestima, você nunca mais vai olhar ninguém nos olhos [...].

No dia 29 de abril, eles conversaram ao telefone pela segunda vez e Stagg contou uma história em que ele penetrava Lizzie por trás e puxava sua cabeça com força, usando um cinto. No dia seguinte, ele mandou uma carta na qual admitia ter sido preso pela suspeita do homicídio de Rachel Nickell. "Não sou assassino", acrescentou ele, "pois acredito que todas as formas de vida — o menor inseto, a planta, o animal e o homem — são sagradas e únicas".

Cinco meses depois que a correspondência tinha começado, Stagg e Lizzie se encontraram pela primeira vez, no Hyde Park. Ela fez um relato completo de como havia sido sua experiência com o ocultismo, e Stagg lhe entregou um envelope pardo. Nele havia uma fantasia vívida envolvendo Stagg, outro homem, Lizzie, um riacho, uma mata, dor e uma faca com sangue. No fim do encontro, Stagg explicou que escrevera a história porque achou que Lizzie fosse gostar. A polícia estava empolgada com a forma como a situação vinha se desenvolvendo, e Britton disse: "Vocês estão diante de alguém com uma sexualidade anormal, presente em um número pequeno de homens na população em geral. As chances de haver dois homens assim em Wimbledon Common quando Rachel foi assassinada são incrivelmente pequenas."

Em agosto de 1993, a polícia prendeu Colin Stagg. Mais de um ano depois, quando o caso finalmente foi a julgamento, o juiz Ognall examinou as setecentas páginas relativas ao caso e desaprovou a armadilha que a polícia e Britton haviam armado para Stagg: "Este comportamento denuncia não apenas um empenho excessivo, mas uma tentativa substancial de incriminar um suspeito por meio de uma conduta inegavelmente capciosa da pior qualidade. A promotoria intentou me convencer de que o objetivo da ação foi dar ao acusado a oportunidade de se eliminar da investigação ou de se enredar no homicídio. Tendo a afirmar que considero essa explicação falsa." Ognall determinou que as cartas e conversas gravadas eram inadmissíveis e Stagg foi posto em liberdade.

Em 1998, Lizzie James antecipou sua aposentadoria aos 33 anos, devido ao estresse pós-traumático com que vinha sofrendo desde a investigação. Em 2002, Paul Britton participou de uma audiência diante da Sociedade Britânica de Psicologia por assessorar a investigação de Rachel Nickell sem suporte de práticas científicas aceitas e por fazer alegações exageradas sobre a eficácia de seus métodos.

272 A ANATOMIA DO CRIME

Contudo, após dois dias, o comitê também tomou conhecimento de que o uso da policial disfarçada como armadilha havia sido aprovado pelo alto escalão da Polícia Metropolitana e que o trabalho de Britton fora confirmado pela unidade de criação de perfis do FBI, em Quantico, na Virgínia.

No mesmo ano, a polícia nomeou uma equipe para rever o caso do homicídio de Rachel Nickell, já arquivado. Cientistas examinaram as roupas de Rachel outra vez e conseguiram produzir um perfil de DNA com a ajuda de uma técnica mais sensível (*ver pág. 153*). O DNA não pertencia a Colin Stagg. Ele pertencia a Robert Napper — um esquizofrênico paranoico que estuprou 86 mulheres em Londres antes de ser capturado e preso em Broadmoor. Em novembro de 1993, dezesseis meses após o assassinato de Rachel Nickell, Napper tinha matado brutalmente Samantha Bisset e sua filha Jazmine, de 4 anos, no apartamento delas, em Plumstead. No dia 18 de dezembro de 2008, Napper foi condenado também pelo homicídio de Rachel.

O patologista forense Dick Shepherd fez as autópsias em Rachel e nas Bisset. Ele diz que, quando fazia as autópsias das Bisset, se lembra de ter comentado "Esse cara já apareceu aqui antes; quem quer que ele seja, essa não é a primeira vítima e vocês estão procurando um sujeito sórdido — se lembram do assassino da Nickell? Isso parece uma progressão dele", e todo mundo falou: "Ah, não, aquilo lá foi o Stagg, estamos de olho nele 24 horas por dia". Quando perguntaram se os homicídios podiam estar ligados, Paul Britton disse que se tratava "de um contexto completamente diferente".

A polícia fez uma busca na casa de Napper em maio de 1994 e encontrou um tênis Adidas Phantom. Somente uma década depois viram que era compatível com a pegada deixada ao lado do corpo de Rachel Nickell no Wimbledon Common. Em dezembro de 2008, um editorial no *The Times* concluiu: "A relutância em investigar Napper pelo homicídio de Nickell pode ser explicada apenas pela crença, compartilhada pela polícia, por Paul Britton e pelos advogados da Promotoria Pública, de que eles já tinham encontrado o culpado." Na visão deles, Colin Stagg era um homem desesperado por perder a virgindade com uma mulher bonita. A história sexual mais explícita que ele escreveu provavelmente continha tanta semelhança com o assassinato de Rachel porque ele achava que Lizzie James gostava de sexo violento e usou um homicídio que ocorreu na região que ele conhecia como inspiração.

Além de ser uma tragédia enorme para as famílias de Nickell e das Bisset, a investigação malfeita custou dinheiro e colocou em risco a credibilidade da Polícia Metropolitana. Ao custo geral da operação, foram somadas 706 mil libras da indenização paga a Colin Stagg (em parte pelo fato de o nome dele ter ficado tão sujo que nunca mais conseguiu emprego). Atualmente, os criadores de perfis prestam serviços de consultoria investigativa sobre questões comportamentais e precisam ser credenciados. A primeira e explícita orientação para esses profissionais na Kent Police é a de que eles "saibam os limites de sua especialidade e disciplina e permaneçam dentro deles".

Diferentemente do perfil de David Canter feito sobre o Assassino da Ferrovia, a afirmação mais prejudicial no perfil de Britton foi a de que o assassino de Nickell "moraria a uma distância até o Wilmbledon Common facilmente percorrida a pé e conheceria o local como a palma da mão". Na verdade, Robert Napper tinha agido ali porque a polícia estava apertando o cerco no local onde ele por norma atacava, nos arredores de Plumstead.

Mike Berry gosta de ir à cena do crime no mesmo período do dia em que o delito foi cometido porque ele acha que isso o ajuda a levantar hipóteses sobre a relação do criminoso com o local do crime. "Eu me lembro de, anos atrás, ir à cena de um crime num parque municipal. O taxista me deu uma lanterna e disse: 'Não vou deixar você entrar aí sozinho, você nunca mais vai sair.' Era meia-noite, o parque estava um breu e isso influenciou o meu perfil, aí eu respondi: 'Tudo bem, isso era tudo que eu precisava saber.' O corpo foi encontrado em um lago no meio do parque. Ficou óbvio que a pessoa que matou a mulher tinha que ser da vizinhança para conseguir levá-la até lá.

274 A ANATOMIA DO CRIME

Fotografias do parque durante o dia não teriam me dito que o lugar ficava escuro daquele jeito."

A recolha inicial de informações simples pode fornecer materiais resistentes para a construção de um perfil criminal. Quando há poucas provas periciais para se examinar, o conhecimento local se torna ainda mais importante. "Eu me lembro de um caso", conta Mike. "Conversamos com o policial que fazia ronda na região e ele disse que, para voltarem das boates da cidade vizinha, os jovens pegavam taxi até o alto do bosque. Depois, eles passavam por uma trilha no meio desse bosque, paravam em uma clareira, bebiam cerveja, fumavam um cigarro e iam embora, andando, para a pequena cidade em que moravam. Ele contou que pedir ao táxi para dar a volta no bosque e levá-los até a cidadezinha custava o dobro do preço. Então a vítima — uma garota de 16 anos — não se sentiria nem um pouco preocupada enquanto caminhava com alguém pela mata, porque era isso que eles faziam. O policial não sabia da importância daquilo que estava falando, mas ele tinha explicado um comportamento atípico. Tendo em vista que a vítima estava de calça jeans e camisa e que não existiam vestígios de que houvera sexo, levantaram a hipótese de que ela havia rejeitado as investidas do homem, que perdeu a cabeça, a agarrou pela garganta, estrangulou e foi embora para casa caminhando." Isso indicava — junto com outros fatores — que o homicídio tinha sido um ato impulsivo e não planejado, provavelmente cometido por um jovem que morava, ou estava ficando, na cidadezinha. Vale a pena ressaltar que, quando a polícia tem de chamar uma equipe especializada em homicídio de fora, nenhum integrante dela conhece a região. Por isso, conversar com os policiais locais é uma forma de se conseguir muitas informações. A polícia encontrou o suspeito na cidadezinha depois de algumas horas. Ele se enquadrava no perfil e foi condenado certo tempo depois.

Desde a primeira vez que nos encontramos, fiquei fascinada de escutar Mike falando sobre como cria seus perfis. O método de criação de perfis que o dr. Tony Hill, meu personagem, usa tem raízes na

PSICOLOGIA FORENSE 275

maneira como Mike faz as coisas. As prateleiras no seu escritório são abarrotadas de livros sobre psicologia forense, inclusive biografias de criadores de perfis com suas experiências em detalhes. Mike sabe das ciladas em que alguns deles caíram. "Temos sempre que dizer que aquelas características são do assassino em potencial, não do assassino. Os psicólogos não devem tentar identificar um indivíduo específico como o assassino."

Os perfis de Mike têm base tanto em estudos empíricos de criminosos quanto em seus anos de experiência trabalhando com criminosos em ambientes terapêuticos e investigativos. Isso lhe dá um rico material de apoio para traçar os perfis, os quais ele, assim como o dr. Thomas Bond em 1888, escreve usando atenuantes como "provavelmente", "possivelmente", "talvez", a não ser que tenha certeza de algo.

Após inspecionar a cena de um crime, Mike analisa fotos e anotações da polícia, relatos de testemunhas, o relatório e as fotos da autópsia e outras informações relevantes a que consegue acesso. Nesse estágio, é importante que a polícia não libere detalhes sobre suspeitos, para que o responsável pela criação do perfil criminal não seja influenciado pelas preconcepções dos investigadores. Os perfis mais valiosos são aqueles que evitam todo tipo de tendenciosidade e preconceito.

Para Mike, o estágio seguinte acontece dentro da própria cabeça. "Fico parado diante de uma tela branca pensando. Isso faz parte do desenvolvimento da hipótese inicial da criação de um perfil. Saio para caminhar, repasso tudo na cabeça e, de vez em quando, se há pessoas com quem trabalho e em quem confio, troco ideias com elas. Depois, passo para a etapa da rejeição. OK, posso afirmar que foi um homem? E hoje em dia tem se tornado mais comum ver serial killers mulheres [...]. Vejo o que posso inserir nele e o que posso rejeitar [...]. Se é um crime sexual, meus suspeitos possivelmente terão entre 10 a 60 anos de idade. Mas é mais provável que sejam mais velhos do que os adolescentes que estão fazendo sexo pela primeira vez. Começa-

276 A ANATOMIA DO CRIME

mos com coisas muito incipientes. Se usaram camisinha, pensamos: 'Por quê?' Porque têm conhecimento criminal, experiência criminal e não querem deixar provas [...]. Eu crio um modelo e o tempo todo fico tentando rejeitá-lo, me perguntando 'onde está a prova disso?'. Podemos trabalhar em uma coisa durante várias horas e de repente algo diz 'não', aí descartamos aquilo. Acho que às vezes policiais e criadores de perfis cometem erros quando têm um palpite e se apegam muito a ele. Todos nós temos de aprender a desapegar. Se a prova não sustenta uma hipótese, você a joga fora, começa o plano B e vai trabalhando até chegar ao plano Z." O perfil se concentra em uma série de características, tais como gênero, idade, grupo racial, profissão, estado civil, tipo de veículo, hobbies, criminalidade, relacionamento com mulheres, com a vítima, tipo de vítima, escolaridade, comportamento pós-crime, comportamento durante interrogatório e assim por diante.

Depois de examinarem todas as informações sobre o crime, alguns criadores de perfis usam perguntas preparadas de antemão. David Canter pergunta: o que os detalhes do crime indicam sobre a inteligência, o conhecimento e as habilidades do criminoso? Ele parece ser espontâneo ou metódico? Como ele interagiu com a vítima? Essa interação me diz como ele pode ter interagido com outras pessoas? O criminoso era familiarizado com o crime que cometeu ou com o local em que o cometeu?

Em vez de tentar encontrar um único homem, como foi com Colin Stagg, os criadores de perfis deveriam ter como objetivo fornecer aos policiais no comando da investigação um relatório prático de potenciais suspeitos. Por exemplo, o inquérito do Estripador de Yorkshire deu aos investigadores 268 mil possíveis suspeitos e os levou a visitar 27 mil casas. Mike Berry diz: "Se estamos procurando um assassino sexual, então temos aproximadamente 30 milhões de homens. Se cortarmos crianças e idosos, conseguiremos diminuir para 20 milhões." Qualquer coisa que o criador de perfis puder fazer com segurança para reduzir esse número será valioso para a polícia. Mike comenta:

"Algumas pessoas ainda têm uma visão errada da criação de perfis. Elas acham que o profissional vai chegar e dizer que o criminoso é canhoto, ruivo, tem 1,67 metro e torce para o Manchester City. Só que mais pessoas o estão enxergando agora como uma das ferramentas na maleta de ferramentas do detetive, similar ao DNA e à patologia. É muito mais uma ferramenta do que uma fonte de informação incontestável, e acho que é isso mesmo." O glamour e a empolgação iniciados por James Brussel e Clarice Starling sobrevivem? "É um desafio, mas também muito exaustivo porque às vezes lidamos com crimes muito hediondos. Obviamente, quando comecei a traçar perfis, não parava de pensar nas vezes que eu não dava à polícia a informação que levava ao cara certo, que a culpa era minha, mas depois de um tempo você se dá conta de que só pode dizer o seguinte: 'Tome as características prováveis.' Ainda é papel da polícia recolher dados e capturar os criminosos. Hoje em dia, muitos policiais no comando de investigações entram em contato diretamente com Bramhill, a academia de polícia. A polícia vem se tornando mais independente e tende a usar mais o próprio pessoal. É raro ver psicólogos fazerem isso publicamente hoje."

É claro, psicólogos forenses fazem muito mais do que ajudar nessa procura por assassinos. A maioria trabalha com criminosos e pacientes internados, e alguns deles prestam serviços nas varas cível e criminal. Mike Berry reconhece que ele e seus colegas participam de, no máximo, cinco julgamentos por ano (embora façam aproximadamente cem relatórios no mesmo período, dos quais 5% são contestados, resultando em participação em julgamentos para defendê-los). Fora das salas de audiência, psicólogos forenses fazem muito trabalho com criminosos em unidades de segurança e hospitais psiquiátricos, às vezes tentando prepará-los para a vida do lado de fora, outras tentando fazê-los fornecer informações que possam solucionar outros casos, como Jenny Cutler fez com John Duffy. Mike diz: "Trabalhei com criminosos e vítimas. É muito desafiador. Você tem de tentar esmiuçar a história, tentar dar um sentido a ela [...] às vezes não conseguimos a história completa durante meses, até mesmo anos."

278   A ANATOMIA DO CRIME

Mike Berry também não deixa de tecer elogios à contribuição dos psicólogos das universidades: "Os acadêmicos são muito mais propensos a perguntar 'Cadê a prova?'." Eles conduzem pesquisas em áreas tão diversas quanto análise do discurso de estupradores, os movimentos de criminosos em série, interrogatório — são coisas úteis das quais podemos extrair boas questões e usá-las na criação de perfis. Interrogar criminosos, vítimas e testemunhas para conseguir a história completa é a área que Davis Canter, a quem Berry descreve como "a maior autoridade no ramo", acredita que os psicólogos contribuíram muitíssimo nas investigações de crimes. Basicamente, um interrogatório é pedir a alguém que se lembre de coisas, o que é uma atividade notoriamente complicada e propensa ao erro. Psicólogos estudam a arte de interrogar e conceberam alguns pontos-chaves para os detetives seguirem: eles precisam criar uma atmosfera aberta com seus interlocutores, recriar o contexto dos acontecimentos em questão, fazer perguntas abertas que não possam ser respondidas com "sim" ou "não", evitar cortar o fluxo mental do interlocutor e se interessar por tudo que eles dizem, mesmo aquilo que pareça irrelevante. Embora todos sejam diferentes, encorajar os interrogados a dizer a verdade quase sempre se resume a duas qualidades elusivas: confiança e respeito. A outra técnica comprovada para aumentar as chances de se conseguir que o suspeito confesse é certificar-se de que ele esteja ciente do peso das provas contra ele. Porém, ao contrário dos filmes, uma abordagem coercitiva pode levar os interrogados a se calarem ou a fazerem confissões falsas. E, é claro, nestes tempos de interrogatórios gravados, qualquer tentativa de coerção fará a prova ser descartada no tribunal.

Psicólogos forenses também estão cada vez mais envolvidos em "autópsia psicológica", uma tentativa de descobrir o estado de espírito de alguém antes de morrer. Um patologista identifica a causa da morte com uma autópsia física, mas não sabe necessariamente se foi suicídio, homicídio ou acidente. Os psicólogos examinam diários e e-mails, atividades on-line, histórico de saúde mental da família do falecido e podem até mesmo conversar com pessoas próximas a ele.

PSICOLOGIA FORENSE 279

Em 2008, Mike Berry falou na televisão sobre o extraordinário caso do desaparecimento da estudante Shannon Mathews, em Dewsbury, West Yorkshire. A análise que fez dos acontecimentos dependeu da sensibilidade para as nuances de expressão necessárias à autópsia psicológica. "Percebi que, enquanto interrogavam a mãe dela [Karen] no sofá com seu jovem parceiro, um dos filhos tentava subir em seu colo e ela não parava de afastar a criança. Pensei comigo que, se uma pessoa perde um filho, a reação esperada é abraçar os outros com força, mas ela não fez isso. Depois Karen disse algo como 'O pessoal da rua vai ficar feliz quando a encontrarem', em vez de 'Eu vou ficar feliz. Vou ficar louca de alegria'." Por fim, descobriu-se que Karen havia dopado sua filha de 9 anos com temazepam e a entregado a um cúmplice para mantê-la um mês na casa dele, que ficava ali perto. O plano era o namorado de Karen "encontrar" Shannon e depois dividir o dinheiro da recompensa com Karen. Porém, seguindo uma pista, a polícia encontrou a garotinha na casa do cúmplice, dentro da gaveta de uma cama.

Uma autópsia psicológica mais convencional foi feita após a morte de Howard Hughes em 1976. Ele era um excêntrico empresário norte-americano que, aos 18 anos, herdou o negócio da família do pai em Houston, Texas. Aos 60, Hughes era o homem mais rico do mundo, mas tinha desenvolvido uma fobia a doenças infecciosas. Ele se mudou para o México, onde fazia uso de codeína, não usava roupas, deixava o cabelo e as unhas compridos, nunca tomava banho nem escovava os dentes e passava até vinte horas sentado na privada. Devido ao seu comportamento recluso e bizarro, contestaram seu testamento, o que levou o dr. Raymond Fowler, presidente da Associação Psicológica Americana, a redigir um relatório para averiguar se ele era psicótico e, por isso, tinha perdido a noção da realidade. Fowler concluiu que, embora Hughes fosse mentalmente perturbado e extremamente excêntrico, ele sabia o que estava fazendo e não era psicótico. O testamento foi aceito.

No ensaio "Do homicídio como uma das belas-artes", de 1827, o escritor Thomas de Quincey sugere jocosamente que o ato deveria ser examinado pela perspectiva estética, e não pela jurídica. De certo modo, isso é o que psicólogos forenses fazem. Esses profissionais — 85% são mulheres — estão tentando pintar um quadro do interior da cabeça de uma pessoa que faça sentido. Ele pode estar longe de ser bonito, mas tem significado para a pessoa que serve de residência para tais pensamentos. E quanto melhor entendemos esses estranhos universos que nossos companheiros humanos ocupam, mais perto podemos chegar de arrumá-los, antes que deixem um rastro de destruição por onde passarem.

DOZE

O TRIBUNAL

*"Diferentemente da promotoria, que deve provar a sua tese, a defesa
tem apenas que gerar dúvida para vencer."*

Tim Pritchard, *Observer*, 3 de fevereiro de 2001

Em seus treze anos de advocacia, Fiona Raitt tratou provas
científicas como apenas mais uma "parte do processo". No
entanto, quando voltou para a universidade, em Dundee, começou
a conversar com cientistas e psicólogos sobre "como elas são recolhidas na cena do crime, armazenadas, usadas e, por fim, apresentadas no tribunal". Hoje professora de provas e justiça social, ela
escreve sobre as tensões em jogo em cada um dos passos proba-
tórios que envolvem as provas: "Todos têm interesses pessoais em
como a ciência é usada, desde sua descoberta até sua contribuição
no julgamento." A polícia analisa com muita determinação uma
prova quando acha que ela a ajudará a conseguir a condenação.
O promotor ignora fatos que fazem um réu parecer inocente. Por
outro lado, o advogado de defesa ignora fatos incriminatórios e
tenta persuadir o juiz a excluir testemunhas importantes. No meio
desse cabo de guerra que acontece no tribunal, encontra-se a prova
propriamente dita, e foram os cientistas forenses que usaram toda
a sua expertise para gerá-la e interpretá-la. Dependendo da narra-

282 A ANATOMIA DO CRIME

tiva em que ela se encaixa, eles destroem primeiro o testemunho do cientista e depois sua reputação.

Vamos pegar como exemplo uma prova típica: a jaqueta de um suspeito de homicídio. Um perito usa fita para recolher quaisquer fibras ou cabelos suspeitos da jaqueta para análise o mais rápido possível. Depois a coloca em um envelope plástico de provas e encaminha para um laboratório, onde um cientista procura coisas como manchas de sangue. Após fazer as devidas análises, o cientista embala a jaqueta e a armazena de novo, deixando-a pronta caso seja reivindicada durante o julgamento. Se o cientista não consegue encontrar nada útil, a jaqueta vai para um depósito onde fica aguardando a próxima descoberta científica que possa gerar provas aproveitáveis, como um teste de DNA mais sensível.

Foi isso que aconteceu com a jaqueta que pertenceu ao integrante de uma gangue que assassinou um estudante de 18 anos chamado Stephen Lawrence, em 1993, numa agressão racista sem motivação no sudeste de Londres. Stephen estudava para o vestibular e queria se tornar arquiteto. Ele e um amigo estavam em um ponto de ônibus em Eltham a caminho de casa depois de terem saído à noite, quando alguns jovens o jogaram no chão e o esfaquearam até a morte. Um integrante da gangue, Gary Dobson, usava uma jaqueta bomber cinza. Ele e seus amigos sempre negaram o assassinato, apesar de o álibi que forneceram à polícia depois tenha se mostrado falso. Outras provas circunstanciais também depunham contra eles, como a filmagem de uma câmera escondida que a polícia plantou na casa de Dobson. Embora a gangue jamais tenha discutido o assassinato diante da câmera, Dobson chamou um colega que pegou seu boné de beisebol de "preto arrombado do caralho". Quando o colega deu um tapa na parte de trás das pernas de Dobson, ele disse que sacaria seu estilete e ameaçou: "Se me der mais um tapa, seu filho da puta, vou enfiar essa porra em você."

Dobson foi a julgamento em 1996 e absolvido por não terem prova material suficiente. Porém, devido à melhora na sensibilidade dos testes forenses e à revogação, em 2005, da lei que proibia uma

O TRIBUNAL   283

pessoa ser julgada duas vezes pelo mesmo crime (ou seja, se provas novas que não foram encontradas na época do primeiro julgamento fossem descobertas, as pessoas podiam ser convocadas ao tribunal mais de uma vez), em 2006, a polícia estava preparada para reabrir um importante caso arquivado e revisar a prova. Eles entregaram o pacote contendo a jaqueta bomber à LGC Forensics. E, dessa vez, os cientistas encontraram provas microscópicas — o suficiente para a polícia acusar Dobson de homicídio novamente. (*Ver imagem 39 no encarte de fotos.*)

No julgamento, em novembro de 2011, Mark Ellison, o promotor, passou para o júri o vídeo com a fala racista de Dobson e a filmagem feita com a mesma câmera de outro integrante da gangue dizendo: "Eu iria pra Catford e lugares assim, agorinha mesmo, com duas metralhadoras e, sério, ia pegar e esfolar um desses pretos arrombados ainda vivos, torturar o cara, atear fogo no cara [...] eu ia explodir as duas pernas e os braços e falar: 'Pronto, agora você pode ir nadando pra casa'." Ellison também chamou testemunhas oculares para recontarem o assassinato ao júri, mas a prova crucial do processo contra Dobson foi o que Edward Jarman da LGC Forensics encontrou na jaqueta bomber.

Jarman passou dois dias examinando a jaqueta com um microscópio e encontrou uma mancha de sangue minúscula, com 0,5 centímetro de diâmetro, dentro de um friso da gola. O júri ouviu que, depois dos testes de DNA, Jarman achava que havia uma chance de menos de 1 em 1 bilhão de o sangue pertencer a outra pessoa que não fosse Stephen. A mancha tinha sido feita por sangue fresco e molhado, dos ferimentos à faca de Stephen ou espirrado da própria faca. Jarman também encontrou vários flocos de sangue seco que pertenciam a Stephen na sacola em que a jaqueta estava guardada. Presos dentro de alguns deles havia mais fibras que pertenciam à jaqueta e à camisa polo que Stephen usava na noite de sua morte. Além disso, ele encontrou mais fibras das roupas de Stephen quando reexaminou a fita adesiva que tinha sido usada para recolhê-las da jaqueta de Dobson após cometer o crime.

284 A ANATOMIA DO CRIME

A jornada pela qual passa uma prova física, da cena do crime à sala de audiência, não ganha muito espaço nas colunas dos jornais. Mas um julgamento é o teste decisivo pelo qual uma prova pericial passa: se não estiver bem documentada, ela não se sustenta no tribunal. E, se fracassar no tribunal, todos os esforços dos cientistas forenses — peritos em informática, patologistas, entomologistas, papiloscopistas, toxicólogos — terão sido em vão. No julgamento de Dobson, o advogado de defesa, Tim Roberts, fez um esforço enorme para gerar dúvida sobre a jornada da jaqueta. Em seu discurso de abertura para o júri, ele disse: "A acusação contra Gary Dobson é baseada em uma prova duvidosa. Na época em que Stephen Lawrence foi agredido, Gary Dobson estava na casa dos pais, onde morava. Ele é inocente. A documentação é volumosa, mas a prova material sobre a qual se sustenta esta acusação, as fibras e os fragmentos, não encheria uma colher de chá."

A jaqueta permaneceu intacta em uma sacola de papel selada com fita adesiva por dezoito anos. Roberts destacou que, no início dos anos 1990, os pertences do suspeito e da vítima eram muitas vezes armazenados no mesmo cômodo. Ao longo dos anos, muitos cientistas examinaram os pertences de Stephen Lawrence em diferentes laboratórios da Inglaterra, e nem todos eles usaram as devidas roupas brancas de plástico. Roberts alegou que a mancha de sangue na gola da jaqueta não era de sangue fresco. Ele disse que os flocos de sangue seco tinham ido parar dentro do envelope de provas por causa de um cientista descuidado que também havia trabalhado nos pertences de Stephen. Ele sugeriu que a mancha de sangue veio de um desses flocos que se dissolveu enquanto os cientistas faziam exames em busca de saliva. O exame envolvia molhar e pressionar a jaqueta. Edward Jarman disse que rechaçou essa teoria usando um grupo de controle de flocos de sangue. Eles tinham ficado "com a consistência de gel", viscosos demais para serem absorvidos pelo tecido. Os argumentos foram abundantes e detalhados. Um jornalista que esteve presente em todos os segundos das seis semanas que durou o julgamento de Dobson

O TRIBUNAL   285

disse: "Durante aqueles longos dias de apresentações ininterruptas de provas no final de novembro — quando os advogados argumentavam demoradamente sobre a segurança das sacolas de papel pardo —, o júri parecia entediado." (*Ver imagem 40 no encarte de fotos.*)

Roberts também estava desesperado para que o juiz descartasse a testemunha seguinte, Rosalind Hammon. A LGC tinha dado a ela a tarefa de examinar a cadeia de continuidade da jaqueta. Ele argumentou que, por ser funcionária da LGC, a visão de Hammon não era confiável. O juiz discordou e permitiu que ela testemunhasse. Hammon disse que, apesar da complexa jornada da jaqueta, não havia "nenhuma probabilidade realista" de o sangue e as fibras serem resultado de contaminação. No dia 3 de janeiro de 2012, Gary Dobson foi declarado culpado pelo homicídio e sentenciado a pelo menos quinze anos de prisão. Ele tinha ficado longe do alcance da justiça durante dezoito anos e duzentos e cinquenta e seis dias — são trinta e cinco dias a mais do que o tempo que Stephen Lawrence ficou vivo. O escritor Brian Cathcart disse, depois do julgamento: "A ideia de que poderia algum dia haver uma condenação, durante certo período, não passava de fantasia. É extraordinária a possibilidade de se voltar às provas e encontrar essas partículas microscópicas que podem levar à condenação." Outro integrante da gangue, David Norris, foi levado à justiça no mesmo tribunal que Gary Dobson, em grande parte por causa de um único fio de cabelo de Stephen encontrado na calça jeans que ele usava na noite do assassinato. Relatos de testemunhas oculares apontam para o envolvimento de mais três ou quatro homens, mas nenhum vestígio forense que os ligasse à cena foi encontrado.

No caso de Stephen Lawrence, o trabalho árduo da promotoria revelou provas que levaram à condenação de dois assassinos racistas e cruéis. As provas que "não encheriam uma colher de chá" derrubaram Gary Dobson, e filmagens de câmeras de segurança ajudaram a liquidá-lo. Mas provas podem ser uma faca de dois gumes, e às vezes advogados conseguem encontrar formas de usá-las que não servem bem à justiça.

286   A ANATOMIA DO CRIME

Os jurados adoram câmeras de segurança porque, enquanto muitos indícios usados em julgamentos podem ser contestados de uma maneira ou de outra, prova em vídeo fornece uma clara e irrefutável imagem do que aconteceu. Mas essa imparcialidade faz com que elas gravem *tudo* que aconteceu, não apenas o que a promotoria gostaria de ver. Em seu livro *Defending the Guilty* [A defesa dos culpados], de 2010, o advogado criminalista Alex McBride descreve um caso em que livrou uma pessoa com o uso extraordinário de uma prova gerada com câmeras de segurança. "Giles" tinha sido capturado por uma câmera de segurança de alta definição dando um soco no rosto de um homem. Ele estava sem camisa, e qualquer pessoa conseguia ler seus lábios no segundo após o soco: "Você quer mais, seu filho da puta?"

Assistindo à filmagem para preparar a defesa, McBride sentiu um aperto no peito. Desanimado, ele assistiu à fita até o final, quando a imagem ficou preta. Mas, de repente, ela ganhou vida novamente. McBride observou com perplexidade um policial imobilizar o corréu de Giles, "Dave", contra a parede, levantá-lo pela camisa e jogá-lo no chão. Quando a namorada de Dave tentou intervir, o policial a jogou no chão também. Ela tentou se levantar, mas o policial a manteve no chão, pressionando-a com o pé.

McBride mostrou o vídeo para o advogado de defesa de Dave e juntos eles bolaram um plano: exigir que todas as queixas contra seus clientes fossem retiradas e, em troca, eles não processariam a polícia por prisão ilegal e agressão. Para seu deleite, a promotoria aceitou e Dave e Giles foram libertados. Para livrar seu cliente, McBride tinha usado uma cena solta do vídeo que, de outra maneira, deixava claríssima a culpa dele. "A regra de ouro da defesa é", escreve ele, "quanto menos prova existir, melhor — a não ser que sejam provas que contradigam o que as testemunhas da promotoria estão alegando sob juramento".

◆

O TRIBUNAL 287

A Promotoria Pública no Reino Unido (Crown Prosecution Service) é um órgão do Estado. Sua associação com a polícia lhe dá uma vantagem em relação à defesa, mas ela deve compartilhar todas as suas descobertas com o outro lado antes do julgamento. O princípio do compartilhamento de provas tem relação com o conceito legal de "igualdade de armas", segundo o qual recursos similares têm de estar disponíveis para a promotoria e a defesa. Sem isso, um julgamento justo é impossível.

Igualdade de armas significa que, em teoria, tanto a acusação quanto a defesa podem usar seus próprios peritos para obterem uma visão sobre o que uma prova significa. No entanto, cada vez mais os juízes têm encorajado peritos da promotoria e da defesa a se encontrarem após terem analisado as provas para discutir suas conclusões em reuniões pré-julgamento. Isso leva implicações à igualdade de armas, porque economiza tempo e dinheiro, dois recursos que, dados os cortes recentes na assistência jurídica pública, estão cada vez menores. O dinheiro economizado pode então ser usado para pagar outros peritos. Mas isso envolve mais do que igualdade de armas, como um psicólogo forense explica: "Eu encaminho um relatório, o outro lado encaminha um relatório. Se há muitas diferenças, nos encontramos, pegamos um café, nos livramos de nossas diferenças e chegamos a resultados objetivos. Isso evita que nós dois compareçamos no tribunal por três dias e matemos os jurados de tédio, porque eles não têm ideia das diferentes teorias."

A antropóloga forense Sue Black concorda. "É importante promover um encontro anterior e alinhar os pontos sobre os quais concordamos e sobre os quais discordamos. Isso ajuda a eliminar uma parte grande da exibição presente nos tribunais." Um caso recente de que Sue participou como perita da defesa e que não houve a reunião pré-julgamento se transformou em "uma peleja interminável para os peritos da promotoria do início ao fim". Em determinado momento, o juiz perguntou se os peritos de ambos os lados podiam se reunir para conversar. No entanto, os advogados da defesa e a promotoria

288 A ANATOMIA DO CRIME

acharam que os pontos em comum eram tão poucos que não havia motivo para tal. A estratégia da promotoria foi por água abaixo, o que "não fez bem algum a ninguém".

Os peritos nem sempre têm de testemunhar em pessoa: independentemente de se foi escrito por um ou dois peritos, um relatório geralmente é o suficiente para o julgamento. A especialista em sangue Val Tomlinson "trabalha em uma quantidade enorme de processos, não é possível sequer sonhar em ir ao tribunal em todos eles [...]. Na verdade, costumo me sentar no banco das testemunhas umas duas ou três vezes por ano". A experiência de se sentar no banco das testemunhas gera todo tipo de emoção — empolgação, orgulho, satisfação, irritação, humilhação. A mistura depende da natureza do caso — e da personalidade dos próprios peritos.

O melhor de todos os cientistas que trabalham em laboratório pode não ser capaz de demonstrar o autocontrole e a confiança para fazer uma boa participação quando no banco das testemunhas. O patologista Dick Shepherd diz: "Muitos cientistas conseguem encontrar provas, mas, para participar de um julgamento como testemunha, é necessária a habilidade específica de apresentar a prova de uma forma que o júri sem conhecimento prévio possa entender." Não raro eles alegam que os processos judiciais são uma espécie de teatro — e, portanto, bons atores, como o famoso e carismático Bernard Spilsbury, geralmente deixam as melhores impressões nos jurados.

Embora os peritos só tenham permissão para responder àquilo que os advogados perguntam, ao mesmo tempo são encorajados a dar sua opinião. É trabalho deles encontrar e interpretar fatos, e não repetir feito um papagaio aqueles que já são conhecidos. É claro, a distinção entre fato e opinião é complexa, o perito que está testemunhando tem a pesada responsabilidade de não dizer nada que possa desorientar o júri. Se um perito afirma em seu testemunho que uma impressão digital manchada pertence a Joe Bloggs, isso é fato ou opinião? Quando um perito em manchas de sangue afirma que o formato de pingos significa que a vítima devia estar deitada no chão quando o golpe fatal foi dado, como um júri incorpora essa prova?

O TRIBUNAL   289

Além disso, por sua natureza, a ciência é provisória: teorias estão abertas a rejeição ou modificação à luz de novas provas. Fiona Raitt diz: "Boa parte do testemunho de um perito se sustenta no núcleo do desenvolvimento científico, que está em constante estado de descoberta e refinamento. O que sabemos hoje às vezes é muito diferente do que sabíamos ontem."

◆

O testemunho do especialista é definido como aquele que está fora do conhecimento médio geral do público. Independentemente de quanto ele tenha certeza de algo, o perito deve deixar "a questão final" sobre a culpa ou a inocência para o júri. Até certo ponto, essa é uma questão de semântica. Embora Val Tomlinson não pudesse dizer "o DNA prova que os irmãos Reed fizeram aquilo", ela podia falar (e foi o que fez) "na minha opinião, a explicação mais provável para os resultados do DNA obtidos é a de que as facas foram levadas à casa da vítima por Terence Reed e David Reed, respectivamente, e que eles estavam segurando essas facas no momento em que os cabos quebraram" (*ver pág. 169*).

O princípio do "conhecimento além do geral" foi consolidado em 1975, após o julgamento de Terence Turner. Turner estava sentado no carro com a namorada, Wendy, que ele achava que estava grávida de um filho dele. Mas os dois discutiram e, no calor da raiva, ela lhe disse que dormiu com outros homens quando ele estava preso. Um deles a tinha engravidado, não Turner. Fervendo de ódio, ele pegou um martelo ao lado do banco do motorista e golpeou quinze vezes a cabeça e o rosto de Wendy. Ele saiu do carro, foi andando até a casa de uma fazenda e contou a uma pessoa que acabara de matar a namorada. No tribunal, ele disse que não sabia o que estava fazendo, a mão dele simplesmente foi parar no martelo e "nunca passou pela minha cabeça fazer mal algum a ela".

A defesa de Turner fez uso da provocação. Se o júri tivesse entrado na onda, o veredito dele teria sido homicídio culposo. Em vez disso,

290 A ANATOMIA DO CRIME

declararam-no culpado por homicídio. Ele recorreu da decisão, alegando que o juiz não permitira ao júri ouvir o relato de um psiquiatra. O psiquiatra tinha escrito que Turner não possuía doença mental, mas era muito sensível aos sentimentos dos outros. A "estrutura da personalidade" dele o tornava vulnerável à raiva. E sua raiva era compreensível devido ao relacionamento que tinha com a vítima. Se a confissão dela o tinha pegado de surpresa, ele podia tê-la matado em "um explosivo ataque por ter ficado cego de raiva".

O advogado de Turner alegou que, se tivessem dado aos jurados a oportunidade de ouvir o relato, eles teriam sido capazes de compreender melhor as ações do réu. O juiz Lawton advertiu no Tribunal de Apelação: "Os jurados não precisam de psiquiatras para lhes dizer como uma pessoa comum que não sofre de nenhuma doença mental está propensa a reagir a estresse e tensões da vida." Se psiquiatras e psicólogos pudessem ser convocados em todos os casos para provar a probabilidade de um acusado estar falando a verdade, disse ele, "estaríamos abrindo a possibilidade de o julgamento do psiquiatra tomar o lugar do julgamento do júri". O recurso de Turner foi negado. Fiona Raitt explica: "O perito tem que demonstrar que a área dele é merecedora do rótulo de 'expertise' — a caligrafia é uma delas, bem como o conhecimento sobre o que os explosivos fazem —, mas, quando o assunto é comportamento humano, os juízes sempre titubeiam."

Na grande maioria dos casos, os cientistas forenses dão ao júri informações importantes a serem levadas em consideração e o ajudam a entendê-las. Os julgamentos que dão errado fazem juízes e acadêmicos como Fiona ponderar. Eles são dolorosos para todos os envolvidos, mas também pavimentam o caminho para uma justiça melhor em um próximo julgamento similar. Especialistas com prateleiras abarrotadas de publicações e um monte de acrônimos no fim de seus nomes são os que sofrem mais pressão pela expectativa que geram no tribunal. No geral, os jurados vão dar um peso a mais à opinião deles, ainda mais quando também são carismáticos.

Um exemplo recente é Roy Meadow, um pediatra famoso por identificar a síndrome de Münchausen por procuração, que faz os pais machucarem os filhos com o objetivo de conseguir a atenção dos médicos. Mas, no Reino Unido, o nome de Meadow é mais conhecido pela síndrome da morte súbita infantil, ou "morte no berço", em que um bebê aparentemente saudável morre sem uma causa médica óbvia. De acordo com Meadow, "uma morte infantil súbita é uma tragédia; duas, suspeita, e três, homicídio até que se prove o contrário". Os assistentes sociais e as agências de proteção à criança levaram a "Lei de Meadow" a sério e os resultados foram catastróficos para várias famílias.

Em 1996, um bebê de 11 semanas morreu subitamente no moisés na casa em que morava, em Cheshire. Dois anos depois, seu irmão Harry morreu em circunstâncias similares com apenas 8 semanas. Patologistas encontraram sinais de traumatismos no corpo dos bebês. A mãe deles, Sally Clark, filha de um policial, foi presa e acusada de dois assassinatos.

Sally foi a julgamento em novembro de 1999. Vários pediatras que testemunharam disseram que os bebês tinham morrido de causas naturais e acreditavam que os traumatismos no corpo deles eram resultado de tentativas de ressuscitá-los. Mas o promotor descreveu Sally como uma "bêbada solitária" que perdeu seu emprego bem remunerado como advogada e se ressentia dos filhos por a manterem em casa. Os peritos da promotoria, entre eles Sir Roy Meadow, primeiro acharam que os bebês tinham sido sacudidos até a morte, apesar de alguns deles mais tarde mudarem de ideia para sufocamento. Meadow avaliou que a probabilidade de acontecerem duas mortes súbitas de bebês em uma casa abastada era de 1 em 73 milhões. Ele usou uma analogia para deixar a situação bem clara para as pessoas: "É como apostar 80 contra 1 em um azarão na Grand National* quatro anos seguidos e ganhar todas as vezes." Com essa estatística bem condenatória de um médico que pouco tempo antes havia recebido

---

* Tradicional corrida de cavalos que acontece anualmente em Liverpool, no Reino Unido. [N do T.]

292 A ANATOMIA DO CRIME

o título de Sir, o júri declarou Sally Clark culpada por homicídio, por uma maioria de dez por dois.

Sally recorreu de sua condenação depois que a Sociedade Real de Estatística chamou a o cálculo de 1 em 73 milhões de Meadow de "erro estatístico grave". Para chegar ao seu número, Meadow havia simplesmente elevado ao quadrado a taxa de 8.500 por 1 de nascidos vivos em relação aos que sofrem morte súbita em casas abastadas de não fumantes. Esse cálculo não levou em consideração o fato de que o irmão de um bebê que sofreu morte súbita compartilha similaridades genéticas e de ambiente, e está, portanto, muito mais exposto ao risco de sofrer morte súbita do que o restante da população. A Fundação para o Estudo da Mortalidade Infantil declarou que, no Reino Unido, a segunda morte súbita de bebê na mesma família na verdade ocorre "aproximadamente uma vez por ano". Porém, em outubro de 2000, o recurso de Sally foi rejeitado: os juízes alegaram que os números apresentados por Meadow eram um "show à parte" que não teria afetado a decisão do júri.

Então novas provas do Macclesfield Hospital vieram à tona e mostraram que outro perito que participou do julgamento como testemunha, o patologista Alan Williams, havia cometido um erro ao divulgar os resultados dos testes que tinha feito em amostras de sangue. Eles sugeriam que um dos bebês morrera de infecção causada pela bactéria *Staphylococcus aureus*, não por ter sido sacudido nem sufocado. Sally entrou com novo recurso. Dessa vez, em janeiro de 2003, a condenação foi revogada e ela, libertada. Os juízes do tribunal de apelação disseram que, embora Meadow tivesse errado grosseiramente em suas estatísticas, foram as descobertas do Macclesfield Hospital — feitas por um advogado que trabalhou de graça — que os fizeram anular a condenação. Os juízes acharam "inadequada" a explicação de Alan sobre não ter levado em consideração o resultado do exame de sangue só porque não atestava que o bebê não havia morrido de causas naturais, que era em que Alan acreditava.

A libertação de Sally levou a uma revisão dos casos de bebês que morreram por terem sido sacudidos pelos pais. Duas outras mulheres,

Donna Anthony e Angela Cannings, tiveram suas condenações por homicídio revogadas e saíram da prisão. Três dos filhos de Cannings tinham morrido antes de chegarem à vigésima semana. Ela recorreu da sentença quando descobriram duas mortes súbitas de bebês de sua avó por parte de pai, e a bisavó, também por parte de pai, tinha perdido um bebê. Trupti Patel, outra acusada de assassinar seus três filhos, foi absolvida em junho de 2003. Em todos os casos, Sir Roy Meadow testemunhou e falou sobre a improbabilidade de mortes súbitas de bebês em uma única família. "Em geral", disse ele, "mortes repentinas e inesperadas não são genéticas".

Roy Meadow e Alan Williams foram posteriormente removidos dos registros do Conselho Geral de Medicina por "má conduta profissional grave". Meadow recorreu e ganhou o processo para ser reintegrado em 2006, alegando ter cometido seu erro estatístico de boa-fé. Porém, diferentemente de Bernard Spilsbury, sua reputação havia ficado denegrida ainda em vida. Em 2009, o próprio Meadow solicitou a retirada de seu nome dos registros do Conselho Geral de Medicina, o que significava que ele não podia mais trabalhar como médico no Reino Unido nem participar de julgamentos como testemunha. Os tribunais britânicos não processam mais pais de bebês que sofreram morte súbita com base no testemunho de um único perito. (*Ver imagem 41 do encarte de fotos.*)

Sally Clark jamais se recuperou de seu martírio. Ela não apenas perdeu seus dois filhinhos, mas também foi retratada na mídia como uma assassina de crianças, em seguida passou três anos na prisão, sendo tratada por outras internas como o epítome do mal. Ela morreu em 2007 de intoxicação alcoólica, aos 42 anos, deixando seu terceiro filho sem mãe.

Cientistas gostam de que suas teorias tenham uma boa exposição. Usá-las de maneira bem-sucedida em um processo criminal melhora o prestígio deles na comunidade acadêmica. Sue Black aprendeu a ser cautelosa em relação a isso. "Participei de um julgamento como testemunha em que os dois lados concordaram que aceitariam o que é que fosse que eu falasse. Não estou dizendo que isso é bom,

294 A ANATOMIA DO CRIME

porque dependendo do testemunho do perito, a situação pode ficar perigosa." Ponderando sobre os erros sutis que às vezes são cometidos, Fiona Raitt se questiona: "Até que ponto alguns peritos podem ser comprados? Gostaríamos de pensar que isso não é possível, mas o mundo é muito desagradável." (*Ver imagem 42 no encarte de fotos.*)

◆

Obviamente há perigos em se aceitar sem questionar aquilo que um perito diz. Mas há também o perigo de o tribunal ir longe demais no caminho contrário e rejeitar toda ciência de vanguarda, sob o pretexto de ser modismo e inconfiável. No cenário ideal, juízes e advogados colocam cientistas pioneiros sob pressão no banco das testemunhas, testando assim as limitações de uma técnica e dando a eles novos direcionamentos a serem seguidos nos laboratórios. Quando Sue Black tentou identificar uma pessoa que abusava de uma criança pelo traçado das veias na mão pela primeira vez, o advogado do réu contestou por ser uma técnica sem precedentes. Preocupada com a possibilidade de o uso de sua técnica ter sido um fator a contribuir para a absolvição do réu, Sue se deu conta de que ainda tinha que encorpar a sua análise de traçado de veias com mais dados (*ver pág. 199*). Por fim, a técnica foi usada para condenar um pedófilo que filmou os abusos que cometeu contra garotas.

Esse é um bom exemplo de como o interrogatório durante o julgamento pode fortalecer as técnicas forenses ao exercerem pressão sobre elas. Se a prova é sólida, a teoria se firmará e os jurados a acharão mais sólida se ela tiver sido testada. Mas nem sempre funciona assim. Na verdade, as pessoas questionam o valor da busca pela verdade no sistema judicial há muito tempo. Pouco antes de sua morte em 1592, o advogado e filósofo francês Michel de Montaigne escreveu: "Primeiro somos hostis aos argumentos e depois aos homens [...]. Um lado refuta o outro, e o fruto resultante desse debate é a destruição e o aniquilamento da verdade." Em outras palavras, quando os esforços dos advogados em atacar as provas não funcionam, eles se voltam para a pessoa responsável por elas. Um cientista forense com quem conversei saboreia isso. "Adoro o desafio de ser interrogado por advogados durante o julgamento — no início era 'Jovem, com a sua pouca experiência'. Hoje em dia eu geralmente me divirto muito com advogados por causa das artimanhas que eles usam para tentar vencer." Robert Forrest é estoico em relação a isso: "Se você não gosta de calor, é melhor sair da cozinha."

Um advogado criminalista com quem conversei acredita que seria "uma grande pena" se os peritos não tivessem de encarar o calor do interrogatório no tribunal: "Colocar em dúvida as qualificações de um perito no julgamento é uma linha de investigação perfeitamente aceitável. Mas é arriscada, porque pode ser desagradável para os jurados, e perdê-los é o mesmo que perder o caso. O conselho para os advogados é não desafiar os peritos no jogo deles, mas colocá-los numa posição em que, por meio da própria análise que fizeram, expressem incerteza. Além disso, às vezes peritos cometem erros. Motivo pelo qual eles têm de ser duplamente cuidadosos com todos os detalhes de seus relatórios."

Um patologista percebeu que, com o passar dos anos, os advogados ficavam cada vez mais bem preparados para emboscá-lo, e que talvez isso tivesse ido longe demais. "Quando paro e penso no que passei na minha carreira, vejo que antigamente as pessoas compreendiam que o testemunho de um perito estava ali para fornecer o benefício de todo o conhecimento dele, mas agora temos que referenciar as coisas. Não se pode mais dizer 'Bom, olha só, já vi vinte casos como este e acho que procede', porque a resposta é: 'Ah, você publicou isso? Onde está o artigo com a avaliação feita pelos seus colegas? Você pode ter errado vinte vezes, não pode?' Se eu digo 'Trabalho com isso há trinta anos e já vi 25 mil exames, e nunca vi isso antes', eles falam 'Isso é só uma coincidência'."

Todos os peritos com quem falei para escrever este livro são profissionais muito experientes que já testemunharam em inúmeros

296 A ANATOMIA DO CRIME

julgamentos. Val Tomlinson perdeu a conta de quantas vezes foi ao tribunal em seus trinta anos de carreira: "Centenas, provavelmente. Isso pode ser muito assustador. Eu me lembro de um caso em que um rapaz morreu depois de vários outros jovens o terem chutado. E outro rapaz tinha uma quantidade significativa de sangue na calça, mas era difícil de enxergar porque estava misturado com cidra e muito champanhe. Obviamente uma das inferências que os advogados gostam de fazer é 'Não há sangue no meu cliente, portanto, não foi ele que fez aquilo.' Então me fizeram perguntas sobre um tênis específico e eu aleguei que ele tinha manchas de sangue. Quando saí do banco das testemunhas, estava me sentindo bem. Aí o advogado falou para mim: 'Ah, sra. Tomlinson, quando estava falando daquele tênis, eu queria ter pedido que o mostrasse ao júri, mas preferi não interrompê-la. Se importaria de mostrá-lo agora?' Então pegaram o tênis, eu fui ao júri e fiquei de pé diante dele. Comecei dizendo 'Vocês não conseguem ver muito bem, mas elas estão por aqui,' e o advogado atrás de mim ficou doido de entusiasmo. Finalizei a explicação sobre a minha prova e fui dispensada. Eu sequer deveria estar falando com o júri. Ouvi o barulho de togas se arrastando nos bancos atrás de mim, então olhei para o juiz, que disse: 'É só mostrar para eles, sra. Tomlinson.' Fiquei ali em frente ao júri e me lembro de levantar as sobrancelhas um pouquinho, me perguntando o que estava acontecendo atrás de mim. Quando cheguei do lado de fora, entrei no carro e fiquei pensando: 'O que acabou de acontecer?' O espetáculo que aconteceu atrás de mim foi ridículo. Obviamente o advogado queria que eu ficasse lá fazendo aquele show, para o júri pensar: 'Bom, a gente não está vendo nada'."

Para o entomologista forense Martin Hall, o interrogatório no tribunal é "sempre um momento tenso. O coração dá uma acelerada. A nossa opinião profissional é questionada [...] ficamos sob intensa análise". O que a papiloscopista Catherine Tweedy mais odeia é o fato de "as pessoas não fazerem as perguntas corretas e assim não consigo discutir a prova. Temos que ficar sentados lá e esperar a pergunta, não podemos expandir as coisas. Às vezes podemos, mas, na maioria das vezes, não podemos. E, obviamente, a oposição tenta impedir que façamos isso o tempo todo porque eles não querem que você explique a sua opinião [...]. Sua opinião pode passar despercebida para eles, ou eles podem ignorá-la, mesmo quando sabemos que ela é extremamente relevante. Não temos controle sobre o que é apresentado ao júri."

O nosso patologista demorou para entender como um tribunal regido pelo sistema acusatório realmente é. "Foi há pouco tempo que me dei conta de que, quando estamos apresentando uma prova no tribunal, os promotores e os advogados de defesa estão envolvidos em advocacia judicial. Eles não estão, de forma alguma, em busca da verdade. Juramos dizer a verdade, somente a verdade e nada além da verdade. Mas o papel deles é formular um argumento, e se um pouquinho do que falamos é contrário a esse argumento, ou eles nos atacam ou simplesmente o ignoram."

As testemunhas podem responder "somente a verdade" às perguntas que lhes fazem, e somente a elas. Se eles querem falar uma verdade mais completa do que essa, se encrencam. Como um cientista diz: "É muito difícil para um perito falar 'Dá licença, você esqueceu uma coisa'. Eu fiz isso algumas vezes em julgamentos e o olhar que se recebe do juiz e dos advogados... não é 'Ah! Parabéns, meu camarada, que belezura, nos esquecemos disso, que bobeada!'. Em vez disso, o juiz fala 'Muito bem, suponho que todos nós tenhamos que saber disso aí, não é?', mas está pensando consigo: 'Por que essa pessoa está no meu tribunal causando esse problema todo? Estava tudo correndo muito bem, todos estavam na sua e aí esse cara vem dar trabalho.' Aí você começa a tomar sopapos de todo mundo durante quarenta minutos, depois levanta a bandeira branca e bate em retirada para casa."

Sue Black reconhece o tribunal como um local com potencial de ser "muito gratificante", mas no geral ela o acha "a parte menos prazerosa do trabalho, porque não são as nossas regras. Não é o nosso

298   A ANATOMIA DO CRIME

jogo. Muitos peritos optam por abandonar a profissão por causa disso, porque, quando entramos lá, nossa reputação como acadêmicos é tudo o que temos, e parece que às vezes parte do nosso sistema acusatório é uma autêntica tentativa de roubar essa reputação. A situação pode ficar muito pessoal. Pode ficar muito agressiva. Saímos do tribunal como o melhor perito do mundo ou como o maior idiota do planeta, e já fui as duas coisas [...]. Num caso recente, um colega meu foi ao banco das testemunhas para apresentar sua prova e lhe perguntaram: 'Qual é o seu relacionamento com a professora Black?' Ele respondeu: 'Ela é a chefe do departamento em que trabalho.' O advogado de defesa respondeu: 'Ah, eu acho que ela é um pouquinho mais do que isso, não?' Ele me contou depois que sentiu as orelhas ficando vermelhas por causa do jeito que aquilo foi dito. Foi libidinoso. Ele disse ao advogado: 'Não sei o que você quer dizer com isso.' E o advogado completou: 'Bom, estou lhe dizendo que ela é a sua orientadora de doutorado.' Ele confirmou e o advogado prosseguiu: 'Estou lhe dizendo que a professora, com seu ego monumental, deu uma olhada em seu império, seus olhos caíram sobre o aluninho de doutorado preferido, depois ela o chamou com um dos dedos e disse: 'Quer passar um dia no necrotério?' Foi isso que aconteceu, não foi?' E, ainda bem, ele falou: 'Não, não foi nada disso que aconteceu!' Quando se chega a esse tipo de agressão pessoal, o único desserviço é para a justiça, porque os peritos vão dizer 'Não vou tolerar isso'. E eu cheguei muito perto este ano de pensar: 'Por que eu faria isso, por que eu continuaria a me colocar nessa situação?'"

◆

Não são apenas profissionais experientes como Sue Black, ou jovens e aplicados peritos como o seu colega, que estão sujeitos ao assassinato de caráter. Um bom advogado vai sempre olhar para o elo mais fraco de um caso — e às vezes ele é a vítima. Um advogado de defesa canadense deu aos seus colegas um conselho brutal. "Se você destrói

O TRIBUNAL 299

o requerente em um processo [...] você destrói a cabeça. Você corta a cabeça do processo montado pela promotoria, e o caso morre."

Fiona Raitt trabalhou na Rape Crisis,* ajudando vítimas de estupro ou agressão sexual a levarem seus casos a julgamento. Para o bem da igualdade de armas, o advogado de defesa de uma pessoa acusada de estupro deve ter acesso ao mesmo histórico médico do requerente que o promotor. "As mulheres ficam chocadas quando descobrem", explica Fiona. Elas pensam: 'Como eles conseguiram isso?' O advogado de defesa diz: 'Então você estava tomando remédio, vamos ver, hum, calmantes, mais ou menos três anos atrás porque teve problemas de saúde mental?' E antes que se dê conta, eles estão inventando uma história sobre como não é possível confiar naquela pessoa, que provavelmente não consegue se lembrar muito bem das coisas e que talvez ainda esteja tomando remédio. Por uma razão ou outra, as testemunhas mais vulneráveis são as que têm históricos médicos mais longos, o que deixa espaço para a defesa fazer suas artimanhas. Os requerentes têm o direito de recusar a passar seus históricos, mas geralmente não fazem isso porque não sabem o que revelá-los significa."

Em janeiro de 2013, a violonista Frances Andrade era a requerente no julgamento de Michael Brewer, seu antigo professor de música, a quem ela tinha acusado de estupro e atentado violento ao pudor. No banco das testemunhas, ela foi várias vezes chamada de mentirosa e desabou a chorar quando interrogada pelo advogado do réu. Em uma mensagem para um amigo, ela disse que testemunhar foi "como ser estuprada de novo". Menos de uma semana após testemunhar e antes mesmo do final do julgamento, ela se matou em casa, em Guildford, Surrey. Brewer foi condenado em cinco acusações de atentado violento ao pudor.

Quando Louise Ellison, professora de direito na Universidade de Leeds, montou um júri com quarenta integrantes, todos eles da comunidade local, e colocou atores e advogados para reencenarem

---

* Uma organização da Inglaterra e do País de Gales que trabalha em prol das necessidades e dos direitos das mulheres que sofreram violência sexual. [N. do T.]

300   A ANATOMIA DO CRIME

julgamentos de estupro diante deles, ela descobriu que os jurados eram influenciados pelo comportamento do requerente no tribunal — se emotivo ou comedido — e por quanto tempo depois do estupro o requerente prestou queixa. No entanto, quando um juiz ou um perito explicava como podem ser variadas as reações a uma abordagem sexual indesejada, o júri ficava menos propenso a evitar o veredito de culpado por causa de um comportamento calmo ou de uma demora em prestar a queixa por estupro.

Mas o comportamento-padrão de um juiz é se manter em silêncio, explica Fiona. "Há casos em que os juízes não intervieram nem quando a pessoa estava chorando, desabando em lágrimas no banco das testemunhas. Eles disseram: 'Vamos fazer uma pequena pausa. Alguém pega um pouco de água para ela?' Os juízes tentam não fazer nada que possa indicar que estão sendo parciais, por isso têm que ser muito cuidadosos. Mas [...] acho que eles poderiam proteger muito mais as testemunhas." Os juízes têm de tomar cuidado com suas intervenções porque se parecer, mesmo vagamente, que estão tomando partido, o veredito do julgamento pode ser cancelado no Tribunal de Apelação.

A ideia de que se deve deixar os jurados tomarem as próprias decisões é o pilar de qualquer sistema penal acusatório. Mas isso não foi examinado apropriadamente. Acadêmicos como Fiona Raitt e Louise Ellison não têm permissão para fazer nenhuma pesquisa em corpo de jurados reais e ver o que eles fazem com as provas e os argumentos que lhes são apresentados. O estudo de Ellison levanta a seguinte questão: um juiz com experiência em trabalhar com vítimas de estupro seria mais adequado para julgar do que um corpo de jurados retirados da população?

◆

Há outros fatores também que tornam o tribunal um lugar difícil para o júri. Nenhum estudo foi feito sobre a capacidade de os jurados avaliarem provas periciais complexas apresentadas durante um

O TRIBUNAL   301

julgamento que pode durar várias semanas. Fiona chegou a se lembrar de uma época em que "os jurados não tinham permissão para levar blocos de anotação porque supostamente deveriam observar o que estava acontecendo o tempo todo". Alguns jurados devem ficar confusos com os novos conceitos que os cientistas lhes ensinam, com as tentativas dos advogados de desmantelar esses conceitos e com as declarações de outros cientistas que os contradizem. Os júris nem sempre compreendem corretamente e acabam dando pesos indevidos a certas provas. Um estudo de 2014 de especialistas jurídicos e estatísticos de Michigan e da Pensilvânia concluiu que 4,1% dos prisioneiros condenados à morte nos Estados Unidos eram inocentes.

Algumas pessoas acham o interrogatório feito pela contraparte tão inútil que gostariam de acabar completamente com ele. Em oposição ao sistema acusatório usado no Reino Unido e nos Estados Unidos, muitos países, como a França e a Itália, usam uma combinação de julgamento com júri e sistema inquisitorial, no qual, em vez de se ter advogados apresentando lados opostos de um argumento, um juiz investiga os fatos do caso. O juiz questiona as testemunhas e o acusado (ou seu advogado) antes do julgamento e somente se encontrar provas suficientes de culpa convoca um julgamento. A essa altura, o juiz entrega todas as provas que reuniu para a promotoria e os advogados da defesa. No julgamento, ele pode interrogar as testemunhas novamente para esclarecer o que disseram no testemunho pré-julgamento. Os advogados de defesa e os promotores não têm permissão para interrogar as testemunhas da contraparte, mas podem apresentar um resumo de seus pontos de vista ao júri.

Há vantagens e desvantagens em ambos os sistemas. O julgamento com júri tem suas raízes na Grécia e Roma antigas e começou na Inglaterra em 1219. À medida que seus poderes aumentavam, o júri começava a ser visto como um pilar da sociedade: um grupo de pessoas iguais a você podia condená-lo à prisão, e um membro da elite governante usando peruca, não. No século XVIII, a lei reconheceu que os júris existiam para limitar o poder que o Estado tinha de trancafiar as pessoas de quem não gostava.

302   A ANATOMIA DO CRIME

Já houve tentativas de abolir os júris nos tribunais de Diplock, que aconteceram em 1973, durante o conflito na Irlanda do Norte, para impedir o assédio aos jurados. Algumas pessoas acham que os juízes de Diplock, quando trabalhando isoladamente, acertavam mais do que erravam, e com mais frequência do que os júris. Além disso, o modelo de Diplock é, nas palavras de Fiona, "mais rápido, muito mais rápido" — o que é importante se pensarmos nos milhares de libras gastos com os tribunais diariamente. Mas Michel de Montaigne, novamente, tem algumas ideias pertinentes sobre esse sistema de justiça. "Um juiz pode sair de casa sofrendo devido à gota, com ciúme, ou exasperado porque um criado o furtou: toda a sua alma está tomada e embebida pela raiva: não podemos duvidar da possibilidade de o julgamento dele ser influenciado pela ira."

O advogado com quem falei defende o sistema acusatório. "A verdadeira beleza do sistema acusatório é que, contanto que as duas partes sejam competentes, consegue-se trabalhar todas as questões e elas são devidamente litigadas. O *ethos* entre os advogados de defesa é o de que devemos lutar pelo nosso caso destemida e legitimamente." Do ponto de vista dos cientistas, um sistema inquisitorial acabaria com o "exibicionismo" e o assassinato de caráter agressivo que eles tanto abominam. Todavia, alguns deles seriam contra uma mudança tão radical. Vale lembrar o que Peter Arnold disse no início deste livro. "Entendo a necessidade de um sistema acusatório. Fui questionado, mas, no fim, aquilo fortaleceu o caso, porque só reforçou que não havia problema algum com a prova. Não teremos uma apelação naquele caso daqui a dez anos, alegando que a prova pode ter sido adulterada. Prefiro deixar tudo às claras na hora. Vamos questionar as provas na hora, vamos encarar o escrutínio."

Outros cientistas acham que esse tipo de escrutínio que os advogados impõem a eles seria direcionado. Como um deles diz: "Um advogado de defesa veio ao meu escritório e disse: 'Bom, você sabe, a gente entende que ele tem culpa no cartório, mas o nosso trabalho é passar a perna em você.' Isso é o que me ofende mais do que qualquer outra

O TRIBUNAL 303

coisa. Não, o trabalho deles não é passar a perna na gente. O trabalho deles é examinar as provas."

De acordo com a experiência de um perito em incêndio com quem falei, "O processo no tribunal é um jogo entre os advogados e os peritos. Os advogados podem interpretar a melhor ciência que você coloca diante deles como desejarem e passar uma mensagem diferente para o júri". De maneira parecida, Fiona Raitt enxerga a existência desse mesmo descompasso se comparadas as buscas do sistema acusatório e a busca pela verdade. "Não acho que as pessoas que defendem o processo acusatório acreditem que ele seja o melhor caminho para se chegar à verdade [...]. Acho que ele, na verdade, distorce os fatos. Há uma profunda resistência por parte dos governos em explorar o que os júris fazem provavelmente pelo fato de que deve ser assustador demais, pois vão descobrir que eles na verdade são prejudiciais. Boa parte desse prejuízo é resultado da forma como deliberam. Basicamente, é o jurado mais forte que prevalece e todo o restante apenas consente."

◆

Os britânicos exportaram os julgamentos acusatórios e o sistema de júri para o Império. Eles continuam sendo o sistema de justiça adotado em países como EUA, Canadá, Austrália e Nova Zelândia. Os EUA são o país mais conhecido pelo sistema acusatório, em parte porque o uso de câmeras no tribunal é frequentemente autorizado. Ainda mais do que no Reino Unido, advogados e peritos competentes nos tribunais dos Estados Unidos aceitam defender aquele que paga mais. O melhor exemplo disso é a equipe de estrelas reunida por O. J. Simpson em 1995 para defendê-lo da acusação de que teria esfaqueado até a morte a esposa, Nicole Brown Simpson, e outro homem, Ronald Goldman.

Nesse infame julgamento, o advogado de defesa principal, Johnnie Cochran, conquistou o júri com uma mescla de ternos coloridos, interrogatórios incisivos e um carisma de outro mundo. Em determinado

304 A ANATOMIA DO CRIME

momento, a promotoria pediu a Simpson para pôr a luva recolhida na casa dele e que estava — de acordo com o argumento da promotoria — banhada com o sangue das vítimas e o DNA dele. No tribunal, Simpson teve dificuldade em colocar a luva. Cochran ergueu a cabeça para o júri e disse: "Se não servir, você tem que absolvê-lo!" A promotoria sugeriu que a luva havia encolhido de tanto a congelarem e descongelarem nos testes de DNA. Eles mostraram a foto de Simpson usando a luva alguns meses antes do homicídio, mas nem a luva nem a montanha de outras provas incriminatórias foram capazes de impedir que O. J. Simpson fosse inocentado, embora ele tenha sido depois considerado criminalmente responsável por um júri em um julgamento civil solicitado pelas famílias Brown e Goldman.

Na maioria dos casos, o acusado não é um astro do esporte rico. Quando surge a necessidade de contratar advogados e peritos, a maioria das pessoas tem de se contentar com aquilo pelo que pode pagar. O livro *Injustice* [Injustiça] (2013), do ativista pelos direitos humanos Clive Stafford-Smith, é sobre o extraordinário caso de Krishna "Kris" Maharaj, um empresário britânico condenado por um homicídio duplo num quarto de hotel em Miami em 1986. O júri declarou Kris culpado pelo homicídio do sócio jamaicano, Derrick Moo Young, e do filho dele, Duane Moo Young. Hoje, aos 75 anos, Kris já passou vinte e sete anos em uma prisão da Flórida pelo crime.

No julgamento, o advogado de acusação John Kastrenakes fez um poderoso discurso de abertura para o júri: "Vocês ouvirão provas científicas envolvendo impressões digitais, balística, documentação dos negócios [...]. Todas elas apontam para o réu — e mais ninguém — como o assassino." As impressões digitais de Kris foram encontradas no quarto de hotel onde os assassinatos foram cometidos porque — segundo Kris — ele tinha participado de uma reunião de negócios mais cedo naquele dia. Kastrenakes convocou uma série de testemunhas oculares e peritos, inclusive um policial que em seu testemunho disse ter vendido a Kris uma pistola 9 mm da Smith & Wesson alguns meses antes do ocorrido. Kastrenakes montou uma acusação convincente, salpicada de frases como "planejado milimetricamente", "ato brutal" e "provas fortíssimas".

Quando chegou a vez do advogado de defesa, Eric Hendon, chamar suas testemunhas, ele chocou todos os presentes. Disse simplesmente "a defesa encerra sua parte". Hendon tinha seis pessoas prontas para corroborar que Kris estava com elas no horário do homicídio, em um local a 65 quilômetros de distância do hotel. Mas o júri jamais ouviu o testemunho delas. Incompreensivelmente, Hendon destruiu a oportunidade de gerar dúvida sobre a narrativa de Kastrenakes.

O júri deliberou durante um período curto e declarou Kris culpado por homicídio qualificado, o que o fez desmaiar na cadeira. No mesmo dia, o mesmo júri retornou ao tribunal e o sentenciou à morte.

Não é raro suspeitos de homicídios que são inocentes terem advogados do calibre de Hendon nos EUA. Por natureza, é improvável que os inocentes saibam muita coisa sobre o que o sistema de justiça criminal requer deles: imaginam que a inocência falará por si só. Ávidos para limparem seu nome, correm para o julgamento sem reunir uma equipe competente para abalar o processo montado pela promotoria. Kris pagou a Hendon uma parcela única de 20 mil dólares (em comparação, O. J. Simpson gastou cerca de 10 milhões com sua equipe de defesa, uma quantia de 16 mil dólares por perito ao dia). Nas palavras de Stafford-Smith: "Pena capital significa que aqueles sem capital recebem a pena."

Quanto aos peritos, Kris não admitia pagar por eles. Qual era a necessidade de refutar provas que sequer tinham a possibilidade de existir? Ainda que ele tivesse ganhado dinheiro importando frutas do Caribe para o Reino Unido, Kris e sua sofrida esposa Marita acabaram falindo com os custos do processo no Tribunal de Apelação.

A atuação medíocre de Hendon pode estar a ligada a outros fatores além da falta de incentivo monetário. De acordo com o investigador que trabalhou com o advogado na defesa de Kris, ele tinha recebido um telefonema ameaçador algumas semanas antes do julgamento. Algo aconteceria com o filho dele, a pessoa ao telefone disse, se parecesse que ele estava se esforçando muito na defesa de Kris.

306 A ANATOMIA DO CRIME

O processo montado pela promotoria tinha contado com mais do que um bom pagamento e a atuação enérgica do promotor John Kastrenakes. As testemunhas desempenharam seus papéis, especialmente o perito em balística Thomas Quirk. A arma do crime era uma das maiores preocupações do júri, já que a polícia não a tinha encontrado. Quirk disse em seu testemunho que as balas encontradas nos corpos dos Moo Young haviam sido disparadas com uma 9 mm semiautomática, com possibilidade de ser de seis marcas diferentes. Ele fez disparos com todas essas opções em seu laboratório e descobriu que as marcas nas balas — feitas pela raias espiraladas no interior dos canos das armas — assemelhavam-se às marcas nas balas fatais.

Em seguida, Quirk falou dos estojos de munição que os peritos haviam recolhido no quarto do hotel: "O único padrão de disparo que tenho no laboratório compatível com a morfologia dos estojos na cena do crime é do modelo 39 da Smith & Wesson." Levando em consideração que um policial já tinha testemunhado que Kris comprara exatamente essa arma alguns meses antes, essas palavras foram condenatórias.

Por fim, Quirk mostrou uma foto de uma Smith & Wesson ao júri. Ela preenchia a lacuna deixada pela ausência da arma do crime e ficou gravada na memória dos jurados. Hendon fez objeção a Quirk mostrar a arma, alegando que ela não tinha nada a ver com os fatos, mas o juiz retrucou — "É demonstrativo!" —, e o deixou prosseguir. Quando Hendon interrogou Quirk, conseguiu fazê-lo admitir que por volta de 270 mil armas da Smith & Wesson foram produzidas nos EUA desde os anos 1950, e que a bala podia ter sido disparada de qualquer uma delas. Mas a essa altura o júri já tinha, de certo modo, visto a arma do crime.

A ciência de Quirk era válida? Ele realmente tinha como ligar as balas a um modelo 39 da Smith & Wesson? Ou os Moo Young foram mortos por outra das 65 milhões de armas espalhadas pelo país em 1986? A habilidade dos peritos em balística para identificar a ligação de uma bala a uma arma — "digital balística" — não é devidamente questionada desde os seus primórdios, no século XIX. Assim como peritos em impressão digital e especialistas forenses em cabelo, peritos em balística têm sido relutantes na hora de questionar as bases científicas de seu ganha-pão. Somente em 2008 que Jed Rakoff, um juiz federal em Nova York, enfim realizou audiências para examinar o status da prova baseada em balística. Rakoff sugeriu que elas eram mais confiáveis na época em que as balas eram feitas em moldes individuais, e bem menos na época da produção em massa. "Podem chamar a balística do que quiserem", disse ele, "só não podem chamá-la de 'ciência'".

Após o julgamento, ficou claro que Quirk regularmente dava certeza absoluta de suas conclusões quando testemunhava. Por exemplo, no julgamento de Dieter Riechmann, acusado de matar sua namorada no banco da frente de um carro que havia alugado em Miami Beach em outubro de 1987, ele disse durante seu testemunho que a bala fatal tinha saído de uma entre três tipos de arma, duas das quais Riechmann possuía. Em seguida, Riechmann foi condenado e sentenciado à morte. Na audiência de apelação, dez anos depois, Quirk admitiu que havia comparado os detalhes na bala somente com o banco de dados da Polícia de Miami, e não com o banco de dados do FBI, que possuía milhares de possibilidades a mais.

Por intermédio de sua instituição beneficente, a Reprieve, Stafford-Smith tem investigado a morte dos Moo Young há uma década. Ele levantou uma grande quantidade de provas novas, tanto nos arquivos policiais quanto com as pessoas envolvidas no caso.

No quarto do hotel em que foram baleados, os Moo Young tinham documentos que detalhavam a lavagem de nada mais nada menos do que 5 bilhões de dólares para o cartel de Medellín, na Colômbia, famoso por sua violência. Eles estavam tentando desviar 1% para eles, o que podia ter irritado o cartel. Ainda mais significativo foi o fato de jamais terem contado ao primeiro júri quem era a pessoa hospedada no quarto em frente ao dos Moo Young — um colombiano sob investigação por esconder 40 milhões de dólares em sua bagagem quando estava a caminho da Suíça. Não havia nenhum outro hóspede naquele andar do hotel no dia dos assassinatos.

308 A ANATOMIA DO CRIME

Em 2002, a sentença de Kris foi reduzida para prisão perpétua, com possibilidade de condicional quando completasse 103 anos. Em abril de 2014, um juiz de Miami autorizou uma audiência instrutória para o caso de Kris graças à força das novas provas. De acordo com a Reprieve, "isto representa o maior passo na direção da absolvição de Kris desde sua condenação em 1987".

No sistema acusatório, a igualdade de armas torna um julgamento justo possível. No mínimo, Kris Maharaj deveria ter tido um bom advogado e um perito em balística. Se alguma teoria merece mais credibilidade — seja uma teoria sobre culpa ou outra qualquer —, ela deve ser analisada detalhadamente e criticada por pessoas competentes externas ao processo. O método científico exige isso.

Sem o escrutínio do tribunal, a ciência reunida pelos peritos forenses é insignificante. O trabalho da ciência forense é dar suporte ao sistema jurídico, da cena do crime ao tribunal. No entanto, tudo depende desse estágio final ser escrupuloso e imparcial. Isso é benéfico não somente para a ciência, mas também para todos nós.

CONCLUSÃO

Este livro traçou um mapa dos surpreendentes saltos que a ciência forense deu ao longo dos últimos duzentos anos. Se mostrássemos a Michael Faraday ou Paracelso as provas científicas que hoje em dia são corriqueiras nos tribunais, elas pareceriam mágica a eles, que eram pesquisadores muito rigorosos. E o avanço da ciência ocorreu de mãos dadas com os avanços dos resultados obtidos pela justiça.

Quando o policial John Neil fazia sua ronda e chegou ao local do primeiro homicídio de Jack, o Estripador, em 1888, ele se deparou com problemas insuperáveis. Ninguém na intrincada rede de becos e ruas de Whitechapel tinha visto o assassino naquela noite de agosto. Não havia motivação óbvia nem suspeito óbvio. O corpo de Mary Nichols continha vestígios sobre a arma do crime, sobre a força do assassino e o estado de sua mente depravada. Mas nada disso apontava na direção decisiva.

Se Neil e seus colegas tivessem o conhecimento e a tecnologia dos investigadores forenses modernos, o processamento da cena muito provavelmente os faria seguir "o fio vermelho do assassinato" de Holmes, que os levaria inexoravelmente ao homem que matou aquelas mulheres em Whitechapel na calada da noite. No entanto, sem os recursos científicos mais básicos, a polícia ficava no escuro. Ela sabia disso, e o povo também: uma famosa ilustração da época representava um policial de olhos vendados, cambaleando sem esperanças de um lado para o outro, em uma rua cheia de estripadores rindo e o provocando.

310 A ANATOMIA DO CRIME

As cinco vítimas conhecidas atribuídas ao Estripador eram Mary Ann Nichols, Annie Chapman, Elizabeth Stride, Catherine Eddowes e Mary Jane Kelly. Elas representam uma pequena proporção de homens, mulheres e crianças cujos assassinos escaparam à punição, simplesmente porque não tinham como desvendar as complexas circunstâncias da cena do crime. Mas a polícia e os serviços forenses aprenderam lições com esses fracassos que acabaram servindo para proteger outras pessoas. Até mesmo os vários milhares de cachorros que sofreram mortes lentas por envenenamento nas mãos do "pai da toxicologia", Mathieu Orfila, no início dos anos 1800, desempenharam um papel significativo.

No processo de pesquisa para este livro, fiquei impressionada com a integridade, inventividade e generosidade dos cientistas forenses que conheci. Eles ficam tão envolvidos nos casos em que trabalham que estão dispostos a se ocupar dos mais sombrios e assustadores aspectos do comportamento humano cotidianamente. Eles se dispõem, como Niamh Nic Daéid, a passar horas nos escombros encharcados de um incêndio fatal; como Martin Hall, a recolher larvas de alguém morto há uma semana; ou como Caroline Wilkinson, a reconstruir o rosto de uma criança mutilada com a mesma idade da própria filha. Eles fazem sacrifícios para que todos nós possamos viver sabendo que, se formos vítimas de um crime, os autores serão levados à justiça. Eles não guardam seu conhecimento receosamente, mas o compartilham o máximo possível na esperança de que um de seus colegas possa usá-lo como trampolim e dar o próximo pulo.

E a importância do trabalho deles faz com que tenham uma criatividade impressionante quando estão frente a uma questão forense desafiadora. A proliferação de ferramentas forenses que ficaram à disposição dos investigadores ao longo dos últimos duzentos anos é assustadora. E, embora imperfeitas, praticamente todas fortaleceram o sistema judicial. Já tomamos conhecimento da "química de balde" que caracterizava os primórdios da análise de DNA, mas hoje uma cientista como Val Tomlinson ou Gill Tully consegue usar uma mancha de sangue muito menor do que um grão de sal para gerar um

CONCLUSÃO 311

perfil que pode não só encontrar a pessoa a quem ele pertence, mas também um membro da família dela que porventura tenha cometido um crime anos antes. No caso do vídeo que mostrava abuso sexual, mas não o rosto do agressor, Sue Black se tornou a primeira pessoa a identificar um criminoso pelo traçado das veias em seus antebraços e pelas pintas em sua mão. Os desafios da investigação criminal — e a necessidade de serem rigorosos — parecem mais estimular do que refrear a imaginação desses cientistas.

As provas da cena de um crime não seriam utilizadas com tanta eficácia atualmente se não tivessem, por mais de duzentos anos, sido forçadas a passar pelos rigorosos testes de credibilidade do tribunal. A primeira pressão exercida na teoria de um cientista é a de seus colegas, que o força ou a abandoná-la ou a encarar o desafio e fortalecê--la. Então, no tribunal, os advogados fazem tudo a seu alcance para incitar ceticismo no júri. Há pouquíssimas restrições em relação ao que se pode fazer com quem está no banco das testemunhas, e os advogados podem optar por ignorar os métodos científicos usados e, em vez disso, questionar o caráter dos cientistas. Contudo, por mais que um cientista forense possa achar estressante ser testemunha, o tribunal é a bigorna contra a qual a prova científica é golpeada. Com um advogado bem preparado desempenhando o papel do martelo, as técnicas forenses são ou fortalecidas ou quebradas, de acordo com o mérito delas.

Sim, como trechos deste livro mostraram, as coisas nem sempre são simples. Mas, quando funcionam, faíscas de inspiração voam pelos ares, ideias novas surgem em abundância e o espaço que os criminosos violentos têm para contornar a justiça diminui um pouco mais.

Os métodos da ciência e da justiça têm muito em comum. Ambos tentam decifrar a obscuridade e a incerteza. Na melhor das hipóteses, os objetivos principais deles também são compatíveis, já que tentam ir além da suposição e chegar à verdade por intermédio de fatos demonstráveis. Porém, tendo em vista que a ciência forense é feita de muitas camadas humanas — criminosos, testemunhas oculares, policiais, peritos, cientistas, advogados, juízes, jurados —, ela não

312 A ANATOMIA DO CRIME

tem como, às vezes, deixar a verdade escapar ou representá-la incorretamente. As apostas são sempre altas; vidas e liberdade dependem disso. Espero que este livro tenha demonstrado o comprometimento dos cientistas forenses nas diversas disciplinas com a postura imaginativa, aberta, honestíssima em relação ao benefício da justiça para todos nós. Isso me lembrou daquilo de que eu sabia havia muito tempo — o trabalho em si é maravilhoso e as pessoas que o fazem, sinceramente, são demais.

AGRADECIMENTOS

Eu tive a sorte de ter estudado na Escócia, onde o sistema educacional permite que os alunos estudem artes e ciência paralelamente desde o começo da vida escolar até a universidade. Eu gostava das duas e ainda adoro ficar boquiaberta com os últimos avanços na ciência e na tecnologia.

Entretanto, sou primordialmente uma escritora de ficção, ainda que uma escritora com gosto pela autenticidade. Mas, quando fico travada, costumo inventar alguma coisa. Então, quando escrevo não ficção, preciso de muita ajuda. Felizmente, ela estava disponível para mim.

Em primeiro lugar, tenho muito a agradecer aos especialistas das várias disciplinas que entrevistei e sobre os quais escrevi aqui. Foi um privilégio ter contato com o entusiasmo, o bom humor e os insights deles em relação a um trabalho, em sua grande parte, muito desafiador e angustiante. Alguns eu conheço e exploro há anos; a experiência com outros é nova. Não poderia ter começado a produzir este livro sem a generosidade com que disponibilizaram seu tempo e sua expertise. Então, obrigada, Peter Arnold, Mike Berry, Sue Black, Niamh Nic Daéid, Robert Forrest, Martin Hall, Angus Marshall, Fiona Raitt, Dick Shepherd, Val Tomlinson, Gill Tully, Catherine Tweedy e Caroline Wilkinson.

Tive apoio e ajuda enormes desde o início deste projeto de Kirty Topiwala e seus colegas da Wellcome Trust, que me apoiaram com uma ampla gama de recursos — das anotações à mão de Bernard Spilsbury a todo o café que consegui beber!

314 A ANATOMIA DO CRIME

Dois pesquisadores iniciantes me deram exatamente aquilo de que eu precisava durante todo o trabalho. Anne Baker e Ned Pennant Rea foram pacientes e eficientes. Não poderia ter escrito o livro sem a ajuda deles. Contudo, assumo inteira responsabilidade pelos meus erros. Sobretudo, quero agradecer ao editor Andrew Franklin, da Profile Books, que teve esta ideia maluca, e à minha editora que correu tanto atrás daquilo de que eu precisava que deve ter percorrido o equivalente a uma Maratona de Londres.

Finalmente, gostaria de agradecer à minha infatigável agente, Jane Gregory, que sempre dá apoio a mim e à minha família e que sempre está presente quando preciso dela.

BIBLIOGRAFIA SELECIONADA

APPLETON, Arthur. *Mary Ann Cotton: Her Story and Trial* (Londres: Michael Joseph, 1973)

BASS, Bill. *Death's Acre: Inside the Legendary 'Body Farm'* (Londres: Time Warner, 2004)

BEAVAN, Colin. *Fingerprints: The Origins of Crime Detection and the Murder Case that Launched Forensic Science* (Nova York: Hyperion, 2002)

BERG, Carl. *The Sadist: An Account of the Crimes of Peter Kürten* (Londres: William Heinemann, 1945)

BLACK, Sue & FERGUSON, Eilidh. (org.) *Forensic Anthropology: 2000 to 2010* (Londres: Taylor & Francis, 2011)

BRITTON, Paul. *The Jigsaw Man: The Remarkable Career of Britain's Foremost Criminal Psychologist* (Londres: Bantam Press, 1997)

CANTER, David. *Criminal Shadows: Inside the Mind of the Serial Killer* (Londres: HarperCollins, 1994)

CANTER, David. *Forensic Psychology: A Very Short Introduction* (Oxford: Oxford University Press, 2010)

CANTER, David. *Forensic Psychology for Dummies* (Chichester: John Wiley, 2012)

CANTER, David. *Mapping Murder: The Secrets of Geographical Profiling* (Londres: Virgin Books, 2007)

316   A ANATOMIA DO CRIME

CANTER, David & YOUNGS, Donna. *Investigative Psychology: Offender Profiling and the Analysis of Criminal Action* (Chichester: John Wiley, 2009)

CHAMBERS, Paul. *Body 115: The Mystery of the Last Victim of the King's Cross Fire* (Chichester: John Wiley, 2007)

DUNNE, Dominic. *Justice: Crimes, Trials and Punishments* (Londres: Time Warner, 2001)

ERZINÇLIOĞLU, Zakaria. *Forensics: Crime Scene Investigations from Murder to Global Terrorism* (Londres: Carlton Books, 2006)

ERZINÇLIOĞLU, Zakaria. *Maggots, Murder and Men: Memories and Reflections of a Forensic Entomologist* (Colchester: Harley Books, 2000)

EVANS, Colin. *The Father of Forensics: How Sir Bernard Spilsbury Invented Modern CSI* (Thriplow: Icon Books, 2008)

EVANS, Stewart & RUMBELOW, Donald. *Jack the Ripper: Scotland Yard Investigates* (Stroud: History Press, 2010)

FAITH, Nicholas. *Blaze: The Forensics of Fire* (Londres: Channel 4, 1999)

FALLON, James. *The Psychopath Inside: A Neuroscientist's Personal Journey into the Dark Side of the Brain* (Londres: Current, 2013)

FERLLINI, Roxana. *Silent Witness: How Forensic Anthropology is Used to Solve the World's Toughest Crimes* (Willowdale, Ont.: Firefly Books, 2002)

FETHERSTONHAUGH, Neil & MCCULLAGH, Tony. *They Never Came Home: The Stardust Story* (Dublin: Merlin, 2001)

FRANK, Patricia & OTTOBONI, Alice. *The Dose Makes the Poison: A Plain-Language Guide to Toxicology* (Oxford: Wiley-Blackwell, 2011)

FRASER, Jim. *Forensic Science: A Very Short Introduction* (Oxford: Oxford University Press, 2010)

FRASER, Jim & WILLIAMS, Robin. (org.) *The Handbook of Forensic Science* (Cullompton: Willan, 2009)

GENGE, Ngaire. *The Forensic Casebook: The Science of Crime Scene Investigation* (Londres: Ebury Press, 2004)

BIBLIOGRAFIA SELECIONADA 317

GROSS, Hans. *Criminal Investigation: A Practical Handbook for Magistrates, Police Officers, and Lawyers* (Londres: Sweet & Maxwell, 5ª edição, 1962)

HANSON, Neil. *The Dreadful Judgement: The True Story of the Great Fire of London, 1666* (Londres: Doubleday & Co., 2001)

HOPPING, Lorraine. *Crime Scene Science: Autopsies & Bone Detectives* (Tunbridge Wells: Ticktock, 2007)

ICOVE, David & DEHAAN, John. *Forensic Fire Scene Reconstruction* (Londres: Prentice Hall, 2ª edição, 2009)

JAMES, Frank. *Michael Faraday: A Very Short Introduction* (Oxford: Oxford University Press, 2010)

LAMBOURNE, Gerald. *The Fingerprint Story* (Londres: Harrap, 1984)

LENTINI, John. *Scientific Protocols for Fire Investigation* (Boca Raton: CRC Press, 2013)

LYLE, Douglas P. *Forensics for Dummies* (Chichester: John Wiley, 2004)

LYNCH, Michael. *Truth Machine: The Contentious History of DNA Fingerprinting* (Chicago, Londres: University of Chicago Press, 2008)

MANHEIN, Mary. *The Bone Lady: Life as a Forensic Anthropologist* (Baton Rouge: Louisiana State University Press, 1999)

MANHEIN, Mary. *Bone Remains: Cold Cases in Forensic Anthropology* (Baton Rouge: Louisiana State University Press, 2013)

MANHEIN, Mary. *Trial of Bones: More Cases from the Files of a Forensic Anthropologist* (Baton Rouge: Louisiana State University Press, 2005)

MCBRIDE, Alex. *Defending the Guilty: Truth and Lies in the Criminal Courtroom* (Londres: Viking, 2010)

MURRAY, William. *Serial Killers* (Eastbourne: Canary Press, 2009)

NIC DAÉID, Niamh. (org.), *Fifty Years of Forensic Science: a commentary* (Oxford: Wiley-Blackwell, 2010)

NIC DAÉID, Niamh. (org.), *Fire Investigation* (Nova York: Taylor & Francis, 2004)

318   A ANATOMIA DO CRIME

PORTER, Roy. *The Greatest Benefit to Mankind: A Medical History of Humanity from Antiquity to the Present* (Londres: HarperCollins, 1997)

PRAG, John & NEAVE, Richard. *Making Faces: Using Forensic and Archaeological Evidence* (Londres: British Museum Press, 1997)

RAITT, Fiona. *Evidence: Principles, Policy and Practice* (Edimburgo: Thomson W. Green, 2008)

RAO, Kalipatnapu. *Forensic Toxicology: Medico-legal Case Studies* (Boca Raton: CRC Press, 2012)

REDMAYNE, Mike. *Expert Evidence and Criminal Justice* (Oxford: Oxford University Press, 2001)

ROACH, Mary. *Stiff: The Curious Lives of Human Cadavers* (Londres: Viking, 2003)

ROBINS, Jane. *The Magnificent Spilsbury and the Case of the Brides in the Bath* (Londres: John Murray, 2010)

ROSE, Andrew. *Lethal Witness: Sir Bernard Spilsbury, Honorary Pathologist* (Stroud: Sutton, 2007)

SAUNDERS, Edith. *The Mystery of Marie Lafarge* (Londres: Clerke & Cockeran, 1951)

SIMPSON, Keith. *Forty Years of Murder* (Londres: Panther, 1980)

SMITH, Kenneth. *A Manual of Forensic Entomology* (Londres: Trustees of the British Museum (Natural History), 1986)

STAFFORD-SMITH, Clive. *Injustice: Life and Death in the Courtrooms of America* (Londres: Harvill Secker, 2012)

TERSIGNI-TARRANT, Maria Teresa & SHIRLEY, Natalie. (org.) *Forensic Anthropology: An Introduction* (Boca Raton: CRC Press, 2013)

TURVEY, Brent E. *Criminal Profiling: An Introduction to Behavioral Science* (Amsterdã; Oxford: Academic Press, 2012)

WELLMAN, Francis. *The Art of Cross-examination: With the Cross-examinations of Important Witnesses in Some Celebrated Cases* (Nova York: Touchstone Press, 1997)

WHITE, P. C. (org.) *Crime Scene to Court: The Essentials of Forensic Science* (Cambridge: Royal Society of Chemistry, 2004)

BIBLIOGRAFIA SELECIONADA   319

WHORTON, James. *The Arsenic Century: How Victorian Britain was Poisoned at Home, Work and Play* (Oxford: Oxford University Press, 2010)

WILKINSON, Caroline. *Forensic Facial Reconstruction* (Cambridge: Cambridge University Press, 2008)

WILKINSON, Caroline & Rynn, Christopher *Craniofacial Identification* (Cambridge: Cambridge University Press, 2012)

WILTON, George. *Fingerprints: Scotland Yard and Henry Faulds* (Edimburgo: W. Green & Son, 1951)

ÍNDICE

Abu Dujana Al-afghan 176
abuso infantil 232-234, 242
Academia de Ciência Russa 213
acônito 127-128
Adams, John Bodkin 124
África do Sul 186
Agência de Segurança Nacional 246 (NSA)
álcool 38, 112, 165, 243, 293
Alemanha 140
Alívio a ser dado a pessoas envenenadas ou asfixiadas (Orfila) 103
Allen, Jim 55-6
Allport, William H. 192-3
Al-Qaeda 149, 176
Al-Sane, Adnan 207-8, 214
Alvarez, inspetor 134
Análise de Odor de Decomposição 95
análise de traçados de veias 199--201, 294, 311
Analysis of Dust Traces, The (Locard) 16

Andrade, Frances 299-300
Anthony, Donna 293-4
antropologia 180-205
antropometria 132
Argentina
   Equipe de Antropologia Forense 169, 170-2, 185-6
   "Guerra Suja" 184-5
   impressão digital 119-20, 127 134-5, 140
Argentina 184-7
   análise de traçados de veias 199-294
   caso Gardiner 187-9
   caso Leutgert 190-2
   Kosovo 181-4
   Manheim 201-3
   Síria 187
armas 20-22, 306-8
Arnold, Peter 13-14, 16, 19, 28-29, 302, 313
Arsenic Century, The (Whorton) 116
arsênico 103, 108-111, 116

caso Cotton 109-10
caso Lafarge 104-8
Teste de Marsh 10, 106-9
Asbury, David 145-6
asfixia erótica 227-8
Ashworth, Dawn 163
Assassinatos das noivas na banheira 84-7
assassinos no sistema de saúde 118-24
Assassino da Ferrovia 262-6
atentado à bomba em Omagh 166-69
atentados à bomba
Atentados de 11 de março de 2004 em Madri 149-50, 175-7
Mad Bomber de Nova York 257-61
Omagh 166-9
Atkinson, Sargento Albert 136
Austrália 171, 218, 303
Áustria 140
autópsia 80, 90-92, 95-101, 110
autópsia psicológica 278-80

Bach, Johann Sebastian 212
balística 22-24, 177, 304, 306, 307--88
Banco de Dados de Calçados do Reino Unido 25
Banco de Dados Nacional de DNA 20, 174
Bankes, Isabella 67, 81

Barlow, Jeffrey 225
Barlow, Kenneth 96
Bass, William 94
Berg, Karl 253-6
berílio 114
Berry, Mike 266-7, 273-9, 313
Bertillon, Alphonse 132
Beshenivsky, policial Sharon 13--15, 18-19, 23-24
biologia dos insetos *ver* entomologia
Bishop, Linda 40
Bisset, Samantha e Jazmine 272
Black, Sue 94, 182, 186-9, 194-8, 200-4, 287, 293-4 297-8, 311, 313
análise de traçados de veias 199-200, 294, 311
caso Gardiner 187
caso MacRae 203-4
hora da morte 94
Kosovo 181-4
processo judiciário 287-8, 293, 299, 303-8
Síria 187
Bloodworth, Sir Thomas 30
Blum, Deborah 116
Bolívia 186
Bond, dr. Thomas 255-6
Bone Lady, The (Manheim) 202
Bone Remains (Manheim) 202
Bones, Trail of (Manheim) 202
Borden, Lizzie 252
Bracadale, lorde 241

ÍNDICE 323

Bradford 13, 21, 22, 23, 96
Brewer, Michael 299
Britton, Paul 267-72
Broadmoor 251-72
Bronte, Robert 75-6, 77, 88-90
Brooks, Mark 239
Brussel, dr. James 257, 260-1, 277
Buckland, Richard 163
Budowle, Bruce 169
Burney, Ian 89
Burnham, Alice 84-7
Burnham, Charles 84
busca familiar 172-3
busca por DNA familiar 172-3, 176
Butterly, Eamon 37, 39-40

cabelo 117, 177, 215
cães 46
Califórnia 51-6, 173
câmeras de segurança 222, 235, 242, 248, 285-6
Cameron, Elsie 87-90
Campbell, Stuart 237-9, 242
Canadá 140, 303
Cannings, Angela 293
Canter, David 263-6, 276
canto das sereias, O (McDermid) 266
Capacete de júpiter ver imagens no encarte de fotos
Carlos II 32
Cary, Nathaniel 240-2
Casey, Capitão Marvin 51

caso da garota do lago Nulde 207-9
caso Philpott 47-50
Castelo de Alnwick 125
Cassels, J. D. 88
Cathcart, Brian 285-7
cena do crime 11-29
    computação forense 235
    impressões digitais 142-3
    manchas de sangue 152-61
    patologistas 92
    psicologia forense 275
Centro de Anatomia e Identificação Humana 183, 189, 195, 200-1
Centro de Informática voltado para a Internet 225-6
César, Júlio 80
Champod, Christophe 151
Chapman, Annie 310
Cheema, Lakhvinder ('Lucky') 127-8
Chicago Tribune 192
China 57-8, 190
Clark, Sally 291-4,
cocaína 116, 118-19
Cochran, Johnnie 303-04
Coffey, Paul 41
Collins, Charles 137, 139, 144
Colorado 173
computação em nuvem 246-7
computação forense 225-50
    caso Coutts 226-8
    caso Gilroy 239-42

324 A ANATOMIA DO CRIME

caso McAfee 243-5
caso Reynolds 230-1
computadores *ver* computação forense
Conan Doyle, Sir Arthur 16, 89, 152-53, 161, 170
conhecimento do local 64, 274
Consolidated Edison 257
Constitutio Criminalis Carolina 80
contaminação 171-2
Coordenador de Equipe de Perícia 18-19
Corpos
  antropologia 180-204
  autópsia 80, 83-4, 87
  cena do crime 15-6
  concentrações de drogas 117-8
  efeitos do fogo 50
  entomologia 57-76
  hora da morte 58, 69-71, 92-3, 121
  patologia 77-101
  putrefação 93-4
  reconstrução facial 205-24
  rigor mortis 85, 93
  temperatura 92
Cotterill, subcomandante de polícia Steve 48
Cotton, Charles 110
Cotton, Mary Ann 109-11
Coulthard, Malcolm 238
Coutts, Graham 227-31
criação de perfis *ver* perfil criminal

crianças desaparecidas 208-9
Crimewatch (BBC) 201, 216-7, 269
criminosos em série 254-60, 265--6
  Assassinatos das noivas na banheira 84-7
  Assassino da Ferrovia 262-65
  Jack, o Estripador 136, 254-6, 261, 309
  Napper 272-3
  Shipman 120-4
  Vampiro de Düsseldorf 25
Crippen, Cora 68-9, 70, 71, 83-6
Crippen, dr. Hawley Harvey 83-6
cromatografia gasosa 47
Crompton, Rufus 125-6
CSI: Investigação Criminal 27-8, 76
Culshaw, Edward 10
Curie, Marie 113
Cutler, Jenny 264

Dando, Jill 90
Daoud, Ouhane 150, 176
d'Arbois, Bergeret 70
Darwin, Charles 133
datiloscopia 133
Day, Alison 262-3
D-Central 245
De Humani Corporis Fabrica (Vesalius) 80
de Quincey, Thomas 279-80
Dearnley, Albert 90
decomposição 94-5
Defending the Guilty (McBride) 286

Delichatsios, Michael 40-1
Departamento de Polícia de Nova York 141
Derby 48
Detective-inspetor 18
Detector de fumaça 49-50
Dew, inspetor-chefe 83
Diana, princesa 90
diatomácea 44
Dinamarca 140-1
Djurovic, Vesna 228
DNA 20, 28, 161-79, 310
    Atentados de 11 de março de 2004 em Madri 161-2
    busca familiar 158-9
    caso Crippen 69, 71
    caso dos irmãos Reed 154-7, 271
    caso Nickell 255
    caso Pitchfork 149-51
    caso Stephen Lawrence 264-6
    contaminação 157-8
    efeito CSI 15
    e larvas 57, 226
    "Guerra Suja" argentina 171
    questões éticas 159-61
    teste de LCN DNA 153-7, 271
    PCR 152-3
"Do homicídio como uma das belas-artes" (de Quincey) 279
Dobson, Gary 282-5, 279
Donne, John 77
Dorsey, George 190 -3
Dragnet 265

drogas 102-6, 116-29
Dropbox 247
Dror, Itiel 150
Drummond, Edward 252
Duffy, John 264, 272
Dunleavy, Philomena 215-7
Dunleavy, Seamus 215-7
Düsseldorf 253
Duster, Troy 174
Dwight, Thomas 190

Eddowes, Catherine 310
efeitos do fogo 50
E-FIT (Eletronic Facial Identification Technique/Técnica de Identificação Facial Eletrônica) 222-3
Ellison, Louise 299-300
Ellison, Mark 283
entomologia 57-76
    caso Ruxton 62-5
    caso Westerfield 74-6
Equipe de Antropologia Forense 184-6
Erzinçlioğlu, Zakaria 72
Escócia 119, 120, 144, 62, 72, 147, 177, 187, 197,201-4, 239, 243, 313
estudo em vermelho, Um (Conan Doyle) 16, 153-4, 161
Espanha 140
Estripador de Yorkshire 267, 276
Estupro
    Estuprador da Ferrovia 262-4
    processo judiciário 298-300

326 A ANATOMIA DO CRIME

ETA 176
EUA
 busca por DNA familiar 172
 crianças desaparecidas 208-9
 impressão digital 140
 sites de morte 229
 teste de DNA 185, 174-5
 toxicologia 112-3
 tribunal 303-8
Evans, Julie 123
extração por headspace 47

Facebook 217-8, 230-3, 245-6
FACES (Forensic Anthropology and Computer Enhancement Services/Serviços de Antropologia Forense e Aperfeiçoamento Computacional) 201-3
Fallon, Alexander 218-9
Fallon, James 251-2
Fantasma de Heilbronn 171
Faraday, Michael 32-4
Farriner, Thomas 30, 32
Farrow, Ann 136-38
Farrow, Thomas 136
Faulding, Peter 98-100
Faulds, Henry 133, 139-43, 177-8
Faull, Gregory 244
Faune des Cadavres, Les (Megnin) 59-60
Fazenda de Corpos 94-5
FBI
 antropologia 194

Atentados de 11 de Março de 2004 em Madri 149-51
 perfil criminal 254, 256, 274
fiasco McKie-Asbury 146-7
Finger Prints (Galton) 133-5
Fire Lover (Wambaugh) 51
Flight Characteristics and Stain Patterns of Human Blood 142
Forensic Casebook, The (Genge) 155
Forensic Science (Fraser) 144
Forrest, Robert 116-8, 124, 128, 295
fotoantropometria 222
fotografia tirada da pessoa quando ela é presa (*mug shot*) 133
Fowler, dr. Raymond 279
Fraser, Jim 144
frenologia 179

Galeno 80
Gall, David 125
Galton, Francis 133
Galyan, Chuck 52
Gardiner, John 158, 187-955
Gardiner, Margaret 187-90
Gardner, Erle Stanley 17
Garson, John 140
Gatliff, Betty 213
General System of Toxicology (Orfila) 103, 107
Genge, N. E. 151
George, Ron 53-4
Gerasimov, Mikhail 213
Gettler, Alexander 112-3, 115-6

Gilroy, David 239-42

Girolami, George *ver imagem 19 no encarte de fotos*

Gladwell, Malcolm 260

Goddard, Henry 22

Goldman, Ronald 303

Gordievski, Oleg 126

Grande Incêndio de Londres 31

Grim Sleeper 173

Gross, Hans 250, 253

Grundy, Kathleen 122-4

Guatemala 186

Guerra da Coreia 194

Guevara, Che 186

Hall, Martin 60-2, 65-8, 310, 313

Hammon, Rosalind 285

Haque, Azizul 134

Hardy, Dean 200-1

Harman, Craig 173

Harris, Thomas 262

Harry Potter e o Enigma do Príncipe (Rowling) 127

Haward, Lionel 256

Hawthorne, Julian 180

Haynes, Soldado Jonathan 28

Hendon, Eric 305-6

Henry, Edward 134-6, 139, 141, 143

heroína 71, 116

Herschel, William 131-2, 134, 171

Hill, detetive inspetor-chefe Graham 173

hipótese do círculo 265

His, Wilhelm 212, 223

História química de uma vela, A (Faraday) 32-3

Hitler, Adolf 256

Hoe, Peter 168-70

Hoey, Sean 167, 169-70

Hogarth, William 210

Holanda 182, 208-9

Homicídio

computação forense 225-31, 239-42, 244-5

DNA 162-3, 168-70

envenenamento 103-12, 116

impressão digital 135-40, 144

investigação de cena de crime 15-7

manchas de sangue 153-61

perfil criminal 254-6, 258-60, 274

prova pericial 282-6

psicologia forense 251-6, 267--72, 279

ver também corpos; atentados à bomba

Hoover, J. Edgar 194

Hrdlička, Aleš 193-4

Hubert, Robert 32

Hughes, Howard 279

Human Blood 155

Hungria 140

IDENT1 143

Identificação

antropologia 180-204

antropometria 132

DNA 156, 161-79

fotografia tirada da pessoa quando ela é presa (*mug shot*) 133

impressão digital 130-51

reconstrução facial 205-24

tipo sanguíneo 156

igualdade de armas 287, 299, 308

impressão digital 130-51, 248

    Atentados de 11 de março de 2004 em Madri 176-7

    caso dos irmãos Stratton 135--140

    fiasco McKie-Asbury 147-9

    Pillow Pyro 53, 55

    roubo 28-9, 147-56

impressão genética *ver* DNA

impressões latentes 141, 2

impressões patentes 141, 2

incêndio criminoso 39, 43, 48, 50, 56

Incêndio da Discoteca Stardust 35-41

incêndio na King's Cross 218-20

Índia 131, 135, 140

Indiana 65

Injustice (Stafford-Smith) 304-8

insanidade 252

insulina 96, 118-20

internet *ver* computação forense

investigação de locais de incêndio 30-56

Iraque 176, 187

Irlanda do Norte 148, 166, 302

Islândia 229

Iugoslávia 182

Jack, o Estripador 136, 139, 254-6, 261, 309

Jackson, Harry 137

Jarman, Edward 283-4

Jeffreys, Sir Alec 19, 161-3, 173-4

Jenkins, Billie-Jo 159-61

Jenkins, Siôn 159-61

Jericó 209

Jewell, Rebecca 48

Jigsaw Man, The (Britton) 268

Jigsaw Murders 64, 76

Jones, Danielle 237-9, 242

Jones, William 135-6

Julgamentos de Diplock 302

júris 301-3

Kappen, Joseph 172

Karadžić, Radovan 221

Kastrenakes, John 304-6

Kelly, Alice 259

Kelly, Ian 164

Kelly, Mary Jane 254-5

Kenyon, Kathleen 209

keylogger 233-5

KGB 126

Khnum-Nakht 206

Kirk, Paul 154-5

Knight, Bernard 83

Kollmann, Julius 206, 212

Kosovo 181-2, 184, 186-7, 198, 204

Kürten, Peter 253-4

ÍNDICE   329

Laboratório Central de Identificação do Exército dos EUA 194
Lafarge, Charles 104-7
Lafarge, Marie-Fortunée 104-8
Lancet 81-2, 90
Langer, Walter 256
Langley, Philippa 223
larvas 61-75
Lawrence, Stephen 282-6
Lawton, juiz 290
Le Neve, Ethel 82-3 *ver encarte de fotos*
Lecter, Hannibal 262
Lee, Frances Glessner 17
Lee, Mat 48
Lei de Regulamentação dos Poderes de Investigação 233
Lei do Arsênico de 1851 109
Leishman, Mary 218-9
Leonardo da Vinci 211, 224
Lethal Witness (Rose) 89
Leutgert, Adolph 190-2
Leutgert, Louisa 191-2
LGC Forensics 156, 171, 283
Limpeza das injustiças, A (Song Ci) 57-8
Lineu, Carlos 66
Little, Michael 173
Lloyd, Margaret 84-5
Locard, Edmond 16-7, 130
Locke, Anne 263
Lombroso, Cesare 179, 210-1, 253
Longhurst, Jane 50, 226-7
low copy number (LCN) DNA 166-70

Lucero, Glen 52
Lyon, Elizabeth 119-20

M'Naghten, Daniel 252
Macbeth (Shakespeare) 57, 152
Macnaghten, Melville 136-9
MacRae, Andrew 203
MacRae, Renee 203-4
Mad Bomber de Nova York 257-60
Maggia, Albina 115
Maggia, Amelia 114-5
Maggia, Quinta 115
Maggots, Murder and Men (Erzinçlioğlu) 72
Maharaj, Krishna ('Kris') 304-5
Malhotra, Bill 38-9
manchas de sangue 152-61
    caso Billie-Jo Jenkins 159-61
    caso Sheppard 155-6
Manheim, Mary 201-3
Mann, Lynda 163-4
Manual of Fingerprint Development (Ministério do Interior) 142
Manual of Forensic Entomology, A (Smith) 60
Manual of Medical Jurisprudence, A (Taylor) 81
marca de gasolina 47-8
Markov, Georgi 125-7
Marsh, James 10, 106
Marsh, Nick 198-200
Marshall, Angus 162, 225-6, 228
Marshall, Shirley 225

330 A ANATOMIA DO CRIME

Martland, Harrison 114
Mata-cão 127, *ver imagem no encarte de fotos*
Matassa, Mike 55-6
Mathews, Karen 279
Mathews, Shannon 279
Mayfield, Brandon 149-50
McAfee, John 243-5
McBride, Alex 286
McKie, detetive Shirley 145-7
McKie, Iain 145-6
McLean, Rachel 77-80
McTavish, Jessie 118-20
McTurk, Kirsty 240
Meadow, Sir Roy 290-3
médico-legista 57-8, 91, 112
Mégnin, Jean-Pierre 59-60, 70
mensagens de texto 237-9
Mesa de Autópsia Virtual (AV) 101
metadados 200, 243, 245, 247-8
metadona 116-7
metanfetamina 116, 192, 244
Metesky, George 259-60
Middleton, Thomas 31
Millburn, policial Teresa 13-4
Miller, Jennifer 216
Milošević, Slobodan 182
Mina de carvão em Haswell 33
Mina de carvão Senghenydd 34
Ministério do Interior 24, 90, 97, 142, 174
Mistério do Tâmisa 136
Montaigne, Michel de 77, 294, 302

Moo Young, Derrick 304, 306-7
Moo Young, Duane 304, 306-7
morfina 120-4
morte no berço 291-3
moscas-varejeiras 61, 63-70, 72-5
Mosley, Paul 49
motivação 108, 207, 250-1, 262, 282, 309
Mowbray, William 109-110
Mowlam, Mo 167
Muir, Richard 140
Mulcahy, David 264-5
Mullis, Kary 165-6
Mundy, Bessie 84-6
Murphy, Colm 167
Museu de Manchester 205-6

Napper, Robert 272-3
narizes 214-5
Neave, Richard 205-7, 213, 218-9, 223
Neil, detetive-inspetor 86
Neil, John 254, 309
Nekht-Ankh 206
New Statesman 160-1
Nic Daéid, Niamh 30, 34-6, 41-7, 49-50, 128-9, 310, 313
detectores de fumaça 49-50
Incêndio na Discoteca Stardust 35-41
processo judiciário 303-4
teste de concentração de droga 128-9
Nichols, Mary Ann 254, 309-10

ÍNDICE   331

Nickell, Rachel 268-73
nitroglicerina 114
Norris, Charles 112-5
Norris, David 285
Nova York
 Mad Bomber 257-60
 médico-legista 112
Nova Zelândia 80, 303

Obama, Barack 66
oficial responsável por uma investigação 7, 12-3
Ognall, juiz 271
óleo de baleia 33
olhos 214-5
opinião 147
orelhas 214-5
Orfila, Mathieu 102-4, 106-8, 126, 129, 310
Orr, John 54-56
Osborne, Sir Thomas 32
ossos 182-3, 185-6, 188-9, 191-6, 214-5
Oxtoby, Primrose 120-1

Paracelso 102
Paré, Ambroise 81
Patel, Trupti 293
patologia 77-101
 Assassinatos das noivas na banheira 84-6
 caso Crippen 82-4
 caso Gareth Williams 98-100
 caso McLean 77-80

caso Thorne 87-9
caso Toms 9-10
sistema de atuação do legista 112
Spilsbury 82-91, 101
pedofilia 198-201, 232-4, 242-3, 248
Peel, Robert 33
pegadas 25, 268, 272
Pemberton, Neil 89
Pepys, Samuel 31
Pereyra, Liliana 186
perfil criminal 254-75
perfil geográfico 265
Peritos 18-9
 ver também Arnold, Peter
pessoas desaparecidas 202-3, 208
 progressão de idade 220-1
Pharmaceutical Journal 106
Phillips, Christopher 176
Philpott, Mairead 48-9
Philpott, Mick 48-9
Pilley, Suzanne 239-41
Pillow Pyro 53-6
Piotrowski, Eduard 154
Pitchfork, Colin 164-5
Point of Origin 55
Poisoner's Handbook, The (Blum) 116
pornografia 229-31
Price, David 96
Princípio de Locard
Pritchard, Tim 281
progressão de idade 220-1
Promotoria Pública 168-9, 287
psicologia 250-80

332 A ANATOMIA DO CRIME

Assassino da Ferrovia 262-5
caso Rachel Nickell 268-73
caso Shipman 120-4
Jack, o Estripador 254-6, 261
Mad Bomber de Nova York 257-60
Vampiro de Düsseldorf 253--54
psicologia forense 250-80
Assassino da Ferrovia 262-5
autópsia psicológica 278-80
caso Rachel Nickell 268-73
Jack, o Estripador 254-6, 261
Mad Bomber de Nova York 257-60
perfil criminal 254-78
Vampiro de Düsseldorf 253-4
Psychopath Inside, The (Fallon) 252
putrefação 93-5

Quick-Mann, Richard 110
Quinn, detetive Seamus 38, 39
Quirk, Thomas 306-8
rádio 113-6
Raitt, Fiona 281, 289-303, 313
Rakoff, Jed 307
Randall, Joseph 22-3
reação em cadeia da polimerase (PCR) 166
reconstrução facial 205-24
caso Dunleavey 215-7
incêndio King's Crosss 218-20
progressão de idade 220-1

reconstrução facial digital 220-1
Ricardo III 223
Redi, Francesco 66
Reed, David 68-70, 289
Reed, Terry
Reinsch, Hugo 106
Reynolds, Jamie 230-1
Reynolds, Linda 121
Ricardo III 223
ricina 126-7
Riechmann, Dieter 307
rigor mortis 85, 93
Rikkers, Rowena 209
Roberts, Tim 284
Robinson, Lord 119-20
Rogerson, Mary 63-5
Rojas, Francisca 134-5
Rojas, Ponciano 134-5
Rojas, Teresa 134-5
Romeu e Julieta (Shakespeare) 102
Rose, Andrew 90

Rose, Hubert 219
Ross, Marion 144-5
Rossmo, Kim 65-6
roubo 50, 148-9, 179
Rowling, J. K. 127
Rutherford, John 122-3
Ruxton, Buck 62-4, 220, *ver imagens no encarte de fotos*
Ruxton, Isabella 62-4

Í N D I C E   333

sati 131-2

Schaub, Katherine 115

Scotland Yard 133, 135-7

Scott, Adam 171

Serra Leoa 187

Serviço de Ciência Forense 156, 164-5, 167, 177

serviços de consultoria investigativa sobre questões comportamentais 273

Shakespeare, William 11, 57, 102, 152, 210

Shepherd, Dick 90-3, 95-100, 288, 313

    caso Longhurst 228

    case Rachel Nickell 272-3

Sheppard, Marilyn Reese 154-5; *ver imagem no encarte de fotos*

Sheppard, Samuel 154-6

Shipman, Harold Frederick 120-4

Silêncio dos Inocentes, O 262

Simpson, Nicole Brown 303

Simpson, O. J. 303-5

Síndrome da Morte Súbita Infantil 291

Singh, Lakhvir 127-8

Síria 187

sistema acusatório 26-7, 297-8, 301-3

sites de morte 229

smartphones 129

Smethurst, Thomas 81

Smith, Janet 123

Smith, George Joseph 84-5

Smith, Ken 60

Smith, Sydney 90

Snow, Clyde , 185-6, 195, *ver imagens no encarte de fotos*

Sombras de um Crime (McDermid) 266

Song Ci 57, 190

Southall, David 160

Spilsbury, Sir Bernard 82-91, 101, 288, 293, 313

Spratling, inspetor John 254

Stafford-Smith, Clive 304-8

Stagg, Colin 269-73, 276

Stanworth, Denise 128

Stewart, T. D. 194

Stratton, Albert 138-9

Stratton, Alfred 138-9

Straw, Jack 232

Stride, Elizabeth 310

Suíça 101, 140, 212

tabaco 16, 186

Tailândia 128, 187, 200-1, 204

Tamboezer, Maartje 263

Tanner, John 77-80

Taylor, Alfred Swaine 81, 86

Taylor, Edward 32

telefones celulares 171, 199, 235--43, 248

Têmpera de Aço 118

Teste de Reinsch 106, 110

Teste de Marsh 10-1, 106-9

334 A ANATOMIA DO CRIME

testemunho de perito
no tribunal 288-98, 302-3, 305-8
reuniões pré-julgamento 287
Teton, Howard 260-1
Thorne, Norman 87-9
Thornwald, Jurgen 112
tipagem sanguínea 155-6
Tomlinson, Val 25, 156-8, 164-
-5, 168-70, 175, 178, 288-9, 296,
310-11
caso dos Reed 168-70, 289
processo judiciário 288, 296
tomografia computadorizada 69,
101, 213, 215, 220, 223
Toms, John 10
tratado sobre venenos, Um (Orfila)
103, 107
tribunal 281-308
casos de estupro 299-300
EUA 303-8
júris 300-3
sistema acusatório 301-3
testemunho de perito 287-298,
302-3, 305-8
Tribunal Europeu dos Direitos
Humanos 174
Tribunal Penal Internacional
para a ex-Iugoslávia 182, 221,
ver imagem no encarte de fotos
Trotter, Mildred 194
Tully, Gill 164-6, 170-2, 177-9, 310-
-1, 313
Turner, Terence 289-90
Turvey, Brent 261

Tweedy, Catherine 146-9, 151, 296-
-7, 313
Twitter 246

Unidade Britânica de Estudo de
Incêndios 38-9
Unidade Nacional Britânica de
Crimes de Alta Tecnologia 232
Universidade do Estado da Lui-
siana 201-2
Universidade do Tennessee 94-5
Unsolved 204
Uomo Delinquente, L' (Lombroso)
210
US Radium Corporation 113-6

Vampiro de Düsseldorf 253-4
Van Dam, Brenda 74
Van Dam, Danielle 74-5
Vass, Arpad 95
Velázquez, Pedro 134
veneno 102-3, 112, 116-8, 125
caso Markov 125-7
caso McTavish 118-20
caso Shipman 120-4
caso Singh 127-8
Garotas do Rádio 113-6
ver também arsênico
Vesalius, Andreas 80
vestígios incipientes 20-1
Vice 244-5
Vucetich, Juan 133-4

Wambaugh, Joseph 51
Weir, juiz 167-9

ÍNDICE   335

West, Iain 79
Westerfield, David 74-5
Whitaker, Jonathan 172
Whorton, James C. 116
Wilcox, Fiona 99-100
Wilkinson, Caroline 207-9, 211,
  215-7, 220-1, 223-4, 310, 313
  caso Dunleavy 215-7
  caso Karadžić 221
  caso da garota do Lago Nulde
    208-9
  Ricardo III 223

Williams, Alan 292-3
Williams, Bessie 84-6
Williams, Gareth 98-100
Williams, Georgia 230-1
Willis, Lisa 49
Witness was a Fly, The (BBC) 69
Wordsworth, William 205

Zumbo, Giulio 211

FOTOS

Embora tenhamos nos esforçado ao máximo para entrar em contato com os detentores dos direitos autorais das fotos, o autor e os editores ficariam gratos por informações sobre aquelas que não conseguiram identificar e felizes em fazer correções nas edições futuras.

1. CENA DO CRIME

© Getty Images.

1. Policial Sharon Beshenivsky, que morreu após ser baleada à queima-roupa por assaltantes.

© Maurice Jarnoux/Paris Match, disponível em Getty Images.

2. Dr. Edmond Locard, fundador do primeiro laboratório de investigação criminal do mundo. Também conhecido pela frase: "Todo contato deixa uma marca."

© Getty Images.

3. Peritos em busca de provas na área ao redor do local onde Sharon Beshenivsky foi assassinada.

2. INVESTIGAÇÃO DE LOCAIS DE INCÊNDIO

4. Michael Faraday, cujo livro de 1861, *A história química de uma vela*, abriu o caminho para a investigação moderna de locais de incêndios criminosos.

© Wellcome Library, Londres.

5. Peritos no incêndio da discoteca *Stardust*, no qual 48 pessoas morreram e mais de 240 ficaram feridas.

© The Irish Times.

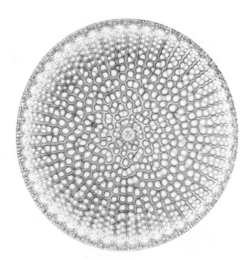

6. Restos fossilizados de diatomácea — um organismo unicelular — vistos por um microscópio.

© Spike Walker/Wellcome Images.

3. ENTOMOLOGIA

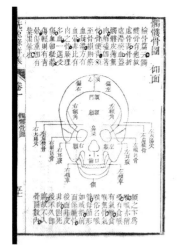

7. Página de uma versão de *The Washing Away of Wrongs*, do século XIX, manual chinês de medicina forense. Originalmente compilado por Song Ci no século XVIII, o texto continuou sendo o principal manual na Ásia Oriental por muitos séculos.

© Wellcome Library, Londres.

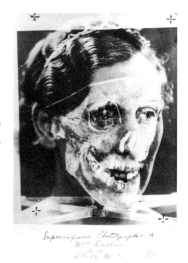

8. Esta imagem, que sobrepõe uma fotografia do rosto de Isabella Ruxton ao crânio encontrado no riacho, ajudou na condenação de Buck Ruxton.

Imagem cedida pela Universidade de Glasgow.

9. David Westerfield no banco dos réus, no Tribunal Superior de San Diego, na Califórnia, em fevereiro de 2002. Ele declarou-se inocente perante a acusação do homicídio de Danielle Van Dam, sua vizinha de 7 anos.

© Getty Images.

4. PATOLOGIA

© Pictorial Press/Alamy.

10. Dr. Hawley Crippen e a amante, Ethel Le Neve, no banco dos réus no tribunal em Old Bailey. Crippen seria condenado à morte e Le Neve, inocentada.

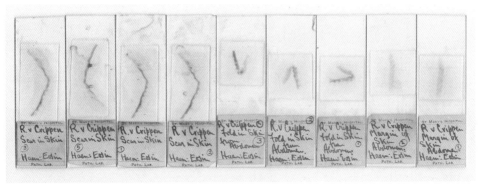

© The Royal London Hospital Archives and Museum.

11. Série de lâminas feitas por Spilsbury com segmentos da cicatriz encontrada no torso enterrado no porão dos Crippen: segundo Spilsbury, isso já provava que o torso era de Cora Crippen, por mais que discordassem dele.

12. George Smith e Bessie Williams no dia do casamento. Ela se tornaria sua primeira vítima.

13. Bernard Spilsbury, o patologista proeminente e cortês. O testemunho dele ajudou na condenação de vários criminosos, apesar de algumas de suas decisões terem sido questionadas desde então.

5. TOXICOLOGIA

© Wellcome Library, Londres.

14. Marie Lafarge, condenada pelo homicídio do marido ao misturar arsênico na gemada dele.

© Science Photo Library.

15. Anúncio do século XIX para um creme facial à base de rádio "feito com a fórmula do Dr. Alfred Curie".

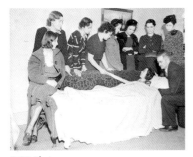

© PA Photos.

16. Nove das "Garotas do Rádio", que trabalhavam pintando relógios com tinta que brilhava no escuro — responsável pelo envenenamento radioativo que causou a morte delas.

© PA Photos.

17. O serial killer Harold Shipman e uma carta em que constava o testamento falsificado de sua última vítima, Kathleen Grundy. A tipografia da carta coincide com a da máquina de escrever do escritório de Shipman.

© Wellcome Library, Londres.

18. Acônito, conhecido também como capacete-de-júpiter e mata-cão. Os sintomas do envenenamento por acônito incluem náusea, vômito, queimação, formigamento nos membros e dificuldade de respirar. Se a pessoa não for tratada, pode morrer em um período de duas a seis horas.

6. IMPRESSÃO DIGITAL

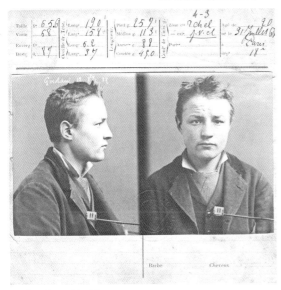

19. Registro, feito por Bertillon, de George Girolami, 21 anos, preso por fraude.

20. Assistente do Departamento de Investigações Criminais compara impressões digitais que chegaram com as cadastradas na Scotland Yard, em 1946.

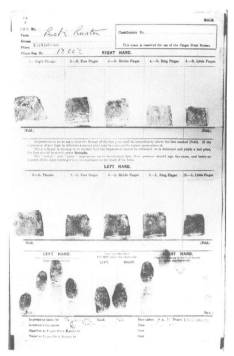

21. Impressões digitais de Buck Ruxton, tiradas na Cadeia de Liverpool, em 1936.

Foto: Serviço de Arquivo da Universidade de Glasgow, Departamento de Medicina Legal & Coleção de Ciência, GB0248 GUAFM2A/25.

22. Peritos forenses espanhóis em busca de pistas nos destroços após os atentados de 11 de março de 2004 em Madri. O ataque foi um dos maiores atentados terroristas.

© Pierre-Philippe Marcou/AFP/Getty Images.

7. MANCHAS DE SANGUE E DNA

© Bettmann/Corbis.

23. A partir da primeira foto à esquerda: Samuel Sheppard depois da suposta agressão, sua esposa, Marilyn Reese Sheppard, e Sheppard testemunhando em seu julgamento com um colar cervical. Ele cumpriu 10 anos de uma sentença de homicídio de segundo grau. Em um segundo julgamento em 1966, foi declarado inocente.

© Bettmann/Corbis.   © Rex Features.

24. O Dr. Paul Kirk examinando manchas de sangue no travesseiro de Marilyn Sheppard.

25. Colin Pitchfork, a primeira pessoa no Reino Unido a ser condenada com base em prova gerada por meio de teste de DNA.

8. ANTROPOLOGIA

© AP/PA Photos.

26. Antropólogos forenses escavando uma cova coletiva em Kosovo.

© Daniel Muzio/AFP/Getty Images.

27. Clyde Snow como testemunha em um julgamento de 1986 no qual nove ex-líderes da ditadura militar argentina respondiam por homicídios ocorridos durante a "Guerra Suja". Seu testemunho ajudou a condenar seis dos réus.

© EAAF/AFP/Getty Images.

28. Integrantes da Equipe Argentina de Antropologia Forense escavando uma cova coletiva em Córdoba, onde encontraram aproximadamente 100 corpos não identificados, que acredita-se serem vítimas da "Guerra Suja".

9. RECONSTRUÇÃO FACIAL

29. Um conjunto de "rostos criminosos" compilados por Cesare Lombroso. Essa sequência mostra seis assassinos. Lombroso acreditava que a criminalidade podia ser prevista de acordo com a aparência física de um indivíduo.

© Mary Evans Picture Library.

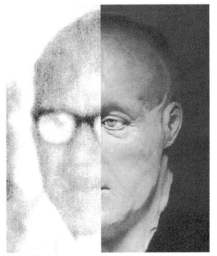

30. Fotografia de Alexander Fallon, vítima do incêndio na King's Cross, comparada com a reconstrução facial criada a partir de seus restos mortais.

© PA Photos.

31. O "Carniceiro da Bósnia", Radovan Karadžić. Da esquerda para a direita: ex-líder sérvio-bósnio em 1994; com a aparência de quando fugiu de sua captura por crimes de guerra; e no Tribunal Penal Internacional para a antiga Iugoslávia em julho de 2008. Ele foi condenado com 11 acusações de genocídio, crimes de guerra e crimes contra a humanidade.

10. COMPUTAÇÃO FORENSE

© Mirrorpix.

32. Polícia na busca pelo corpo de Suzanne Pilley perto de Arrochar, na Escócia. Os restos mortais dela nunca foram encontrados, embora David Gilroy tenha sido condenado pelo homicídio em 2012.

© Rex Features.

33. John McAfee rodeado pela imprensa depois de sua prisão feita pela polícia da Guatemala.

© Henry Romero/Reuters/Corbis.

34. Casa de McAfee em Belize.

11. PSICOLOGIA FORENSE

35. Peter Kürten, o "Vampiro de Düsseldorf".

© Archives/TopFoto.

© Rex Features/Associated Newspapers.

36. Polícia em busca do corpo das vítimas de Kürten na Fazenda Pappendell, em Düsseldorf.

37. "Jack, o Estripador" foi uma sensação na imprensa: esta ilustração na capa de uma revista da época representa o momento em que o policial Neil encontra o corpo de Mary Ann Nichols.

© Interfoto Agentur/Mary Evans Picture Library.

38. Polícia conduzindo George Metesky, o "Mad Bomber" de Nova York. Na foto, ele está vestindo o blazer com abotoamento duplo que o Dr. James Brussel, que fez um perfil psicológico do criminoso antes de sua prisão, disse que estaria vestindo quando fosse preso.

© Rex Features/CSU Archives/Everett Collection.

12. O TRIBUNAL

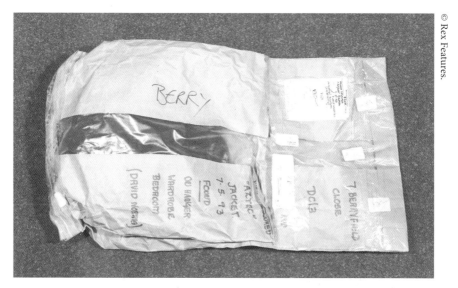

39. Sacola de papel usada para armazenar a jaqueta bomber de Gary Dobson na qual descobriram manchas do sangue de Stephen Lawrence.

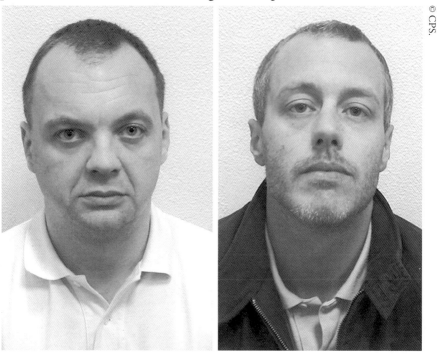

40. Gary Dobson e David Norris, ambos condenados pelo homicídio de Stephen Lawrence em 2012.

41. Roy Meadow chega ao Conselho Geral de Medicina para encarar um comitê de conduta profissional a respeito de provas que ele forneceu em vários casos de morte de bebês.

© Rex Features.

42. Sally Clark em frente ao Tribunal Superior após ser libertada.

IMAGENS EXTRAS

Anotações de John Glaister, o investigador principal no caso de Buck Ruxton, a respeito de cenas de crime.

© Serviço de Arquivo da Universidade de Glasgow, Departamento de Medicina Legal & Coleção de Ciência, GB0248 GUAFM2A/1.

©Arquivo da Universidade de Glasgow, Departamento de Medicina Legal & Coleção de Ciência, GB0248 GUAFM2A/73 e 109.

Policiais em busca de provas onde os restos mortais de Isabella Ruxton e de sua criada, Mary Rogerson, foram encontrados. Os corpos foram achados em mais de 30 sacolas diferentes, originando então o apelido do caso: "Jigsaw Murders".

Cabeça de uma larva vista pelo microscópio. É possível ver as presas que usam para levar a carne putrefata até a boca.

© Science Photo Library/ Getty.

©Wikimedia Commons.

Mosca-varejeira alimentando-se de carne em decomposição. Elas conseguem sentir o cheiro a mais de 100 metros de distância.

Ilustração da obra seminal de Eduard Piotrowski sobre manchas de sangue. Como parte de sua pesquisa, ele golpeava animais com diversas armas para observar os resultados.

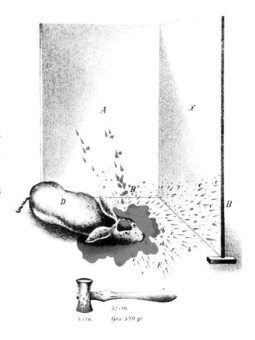

© Sally Mann. Cedida pela Gagosian Gallery.

Corpo *in situ* na "Fazenda de Corpos", na Universidade do Tennessee. Corpos eram deixados para decomposição em cenários variados com o propósito de serem estudados. Esta imagem faz parte do trabalho do fotógrafo Sally Mann "What Remains".

©Rex Features.

Graham Coutts, condenado pelo homicídio de Jane Longhurst, capturado pelas câmeras de segurança tirando o corpo de um depósito onde a manteve nas semanas após a morte.

©Wellcome Library, Londres.

Death of a Court Lady, de uma série de aquarelas japonesas do século XVIII representando os nove estágios de decomposição. No estágio da figura b, a carne já foi quase toda decomposta, revelando o esqueleto. Glicíneas sobre o corpo. Na figura c, apenas alguns fragmentos de ossos, incluindo o crânio e as costelas, mão e vértebras.

©PA Photos.

Betty P. Gatliff trabalhando na reconstrução facial de umas das vítimas não identificadas do serial killer John W. Gacy. Fotografias de rostos reconstruídos foram divulgadas para a mídia numa tentativa de identificar as vítimas. À esquerda de Betty, um rosto totalmente reconstruído e um crânio com os guias de borracha que indicam a grossura média do tecido de um rosto humano.

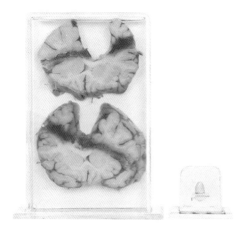

Partes de um cérebro de uma vítima de tiro, mostrando o caminho da bala, e a própria bala (à direita).

Imagem cedida pelo Bart's Pathology Museum, da Queen Mary University of London.

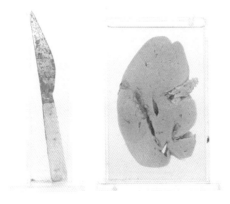

Parte de um fígado e, à esquerda, a faca responsável pela ferida fatal.

Imagem cedida pelo Bart's Pathology Museum, da Queen Mary University of London.

© Cedido por Bethlehem Heritage Society/ The Rocks Estate/ SPNHF, Bethlehem, New Hampshire.

Um dos "Estudos em miniatura de mortes inexplicadas" de Frances Glessner Lee. Feito para ajudar o treinamento de policiais na descoberta de pistas, o estudo descreve cenas de crimes até os mínimos detalhes.

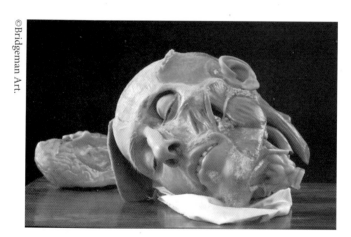

Modelo de cabeça de um homem idoso em cera, criada pelo escultor Giulio Zumbo no século XVII. Zumbo fez muitos modelos anatômicos. Neste caso, ele foi colocando camadas de cera colorida em um crânio de verdade.

Este livro foi composto na tipografia Adobe
Garamond Pro, em corpo 11,5/16, e impresso em
papel off-white no Sistema Cameron da Divisão Gráfica
da Distribuidora Record.